重要会议

2022年2月9日，中国共产党柞水县第十九届委员会第二次全体会议举行

县委书记崔孝栓在柞水县第十九届委员会
第二次全体会议上作工作报告

县长刘鹏在柞水县第十九届委员会
第二次全体会议上安排经济工作

2022年3月17日,柞水县十九届人民代表大会第一次会议

县长刘鹏在县十九届人民代表大会
第一次会议上作政府工作报告

县人大常委会主任谢建民
在县十九届人民代表大会第一次会议上
作人大常委会工作报告

柞水年鉴

ZHA SHUI NIAN JIAN

(2023)

中共柞水县委党史研究地方志编纂办公室 编

西北大学出版社

·西安·

图书在版编目（CIP）数据

柞水年鉴.2023/中共柞水县委党史研究地方志编纂办公室编.—西安：西北大学出版社，2023.12
ISBN 978-7-5604-5242-5

Ⅰ.①柞… Ⅱ.①中… Ⅲ.①柞水县—2023—年鉴 Ⅳ.①Z524.14

中国国家版本馆CIP数据核字（2023）第206466号

柞水年鉴（2023）

编　　者	中共柞水县委党史研究地方志编纂办公室
出版发行	西北大学出版社
地　　址	西安市太白北路229号
邮　　编	710069
印　　装	商南县顺意印务有限责任公司
开　　本	890毫米×1240毫米　1/16
印　　张	17.75
字　　数	437千字
版　　次	2023年12月第1版　2023年12月第1次印刷
书　　号	ISBN 978-7-5604-5242-5
定　　价	298.00元

如有印装质量问题，请与本社联系调换。电话：029-88302966

《柞水年鉴（2023）》编纂委员会

主　任　刘　鹏

副主任　胡大志　陈晓琴

委　员　吴启辉　白明树　蔡克锋　周建波　王成斌
　　　　　宋登魁　康　霞　朱万平　康魁锋　张书国
　　　　　汪　屿　李志和　赵世海　夏先平　李邦余
　　　　　崔福生　方新锋　黄国政　曾　斌　刘家桢
　　　　　鲁家春　祁少锋　吴正锋　李政为　王玉锋
　　　　　郭　勇　程　璐　李晓晴　王华岁

《柞水年鉴（2023）》编辑部

主　编　张书国

副主编　陈　刚

编　辑　张梅玲　余锡政　张青丽　方　翠　高松有　符轩彬

重要会议

2022年3月16日,政协柞水县第十届委员会第一次会议

县委书记崔孝栓
在政协十届一次闭幕会上讲话

县政协主席王立栋在政协十届一次开幕大会上
作政协常委会工作报告

2022年6月1日，省市场监管局党组书记、局长张小宁一行来柞水调研检查市场监管重点工作

2022年8月5日上午，商洛市委书记赵璟（左三）深入柞水县盘龙药业公司参观制剂中心

领导调研

2022年5月17日,商洛市委常委、市委政法委书记李华(右二)深入柞水县下梁镇老庵寺村调研指导工作

2022年5月25日,陕投集团党委书记、董事长袁小宁(前左三)到金米村,调研陕投商洛合力扶贫公司推进乡村振兴工作

2022年4月5日,中国科学院院士徐世烺(前中)回家乡凤凰镇调研

2022年3月3日,市人大常委会副主任、县委书记崔孝栓(前中)实地调研柞水县城市建设重点项目

领导调研

县人大常委会党组书记熊德海（左三）现场推进云山湖康养产业园建设

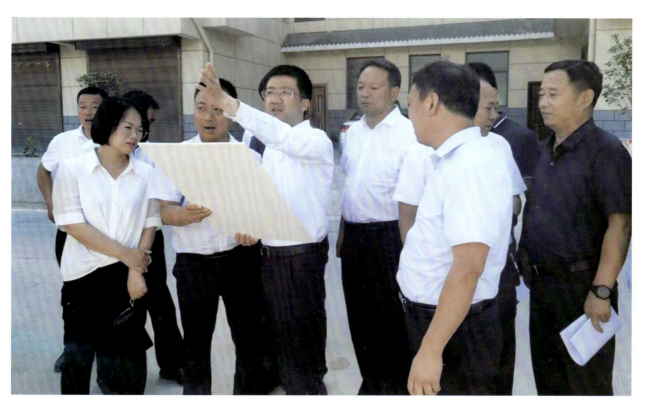

县长刘鹏（前左三）督导柞水职中选址勘界工作

县政协主席王博（前左二）深入曹坪抽水蓄能电站项目点督导群众搬迁工作

县委常委、营盘镇党委书记严文军（右三）踏勘营盘镇太河小学迁建项目

领导调研

县委常委、常务副县长胡大志（前左二）深入营盘镇督导牛背梁漂流项目建设

县委常委、宣传部部长陈晓琴（左二）调研瓦房口镇街垣社区
惠仁农业有限公司农产品包装、销售工作

县委常委、纪委书记、监委主任王永祥（中）督导曹坪镇窑镇片区"双百"工作

县委常委、组织部部长杜晓宁（左二）调研终南山寨商业街区党支部"5S"党建工作

领导调研

县委常委、副县长李浴溱（左二）督导公路建设

县委常委、县委政法委书记汪正华（左三）督导"12·4"法治宣传日活动

县委常委、副县长吴根（右二）调研柞水县木耳菌种繁育中心珍稀食用菌繁育情况

县委常委、副县长魏巍出席2022年春风行动"点对点"赴南京务工人员欢送仪式

领导调研

县委常委、县人武部部长张新峰（右一）进行县人武部官兵节日战备教育专题讲授

县委常委、统战部部长朱邦发（左二）开展"五个到一线"活动听取群众心声

市人大常委会副主任、县委书记崔孝栓（前中）督导凤凰东高速出口疫情防控工作

县长刘鹏到凤凰西慰问疫情防控一线人员

重大活动

2022年2月7日,柞水县召开"查堵点、破难题、树新风、促发展"作风建设活动动员部署会

2022年2月8日,柞水县2022年一季度重点项目举行集中开工仪式

2022年3月3日，柞水县召开党史学习教育总结会议

2022年3月21日，柞水县总工会和县文化和旅游局在县委党校四楼会议室隆重举办"党旗飘扬强堡垒　康养柞水当先锋"主题演讲决赛活动

重大活动

2022年4月7日，柞水县首届云蒙山茶园开采节

2022年4月20日，陕西省秦岭生态环境保护委员会联席（扩大）会议暨"五乱"问题整治现场观摩会在柞水县召开

2022年5月1日,柞水县兰花商(协)会成立大会暨第一次代表大会

2022年5月21日,纪念毛泽东同志《在延安文艺座谈会上的讲话》发表80周年
"到人民中去"陕西文艺界采风慰问活动走进柞水

重大活动

2022年6月24日,全民健身活动

2022年6月26日,陕西柞水曹坪抽水蓄能电站预可行性研究报告审查会议在柞水县召开

2022年6月30日，全省农村宅基地制度改革试点工作现场推进会在柞水县召开

2022年8月11日，柞水县巩固拓展脱贫攻坚成果同乡村振兴有效衔接现场观摩推进会

重大活动

2022年9月25日，柞水—高淳2022年招商推介会在南京市高淳区隆重举行

2022年5月27日，商洛市科技活动周启动仪式
暨科技特派团助力乡村振兴行动在柞水县金米村举行

2022年6月15日，陕西省2022年全国低碳日主题宣传活动启动仪式在牛背梁国家森林公园举行

2022年6月21日，第六届柞水木耳文化节开幕式在小岭镇金米村广场举行

重大活动

2022年6月29日，陕西省旅游安全综合应急救援演练暨旅游安全培训在柞水县牛背梁国家森林公园举办

2022年9月29日，商洛市打造中国康养之都推进会在柞水召开

柞水县招商引资暨首届乡党回乡发展大会

柞水县人民医院住院大楼落成仪式

重大活动

柞水县中医医院整体迁建开诊仪式

"喜迎二十大 文化进万家"柞水县文化惠民展演暨陕西省第九届群众文化节惠民展演

大型渔鼓山歌剧《红色谷子沟》开排仪式

柞水县公安局国保大队长郭淑琴在北京参加"全国公安系统英雄模范立功集体表彰大会"

亮点掠影

史志办党支部在袁家沟开展党史教育活动

"三无"小区捐赠活动

疫情防控党员先锋岗

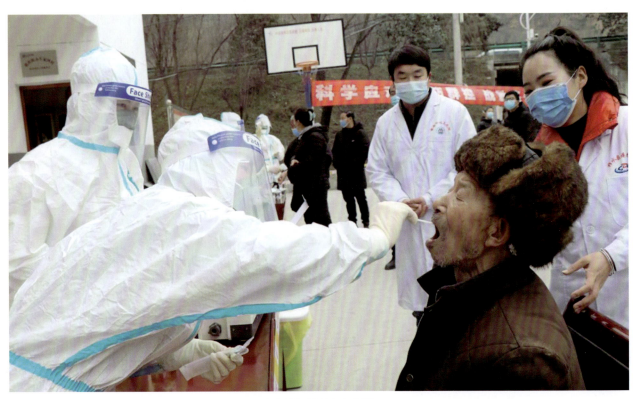
全员核酸检测采样

亮点掠影

凤凰镇金凤村木耳产业链项目

凤凰镇金凤木耳深加工厂

金米村大棚木耳基地

云蒙山茶园全景图

亮点掠影

下梁镇胜利村组织农户发展庭院经济

小岭循环绿色矿业产业链

小岭工业集中区标准化厂房

盘龙药业中药生产线

亮点掠影

西坡·秦岭（一）

西坡·秦岭（二）

孝义文化体验园

孝义文化体验园内景

亮点掠影

G211大坪至营盘段"三改二"道路铺油

健身步道

新落成的下梁新城广场

下梁镇中心停车场

亮点掠影

下梁幸福林带一角

云山湖度假区

县城农机路老旧小区改造

县城惠达二期住宅楼工程

亮点掠影

柞水服务区是继陕西交控高桥服务区建成"全国高速公路旅游主题服务区"后，陕西交控集团倾力打造的首个"交、文、商、旅"融合的开放式特色服务区

柞水县古道岭景区飞跃终南项目

山水七彩营地

编辑说明

一、《柞水年鉴（2023）》是由柞水县人民政府主办、中共柞水县委党史研究地方志编纂办公室承编的地方综合年鉴，是连续编纂每年出版的资料性工具书。

二、《柞水年鉴（2023）》以马克思列宁主义、毛泽东思想、邓小平理论、"三个代表"重要思想、科学发展观、习近平新时代中国特色社会主义思想为指导，坚持辩证唯物主义和历史唯物主义的立场、观点和方法，全面客观系统地记载柞水县自然、经济、政治、文化、社会、生态文明建设等方面的基本情况，真实地反映全县经济社会发展进程中的新思路、新举措和新亮点，为社会各界了解和研究柞水县提供基本资料。

三、《柞水年鉴（2023）》记述时限为2022年1月1日至12月31日，个别重要事项根据需要可以跨年度选编。

四、《柞水年鉴（2023）》采取分类编辑法，按照类目、分目、条目组成框架结构的主体部分。条目标题统一使用黑体字加【】表示。

五、《柞水年鉴（2023）》设特载、大事记、党政群团、军事·消防、法治、经济管理·监督、农业·农村经济、工业、交通运输·邮政、商贸、教育·科技、文化·旅游、卫生、城乡建设·环境保护、财政·税务、金融·保险、信息业、镇·街办概况、附录等24个部类121个分目523个条目，卷首使用图片86幅。

六、《柞水年鉴（2023）》所有数据以县统计局公布数据为准，统计部门未公布的数据以业务部门提供的数据资料为准。

七、《柞水年鉴（2023）》所刊载的资料由各部门（单位）、各镇（街）办、各企业提供原始资料，编辑部人员在尊重初稿资料的前提下，按照年鉴编纂体例予以编辑。

八、《柞水年鉴（2023）》的编辑出版工作得到全县各部门（单位）、各镇办和驻柞单位以及有关人士的大力配合和支持，谨此致谢。由于本年鉴涉及面广、内容浩繁、环节较多，难免存在疏漏和失误，恳请广大读者批评指正。

《柞水年鉴（2023）》编辑部
2023年6月9日

目 录

特 载

中共柞水县委常委会工作报告 ………… 1
柞水县人大常委会工作报告 …………… 15
柞水县人民政府工作报告 ……………… 22
守正创新 勇毅前行 在新使命中奋进新征程
展现新作为 …………………………… 30

2022年大事记

大事记 …………………………………… 37

中国共产党柞水县委员会

县委领导成员 …………………………… 76
县委工作 ………………………………… 76
县委办公室工作 ………………………… 78
组织工作 ………………………………… 80
宣传工作 ………………………………… 82
统一战线工作 …………………………… 84
机构编制工作 …………………………… 86
机关党建工作 …………………………… 87

党校工作 ………………………………… 89
党史研究地方志编纂工作 ……………… 90
巡察工作 ………………………………… 91
督查工作 ………………………………… 93
档案工作 ………………………………… 93

柞水县人民代表大会常务委员会

柞水县人民代表大会常务委员会领导成员 …… 95
人大常委会工作机构及领导成员 ……… 96
人大常委会工作 ………………………… 96

柞水县人民政府

县政府领导成员 ………………………… 100
县政府工作 ……………………………… 100
县政府办公室工作 ……………………… 103
人力资源和社会保障 …………………… 105
信访工作 ………………………………… 107
城镇企业养老保险 ……………………… 108
机关事务管理 …………………………… 109
民政事务 ………………………………… 112
移民搬迁 ………………………………… 113

乡村振兴 …………………………………… 115
行政审批 …………………………………… 116
柞水县退役军人事务局 …………………… 118

政协柞水县委员会常务委员会

政协柞水县委员会领导成员 ……………… 120
政协常委会工作机构及领导成员 ………… 121
政协工作 …………………………………… 121

中共柞水县纪律检查委员会
柞水县监察委员会

纪律检查委员会和监察委员会领导成员 …… 123
纪律检查和监察工作 ……………………… 123

社会团体

柞水县总工会 ……………………………… 126
共青团柞水县委员会 ……………………… 127
柞水县妇女联合会 ………………………… 129
柞水县工商业联合会 ……………………… 130
柞水县科学技术协会 ……………………… 131
柞水县残疾人联合会 ……………………… 132
柞水县红十字会 …………………………… 133
柞水县慈善协会 …………………………… 134

军事·消防

柞水县人民武装部 ………………………… 136
柞水县消防救援大队 ……………………… 138

法 治

政法工作 …………………………………… 140
公安工作 …………………………………… 142
公安交警 …………………………………… 144
检察工作 …………………………………… 145
审判工作 …………………………………… 146
司法行政 …………………………………… 149

经济管理·监督

经济规划与发展 …………………………… 151
统计工作 …………………………………… 153
审计工作 …………………………………… 154
市场监督管理 ……………………………… 156
自然资源管理 ……………………………… 158
招商引资 …………………………………… 160
应急管理 …………………………………… 161

农业·农村经济

农业农村 …………………………………… 163
林 业 ……………………………………… 165
水 利 ……………………………………… 167
特色产业 …………………………………… 169

工 业

经济贸易 …………………………………… 171
县域工业集中区 …………………………… 172
电力工业 …………………………………… 173

交通运输·邮政

交通运输管理 …………………… 176
公路管理 ………………………… 178
"两路"协调服务 ………………… 179
邮政业 …………………………… 180

商贸

粮食购销 ………………………… 182
供销合作 ………………………… 183
烟草专卖 ………………………… 185

教育·科技

教育 ……………………………… 186
科学技术 ………………………… 188
气象服务 ………………………… 190

文化·旅游

文化旅游 ………………………… 192
图书销售与宣传 ………………… 194
牛背梁国家森林公园管理 ……… 195
柞水溶洞管理 …………………… 196
凤凰古镇管理 …………………… 199

卫生

卫生健康 ………………………… 200
医疗保障 ………………………… 204

城乡建设·环境保护

城乡建设 ………………………… 206
城市管理 ………………………… 208
住房公积金管理 ………………… 210
环境保护 ………………………… 211

财政·税务

财政 ……………………………… 214
税务 ……………………………… 216

金融·保险

中国农业银行柞水支行 ………… 219
陕西柞水农村商业银行 ………… 220
柞水县农业发展银行 …………… 222
柞水县人寿保险 ………………… 223
柞水县财产保险 ………………… 223
柞水县中华财险 ………………… 224

信息业

电信 ……………………………… 225
移动通信 ………………………… 226
联通公司 ………………………… 227
广电网络 ………………………… 228

镇·街办概况

乾佑街办 ………………………… 229

营盘镇 …… 232	柞水荣誉墙 …… 255
下梁镇 …… 235	2022年柞水经济社会发展十大亮点 …… 257
凤凰镇 …… 237	柞水县2022年建成"十大"工程民生持续改善 …… 259
小岭镇 …… 239	
杏坪镇 …… 241	柞水县农村宅基地资格权认定管理办法（试行） …… 260
红岩寺镇 …… 243	
瓦房口镇 …… 245	柞水县农村宅基地建房管理办法（试行） …… 262
曹坪镇 …… 247	柞水县农村宅基地有偿使用管理办法（试行） …… 266

附 录

	柞水县农村闲置农房（宅基地）使用权流转管理办法（试行） …… 268
2022年国家媒体刊发柞水报道题录 …… 249	柞水县深化医疗保障制度改革具体措施 …… 270
2022年《陕西日报》刊发柞水报道题录 …… 252	2022年柞水县加强疫情防控十项规定 …… 275

特 载

中共柞水县委常委会工作报告

——在县委十九届四次全体会议上

中共柞水县委书记　崔孝栓

(2023年1月18日)

现在，我受县委常委会委托，向全会报告2022年工作，并就2023年工作提出部署要求。

一、攻坚克难拼搏实干，经济社会发展取得积极成效

刚刚过去的2022年，是党的二十大召开之年，也是我们贯彻落实省、市党代会精神的开局之年。面对复杂严峻的外部环境和艰巨繁重的改革发展稳定任务，在市委的坚强领导下，县委常委会坚持以习近平新时代中国特色社会主义思想为指导，以迎接党的二十大、学习宣传贯彻党的二十大精神为主线，贯彻落实习近平总书记来陕考察重要讲话重要指示，坚决贯彻党中央和省委、市委部署要求，团结带领全县广大党员干部群众，全力以赴稳经济、战疫情、惠民生、保稳定，推动各项工作取得新进展。

2022，我们高举旗帜、紧扣主线，坚定了颂党恩、听党话、跟党走的政治自觉。坚持把迎接党的二十大、学习宣传贯彻党的二十大精神作为贯穿全年的工作主线，紧扣营造平稳健康的经济环境、国泰民安的社会环境、风清气正的政治环境，统筹发展安全、加强社会治理、推进各项工作，组织开展"立足岗位比贡献、奋发有为迎盛会"系列活动，在全县上下营造了喜迎二十大的浓厚氛围。党的二十大胜利闭幕后，县委常委会立即制订实施方案，创新"四个五"活动载体抓学习、抓宣传、抓贯彻，组建"1+5同心向党"主题宣讲团广泛宣传宣讲，组织各级党员分专题开展学习研讨，对标细化重点工作和落实措施，持续掀起学习宣传贯彻热潮，以实际行动做到"两个维护"。

2022，我们不忘嘱托、接续奋进，激发了人一之、我十之、再百之的磅礴干劲。坚持把习近平总书记来陕考察重要讲话重要指示作为总遵循、总纲领，带着感情反复学原文、悟原理，带着责任持续抓贯彻、抓落实，建立贯彻落实工作机制，定期开展回头看，不遗余力推动"当好秦岭生态卫士""小木耳大产业"等重要指示落地生根。总书记带领新一届中央政治局常委瞻仰延安革命纪念地并考察延安后,第一时间组织县委理论学习中心组交流研讨,再次悉心体悟"五个扎实""五项要求""谱写陕西高质量发展新篇章"的丰富内涵和实践要求,在反复学习、贯通理解、对标落实中回报总书记的殷殷嘱托和深情厚望。

2022,我们迎难而上、聚力攻坚,交出了防疫情、稳经济、保安全的较好答卷。坚持以系统思维抓谋划、以全局思维抓部署、以底线思维抓落实,扭住疫情要防住、经济要稳住、发展要安全"三件大事",加强"双统筹"、夺取"双胜利"。在疫情防控上守土尽责,各级党组织和党员干部冲锋在前、英勇奋战,医务人员白衣为甲、逆行出征,公安干警闻令即动、冲锋在前,村(社区)工作者不惧风雨、坚守一线,一日一调度、三天一核检,用最短的时间建成健康营地,守住了不发生规模疫情的底线;新"十条"出台后,因时因势优化防控策略,持续加强防治能力建设和农村防控措施,全力保健康、防重症、守底线,实现了疫情转段平稳有序。在稳定经济上守土担责,积极帮助企业纾困解难、稳产保供,推动经济逆势恢复,保持在合理区间。在保障安全上守土有责,加强安全生产源头治理,开展重点领域专项整治,严密防范化解各领域风险,社会大局保持平安稳定。

2022,我们动真碰硬、严抓严管,营造了转作风、提效能、优环境的浓厚氛围。坚持把作风建设摆在重要位置、作为基础工程,不断深化"提士气、强担当、建机制、促发展"作风建设,扎实开展"查堵点、破难题、树新风、促发展"作风建设活动,实行提高执行力"三色"预警,推动干部作风、工作效能、营商环境全面优化。省委、市委启动作风建设专项行动后,我们专题安排部署,结合实际制订《实施方案》,把专项治理的焦点对准解决"事"、激励约束的焦点对准塑造"人"、建设清廉柞水的焦点对准打造"势",累计排查工作堵点1.1万个,解决难题7692件、优化工作机制447项,"勤快严实精细廉"正在成为干部作风新常态。

2022,我们积极拼抢、真抓实干,谱写了想在先、干在实、走在前的精彩篇章。坚持把纵向有进步、横向有进位作为工作追求,深入开展"争资夺旗抱奖牌"活动和重点工作周末现场会,强化抓落实、"回头看"工作机制,承办市级以上现场观摩会超20场次,全市重大项目观摩处在第一方阵,全市目标责任考核荣获"六连优",多项工作走在省市前列、在中省交流经验。成为全国首批、全省唯一的国家创新型县,成功创建"四好农村路"全国示范县,被评为国家生态文明建设示范区和2022健康中国·康养旅游百强县、2022美丽中国·深呼吸小城,荣获陕西省高质量发展"生态强县",柞水知名度、影响力持续提升。

同时,县委常委会还在以下八个方面工作上聚焦聚力:

一是聚焦绿色升级,不断优化经济体系。深入开展"高质量项目建设推进年"活动,突出抓好集中开工和观摩拉练,131个重点项目完成投资137.6亿元,曹坪抽水蓄能电站项目即将开工,大西沟800万吨菱铁新材料项目积极推进,云山湖森林康养度假区入选全省20个万亿级重点旅游建设项目。加快推进全省县域经济高质量发展试点建设,链条化集群化推动绿色食品、新材料、医药康养、文化旅游和现代服务"五大产业"成势见效,我县成为全市首个省级现代农业全产业链典型县,入选国家级全域森林康养试点建设县,牛背梁旅游度假区成功创建为国家级旅游度假区。加强经济运行调度监测,全面推行企业稳产达效专班服务管理制度,顶格落实"降免退缓贷"助企纾困政策,召开高质量发展大会,表彰企业项目49家,退税减税降费6535万元,市场主体总数达4008户,培育"五上"企业29家,经济发展活力不断迸发。

二是聚焦潜能释放，大力推进改革创新。持续加大高新技术企业培育、转化力度，强化人才引进和平台建设，培育科技型中小企业和高新技术企业46家，攻克柞水木耳绿色生产技术集成和示范关键技术，在秦创原总基地建成运营全省首家县级飞地孵化器。持续深化"放管服"改革，集中审批事项实现"应划尽划"，"一网通办"网上可办率达到95%以上。稳步推进农业农村改革，宅基地制度改革试点做法在全省交流经验，国家电子商务进农村综合示范县通过评估。持续创优营商环境，"探索推行'5个+'模式提升行政审批服务效能"的做法在国务院《优化营商环境简报》刊发，出台激励乡党回乡投资创业10条措施，建立营商环境早餐会和营商环境投诉举报信箱，建成标准化厂房7.7万平方米，引入国电投、中能建、渭河生态集团等央企、国企来柞投资，签约招商引资项目67个，总投资411.9亿元，争取上级专项资金10.7亿元。

三是聚焦融合发展，持续改善城乡面貌。大力实施以县城为重要载体的新型城镇化建设，围绕"双20"目标任务，稳步推进乾佑河一体化发展，谋划高铁新城、轻轨旅游专线、骑行步道等基础设施类项目32个，县城休闲健身步道、中心广场、跨河大桥、横街改造、美化亮化等项目交付使用，成功举办"康养柞水·健步走"、元旦烟花晚会等全民活动，"秦岭闺秀·康养柞水"城市形象和空间格局得到立体重塑。扎实推进"两拆一提升"和自建房安全整治专项行动，依法拆除违建1.3万平方米，新建口袋公园14个、幸福林带2.6万平方米，城区面貌焕然一新。全域推进秦岭山水乡村建设，创建省级以上美丽宜居示范村4个、绿色社区9个，营盘镇成功创建全国乡村旅游重点镇，朱家湾村入选中国传统村落名录，梨园村入选全省乡村旅游示范村。

四是聚焦乡村振兴，扎实抓好巩固衔接。持续强化"三色预警"动态监测帮扶，扎实开展"百日提升""百日督帮"行动，不断提高"两不愁三保障"和饮水安全保障水平，监测对象无返贫致贫现象。大力实施乡村建设行动，全面开展"六清六治六无"农村人居环境整治，农村垃圾污水集中收治率达66.7%，卫生厕所普及率达72%。持续发展壮大木耳等特色优势产业，全面启动"五小经济"抓点示范，不断完善联农带农利益联结机制，柞水木耳成为全省唯一入选的全国农业生产"三品一标"和农业品牌创新发展典型案例。加快推进村集体经济组织"清零消薄"行动，年收益5万元以上的村实现全覆盖，成为全市唯一的省级乡村振兴示范县，营盘镇、凤凰镇创建省级乡村振兴示范镇。加大弃耕撂荒地整治力度，新建高标准农田1万亩，杏坪镇荣获全国"一村一品"示范镇。

五是聚焦生态优先，着力提升环境质量。成立秦岭生态保护局，狠抓条例和总体规划落实，强化产业准入清单管理，依托秦岭智慧监管中心，初步建成"天地一体化"、网格化与信息化监管体系。持续深化"双查"、有奖举报等制度，常态化整治秦岭"五乱"问题，协同推进蓝天、碧水、净土保卫战，系统开展生态环境保护修复，问题图斑整改和尾矿库、小水电、农家乐整治实现集中治、长效管，空气质量优良天数连续5年保持在330天以上，成功创建全省森林旅游示范县，入选国家水土保持示范县。扎实推进秦岭生态资源平台试点建设，超前布局清洁能源产业，杏坪抽水蓄能电站项目成功签约，生态产品价值实现创新做法再次入选国家典型案例，全省首批生态文明建设示范区即将授牌。

六是聚焦人民至上，精细保障民生福祉。严格落实省、市稳就业政策措施，突出做好重点群体就业工作，城镇新增就业1950人，农村转移就业3.55万人，零就业家庭保持动态清零，就业帮扶做法在全国交流经验。保障教育优先发展，以创建国家学前教育普及普惠县为契机，积极推进"双减"政策落实，新增学位1470个。提供更优质健康服务，深入推进分级诊疗制度改革和紧密型县域医共体建设，县中医医院搬迁开诊，县医院住院楼正式投用，完成"民转公"村卫生室18所。持续健全医保三重制度保障体系，城乡居民医保参保率、报销率稳居高位。繁荣发展文化事业，古镇宴席三点水和手工编草碗2项传统技艺入选陕西省第七批非物质文化遗产名录。不断提升城乡低保、特困供养、残孤人员等保障水平，累计发放各类救助资金9200多万元。改造老旧小区330户、新增生态停车位235个，群众生活更加便捷舒适。

七是聚焦平安稳定，切实加强基层治理。坚持以政治安全为根本，加强重点领域、重点部位安全防范，严厉打击非法金融活动，强化网络安全，守住了不发生系统性风险底线。加强安全生产调度，开展矿山、道路交通、自建房、消防、食品药品等领域风险排查治理，本质安全水平不断提升，小岭镇荣获全国119消防先进集体。全面推行"双2+5模式"，千方百计防汛救灾，全力维护人民群众生命财产安全。坚持和发展新时代"枫桥经验"，创新推进党建引领"人盯人+"基层社会治理机制，健全矛盾纠纷多元预防调处化解综合机制，集中治理重复信访，专项化解信访积案，坚决打击各类违法犯罪，社会保持安定和谐，连续五年被评为全省信访工作先进县，连续三年荣获全省平安县，被授予"平安铜鼎"。

八是聚焦主责主业，全面从严管党治党。统筹推进各领域党的建设，规范提升"三无"小区30个，创建标准化规范化机关党组织48个，新兴领域党建工作持续加强，盘龙药业成立全县首个实体性非公企业党委，下梁京东云仓"红色驿站"荣获全省新业态新就业群体党建品牌。完善干部"选育管用"体系，抓好换届后领导班子建设，选派11名党政干部和86名专业技术人才到高淳挂职交流，引进各类专家人才183名，建成9个乡土人才工作室。深化政治巡察监督，全力配合省委开展巡视，主动调研解决反馈问题，完成2轮次县委巡察。一体推进"三不腐"体制机制，着力加强纪律教育和新时代廉洁文化建设，认真开展以案促改，启动建设清廉柞水，全年立案124件，党纪政务处分130人，红岩寺镇创建全市首批廉政文化建设示范点。

县委常委会深入学习贯彻习近平总书记关于宣传思想工作的重要思想，加强意识形态阵地管理，深化拓展新时代文明实践，推进社会主义核心价值观"六进两融入"，柞水工作在国省主流媒体报道86次，"1+1乡村院落汇"志愿服务项目斩获陕西首届志愿服务大赛大奖。召开县委人大工作会议，制定加强和改进人大工作的具体措施，支持县人大及其常委会依法开展决定、监督和任免等工作，建成各级各类代表联络站39个，民生实事项目人大代表票决制做法在省人大交流；支持县政协依章履职、参政议政，围绕中心工作开展主题协商、专题协商、对口协商，建成委员工作室7个，市县政协首次联席会议在我县召开。扎实做好新时代党的统一战线工作，完成县工商联、残联换届，指导开展"矢志不渝跟党走·携手奋进新时代""爱党爱国爱社会主义"等主题教育，深化铸牢中华民族共同体意识教育实践，深入推进宗教中国化，扎实做好民营经济、党外知识分子、新的社会阶层人士统战工作。全面加强和改进党对工会、共青团、妇联等群团组织的领导，确保更好履行职能、发挥作用。加强党管武装工作，支持驻柞部队建设。扎实推进法治建设，做实县委书记点评法治工作，县依法治县办荣获全国普法工作先进单位。

县委常委会高度重视自身建设。我们始终牢记"国之大者"，坚持把政治建设摆在首位，全面落实党中央决策部署和省委、市委工作要求,始终同以习近平同志为核心的党中央保持高度一致。认真贯彻民主集中制,强化重点工作领导包抓、专班推进、常态督促等机制,召开32次常委会会议充分研究、集体决策重大问题、重要事项,班子凝聚力、战斗力和创造力持续增强。各位常委同志顾大局、守规矩、互相尊重、互相支持,巩固和拓展了同心同德、同向同行的良好局面。

县委常委会认为,各项工作成绩的取得,是以习近平同志为核心的党中央坚强领导的结果,是省委、市委正确领导的结果,是全县广大干部群众团结奋进、激扬干事的结果。在此,我代表县委常委会,对大家一年来的辛勤付出表示衷心的感谢!

同时,我们必须清醒地看到,与人民群众的期盼相比,与高质量发展目标相比,柞水的事业发展、工作质效还有不少差距,主要表现在:一是谋划发展视野不宽,招引项目质量不高,产业财税贡献不足,制约了县域经济高质量发展;二是生态环境承载能力较弱,区位优势发挥不充分,资源优势转化不到位,产业转型升级步伐缓慢;三是民生领域和社会治理还有不少短板,推进乡村振兴的基础还不牢固;四是一些部门和关键环节权力监督制约不够,部分党员干部缺乏闯劲、韧劲、钻劲,眼中无活、脑中无策、手中无招,不愿干、不敢干、不会干。知不足才能求突破,明差距方能促提升,只要我们保持清醒头脑,加压加力、冲锋冲刺,所有的困难都能变成机遇,所有的难点都能变成亮点,建设"三高三区"新柞水的目标必将成为现实。

二、深入学习贯彻党的二十大精神,用习近平新时代中国特色社会主义思想统一思想、统揽全局、统领发展

党的二十大是在全党全国各族人民迈上全面建设社会主义现代化国家新征程、向第二个百年奋斗目标进军的关键时刻,召开的一次十分重要的大会。习近平总书记所作的报告,擘画了以中国式现代化全面推进中华民族伟大复兴的宏伟蓝图,是党团结带领全国各族人民,夺取中国特色社会主义新胜利的政治宣言和行动纲领。要把学习宣传贯彻党的二十大精神作为当前和今后一个时期的首要政治任务,在全面学习、全面把握、全面落实上持续下功夫,坚决把思想和行动统一到党的二十大精神上来,把智慧和力量凝聚到实现党的二十大确定的目标任务上来,确保党的二十大精神在柞水得到最坚决、最全面、最有力的贯彻落实。

一要领会精髓要义,在全面学习上见行见效。党的二十大取得的一系列重大政治成果、理论成果和实践成果,政治分量很重、理论含量很足、精神能量很大、实践力量很强。要把党的二十大精神作为各级党委(党组)理论学习中心组学习的核心内容,作为党校干部培训的首要课程,作为党员干部日常学习教育的重要篇目,按照总书记"三个全面""五个牢牢把握"重要要求和党中央"九个深刻领会""七个聚焦"明确要求,静心研读原著原文,潜心咀嚼原汁原味,用心参悟原义原理,广泛采用喜闻乐见的形式、普遍认可的道理、生动鲜活的事例,把党的二十大精神融入思想灵魂、融入知识体系、融入日常工作,教育引导全县党员干部提升理论素养、提高工作本领、提振精神力量。

二要坚持融会贯通,在全面把握上见行见效。学习贯彻党的二十大精神是一个由浅入深、由表及里、循序渐进的过程,也是一个步步深入、触类旁通、递进升华的过程,必须常学常新、常悟常进。要在前期学习的基础上,把自己摆进去、把职责摆进去、把工作摆进去,对是什么、干什么、怎么干了然于胸,做到知其言、知其义、更知其原义,知其然、知其所以然、更知其所以必然。要把党的二十大精神同习近平总书记来陕考察重要讲话重要指示和带领中央政治局常委瞻仰延安革命纪念地时的重要讲话贯通起来学习，学出坚定信念、学出绝对忠诚、学出使命担当，真正把坚定捍卫"两个确立"、坚决做到"两个维护"落实到具体行动上、体现在实际工作中。

三要做到知行合一，在全面落实上见行见效。 党的二十大既有政治上的高瞻远瞩和理论上的深邃思考，也有目标上的科学设定和工作上的战略部署，必须在思想认识上不断深化、工作理念上持续更新、转化运用上迭代升级。要把党的二十大精神作为想问题、作决策、办事情的重要指引，进一步充实完善我县发展目标和思路举措，有针对性地拿出落实的具体方案，制定明确的时间表、施工图，扎扎实实把建设"三高三区"新柞水向前推进。要对照省委《决定》、市委《实施意见》和县委《实施细则》，细化分解任务，逐项夯实责任，加强督促检查，更好运用党的二十大精神谋划未来发展、推动实际工作、解决现实问题。

三、完整准确全面贯彻新发展理念，牢牢把握推动经济社会高质量发展的目标要求

2023年是全面贯彻落实党的二十大精神的开局之年，是实施"十四五"规划承上启下的关键之年，也是建设"三高三区"新柞水起势成势的攻坚之年。开局之年要有新气象。我们要深入贯彻党的二十大精神，善学善用习近平新时代中国特色社会主义思想的立场观点方法，以新理念审视新形势，以新办法开启新局面。关键之年要有硬举措。我们要深刻把握推进中国式现代化的根本特征、总体目标和重大原则，认真领会中央和省、市重要会议精神，明晰"稳"的落脚点、找准"进"的发力点，以过硬的工作措施，聚集强劲的发展动能。攻坚之年要有大作为。我们要深度洞察柞水发展的历史、现状和未来，统筹思考宏观和微观、认真分析局部和整体、科学论证当前和长远、客观看待优势和短板、超前谋划、靠前指挥，以大干快上真推进，实现争先进位创一流。

习近平新时代中国特色社会主义思想指出，只有用普遍联系的、全面系统的、发展变化的观点观察事物，才能把握事物发展规律。今年工作复杂繁重、千头万绪、非常关键，我们必须尊重规律、把握规律，不断加强前瞻性思考、全局性谋划、整体性推进，发挥主观能动性、掌握工作主动权。

用普遍联系的观点审视外部环境，稳中向好、稳中向优的叠加效应正在加速释放。尽管当前世界进入百年未有之大变局，但党的二十大描绘了全面建设社会主义现代化国家的宏伟蓝图，为新时代新征程党和国家事业发展指明了前进方向、确立了行动指南，以"中国之治"对冲"世界之乱"的时代环境正在加速演进；中央经济工作会议明确了财政、货币、产业、科技、社会五大政策取向，省委十四届三次全会和省委经济工作会议提出了"六个坚定不移"的施政方针，以"抓纲带目"加强"系统推进"的政策环境正在加速形成；市委五届三次全会提出了"项目建设季度擂台赛""工业倍增"等一揽子工作计划，新年第一时间就召开招商动员大会，以"积极有为"实现"赋能加力"的工作环境正在加速构建。只要我们加强全局谋划、做到全盘统筹、抓好全面推进，就一定能够把握住时代机遇、政策红利和工作主动，融入发展"大环境"，用足政策"工具箱"，打好工作"组合拳"。

用全面系统的观点环视发展大局，恢复好转、回暖升温的总体态势正在逐步显现。尽管当前世纪疫情影响深远、全球经济复苏乏力，但我国经济长期向好的基本面没有变，特别是疫情转段后，各方面要素的激活、各区域流动的提速、各行业复兴的动能将逐步加快，极大可能迎来一波反弹性投资、报复性消费，必将形成短期繁荣的发展局面。中央经济工作会议、中央农村工作会议，省委、市委全会和省委经济工作会议均对推动经济运行整体好转作出重大部署，今年经济实现整体好转是从上到下的确定性共识，是从内到外的大概率事件，特别是从周边省、市、县（区）工作计划看，各地都在抢抓经济恢复的窗口期，必将形成你追我赶的竞争局面。只要我们加强系统认识、做到系统把握、抓好系统施策，就一定能创造出有利条件、有为空间和有效支撑，找准进的"突破口"，形成新的"增长极"，跑出快的"加速度"。

用发展变化的观点透视自身条件，优势更优、弱项趋强的生动局面正在全面形成。尽管受疫情、产业转型、力量不足等因素影响，过去几年柞水工作很艰难，个别工作一度落后。但全县上下锚住补短板扬优势不动摇、扭住打基础利长远不放松，通过加强秦岭生态环境保护，推进生态产品价值实现和创建全国"两山"实践创新基地等，实现了生态优势的全面升级；集中推进木耳全产业链、曹坪抽水蓄能电站、云山湖森林康养度假区等一批重大项目，实现了资源优势的全面集聚；围绕西康高铁谋划实施康养新城、道路升级、县城提质、山水乡村等一批重点工程，实现了区位优势的全面彰显。特别是通过实施提高执行力"三色"预警，带动一些产业上、民生上、工作上的短板弱项全面加强，驱动党员干部能力作风得到全面淬炼。只要我们坚定发展信心、保持发展定力、鼓足发展干劲，就一定能激发出更多创新动能、工作势能、作风效能，攻坚克难"夺山头"，追赶超越"抢滩头"，砥砺奋进"立潮头"。

基于以上分析，今年工作环境优、形势好、动力足。全县上下要保持战略定力、认真履职尽责，以自身工作的确定性应对外部环境的不确定性；全县上下要树立破局意识、主动担当作为，以自身工作的创造性抢占发展先机、赢取工作主动；全县上下要坚持目标导向、强化底线思维，以自身工作的主动性，统筹发展和安全、统筹补短板和扬优势、统筹重点领域和全局整体，以自身工作全面过硬、全面进步，助力全县工作整体优化、整体提升。

2023年全县工作的总体要求是：以习近平新时代中国特色社会主义思想为指导，深入学习宣传贯彻党的二十大精神，贯通落实习近平总书记来陕考察重要讲话重要指示，按照省委、市委全会部署要求，坚持稳中求进工作总基调，着力推动高质量发展，更好统筹疫情防控和经济社会发展，更好统筹发展和安全，以生态优先、绿色升级为主线，以改善预期、提振信心为主题，壮大民营经济，发展开放型经济，激活数字经济，推动县域经济实现质的有效提升和量的合理增长，奋力实现经济发展质效、产业绿色转型、创新改革开放、生态环境保护、群众就业增收、社会治理效能六个上水平，推动"三高三区"新柞水建设取得实质进展。

主要预期目标是：力争全年生产总值增长7%左右，固定资产投资增长10.5%左右，规上工业增加值增长11%左右，社会消费品零售总额增长10%左右，城乡居民可支配收入分别增长7%、10%左右，城镇调查失业率控制在5.5%以内，居民消费价格涨幅3%左右，单位GDP能耗控制在2%左右。

这些目标的设定，对标了党中央决策部署和省委、市委工作要求，统筹了"十四五"规划和"三高三区"新柞水阶段任务，既向社会传递积极信号，稳预期、提信心，又向干部传导责任压力，添动力、激干劲，既为拼搏进取、奋力摸高调动了积极因素，又为抵御变数、防范风险留出了回转空间。只要全县上下聚焦发力、加倍努力，只要主要领导勇担重任、盯住不放，只要党员干部不等不靠、奋勇争先，我们完全有信心、有能力实现这一目标，推动各项工作纵向提占比、横向有进位、整体上台阶。

四、坚持稳中求进工作总基调，在奋进中国式现代化新征程上实现新作为、展现新气象

2023年，全县经济工作要围绕市委打造"一都四区"和县委建设"三高三区"新柞水总体要求，对照县委、县政府确定的发展目标，在思想状态上坚定信心、保持定力、自我加压，在方法措施上准确识变、科学应变、主动求变，努力在稳的基础上更加奋发有为的"进"。今年经济工作，一会儿刘鹏同志还要详细安排，我着重强调八个方面问题。

（一）坚持质量齐抓，切实扩大项目有效投资。 坚持以项目建设和招商引资组织经济工作，继续实施高质量项目推进年，以投行思维、链式思维、闭环思维、增量思维持续招大引强，形成谋划储备、开工建设、投产达效的良性循环。

一要提高招商引资精准度。 坚持把招商引资作为"头号"工程和"一把手"工程，创新理念、改进方法、建强队伍，大力实施县域经济、产业集群、园区承载、重点对象、核心区域"五大招商工程"，持续办好乡党回乡发展大会等系列招商活动，确保全年至少招引1个链主（头部）企业、1个高品质酒店、2户总部经济企业，引进5个10亿元以上项目、2个20亿元以上项目，力争百亿级产业项目"破零"。要树牢"人人都是营商环境"的理念，深入实施新一轮优化营商环境三年行动计划和营商环境突破年行动，全面落实支持发展总部经济"八条意见"、激励乡党回乡投资"十条措施"、鼓励投资高品质酒店"十条措施"，常态化开展营商环境早餐会，全方位提升城市品质、社会氛围、政策环境、信用水平，确保在柞企业放心投资、安心经营。

二要跑出项目建设加速度。 不断强化项目就是题目、现场就是考场、工地就是阵地、进度就是尺度的工作导向，持续深化高质量项目推进年任务举措，全力保障西康高铁、云山湖森林康养度假区等项目建设，力促金柞水木耳深加工、盘谷山庄康养综合体、棚改二期等项目建成投用，全面盘活九天山、同兴轧钢、澳凯光电等项目，形成谋划一批、储备一批、开工一批、投产一批的梯次滚动发展态势。要严格执行重点项目和签约项目领导包抓、专班服务机制，深入开展项目建设"季度擂台赛"，定期组织项目集中开工和观摩，用好市县联动解决项目建设难题机制，强化用地、融资、手续等要素服务保障，精心筹备一季度项目集中开工活动，确保50%以上项目集中开工，真正以项目大提速带动发展大提升。

三要增强谋划储备契合度。 要以"十四五"规划中期调整为契机，围绕交通、能源、水利、电力、通信、农业、文化、新基建等领域，谋划更多含金量大、含绿量足、含新量高的大项目好项目，力争更多高质量项目挤进国省大盘。要认真梳理研究中央和省委经济工作会议"政策包"，主动跟进《"十四五"扩大内需战略实施方案》明确的九个重点支持方向，全力争取专项债券、政策性开发性金融工具等资金支持，不断强化土地、能耗等要素保障，鼓励和吸引民间资本参与项目谋划、投身项目建设。要建立重大项目前期会商机制，加强从谋划、招商到建设、投产的闭环管理服务，推动大西沟800万吨菱铁新材料项目获批建设，做好盘龙药业二期等项目前期工作，着力提升谋划项目落地率、开工项目竣工率和投产项目达效率，力争杏坪抽水蓄能电站项目挤进国家规划盘子。

（二）加快绿色升级，积极培育现代产业集群。 要把发展经济的着力点放在实体经济上，大力实施工业倍增计划，认真研究产业发展提质增速年落实措施，推动实现产业基础高级化、产业链条现代化。

一要育强优势产业。 围绕绿色食品、医药健康、新材料、康养旅游"四条百亿级产业链"，深入实施"链长制"，推行链式招商、强化链式服务，着力打造上下游关联、横向耦合发展的优势产业集群。要推动绿色食品产业出特强优，加快木耳产业延链补链兴链，强化品牌整合、规模提升、链条延伸、产品创新和市场营销，做好地方特色、特色经济、产业集群的土特产"三篇文章"，以"小木耳"撬动"菌果药畜茶"等特色产业集群发展。要推动医药健康产业聚势成链，抓住后疫情时代市场需求，推动盘龙、欧珂等医药企业扩大产能、技改提升，做大做强主导产品，加快推进新药研发，不断提高核心竞争力和市场占有率。要推动新材料产业提质增效，加快矿业"五化"转型，支持大西沟、万银、中能建、宝华等企业升级技术、增加效益，大力推进砂石资源统管运营，着力实现工业倍增。要推动康养旅游产业转型升级，围绕"医养游体药食"，加快建设云山湖、盘谷山庄、盘龙医药、梨园、龙王沟五大康养产业园，着力打造山体水系公园、康养酒店民宿、运动休闲广场、特色文化街区和沟峪康养旅游区等康养产业新业态。

二要激发园区活力。围绕"一区多园"工业发展格局，积极争取陕南发展专项资金，加快园区提质升级，全面启动县域工业集中区省级经济技术开发区认定工作，力争盘龙大健康产业园创成省级专业特色园区。要完善园区功能，加大园区基础设施建设力度，全力保障产业、投资、土地、金融等支持政策，促进入驻企业尽快建成投产、达产达效。要深化园区改革，开展"亩均论英雄"和"标准地+承诺制"试点，完善考核激励措施，激发园区发展活力。要强化园区承载，加速低效用地、低效厂房"腾笼换鸟"，实施标准化厂房精准招商，加大服务支持力度，提高标准化厂房利用率，推动项目向园区集中、产业向园区集聚、要素向园区集约。

三要提升综合实力。认真落实省委、省政府关于推动县域经济高质量发展的《若干政策措施》，加快县级城镇平台、产业平台、创新平台、投融资平台建设，逐步构建现代化基础设施体系、商贸物流体系、公共服务体系、社会治理体系，推动县域经济质量齐增。要把恢复和扩大消费摆在优先位置，抢抓疫情转段后近郊游、养生游回暖机遇，精心策划景区推介和主题营销，大力发展周末经济、夜间经济、地摊经济、后备箱经济，全方位提振消费活力。要大力推动县域商贸体系建设，加快补齐县镇村商贸和物流体系短板，围绕住房改善、养老服务等生活性消费和商贸、餐饮、娱乐等重点领域开展促销活动，充分挖掘城乡消费潜力，引导居民消费升级。要深入实施民营经济高质量发展三年行动，精准落实惠企纾困政策，促进民营经济发展壮大。要实施数字化改革突破年，完善升级信息化基础设施，提升互联网嵌链赋能水平，加快产业数字化和数字产业化。

（三）突出赋能增效，全面深化创新改革开放。要坚持以创新、改革、开放牵引高质量发展，紧盯制约高质量发展的体制机制障碍，向改革要动力、向开放要增量，切实形成以开放倒逼改革、以改革促进创新、以创新引领发展的良性循环。

一要推动创新驱动发展。充分发挥秦创原飞地孵化器等平台作用，扎实开展立体联动孵化、成果转化、两链融合先行示范，强化校地、校企合作，开展核心技术成果转化，培育自主知识产权，加快补齐产业链创新短板。要强化企业创新主体地位，实施科技型企业创新发展倍增计划和登高、升规、晋位、上市"四大工程"，全力建设国家农业科技园区"成果转化先行示范基地"。要突出"高精尖缺"导向，用好干部人才"组团式"帮扶机制，强化专家人才"选引育用"，有序引导大学生到乡、能人回乡、农民工返乡、企业家入乡，推动创新链、产业链、资金链、人才链深度融合。

二要深化重点领域改革。纵深推进"放管服"改革，加快数字政府建设，整合线上线下政务服务平台，拓展"一业一证""一企一证""证照联办"事项，力争高频政务服务事项实现"一网办好"。要深化农村宅基地制度和"两闲"改革试点，认真落实第二轮土地承包到期再延长30年政策，夯实农村集体经济发展根基。要持续深化国资国企和财税金融改革，加快县级投融资平台建设，盘活政府可用资产资源和财政存量资金，切实提高财政资源配置效率和使用效益。要持续深化事业单位改革，针对群众反映强烈的学位、床位、车位等热点问题，启动实施一批改革事项，切实用"小切口"解决"大民生"。

三要构建对外开放格局。主动跟进关中平原城市群、西安都市圈和双中心城市建设，依托交通、信息、物流等基础设施，逐步融入西安"生活圈、生产圈、生态圈"。要探索"总部+基地"模式，聚焦京津冀、长三角、粤港澳大湾区招引总部经济，借助丝博会、陕南绿色循环经济周等活动开展项目推介，主动承接产业转移、寻求资金合作、推进技术扩散。要拓展宁商协作的深度和广度，进一步借势借力借资源，在更大平台、更广领域、更深层次集聚发展要素。要主动融入"一带一路"和国内统一大市场，加大引进外资力度，依托柞水木耳积极培育外贸经济新业态，带动更多产品畅销全国、远销海外。

（四）立足生态优先，大力推进绿色循环发展。要始终把秦岭生态环境保护作为政治任务，自觉践行"两山"理念，持续打好蓝天、碧水、净土保卫战，在保护中发展，在发展中保护，推动全县生态环境质量持续向好、价值有序转化。

一要坚决当好秦岭生态卫士。严格落实秦岭生态环境保护《条例》和《总体规划》，坚持系统治山、条例护山、规划控山、智慧管山相结合，构建天地一体化监管体系。要坚持"双查"和有奖举报机制，动态排查整治秦岭"五乱"及生态环境突出问题，不断提升依法处置能力。要严格落实林长制、河长制、田长制，扎实开展旅游景区、农家乐（民宿）、小水电专项整治"回头看"，"一库一策"治理退出尾矿库，不断巩固整治成果。要认真落实秦岭生态空间治理十大行动要求，精准对接秦岭国家公园建设任务，抓好松材线虫等病虫害防治，加强山体修复和植被、生物多样性保护，持续巩固秦岭生态系统质量和稳定性。

二要深入推进污染防治。坚持精准治污、科学治污、依法治污，协同推进建筑施工、道路扬尘、餐饮油烟等污染源治理，确保空气质量持续领先。要突出抓好全流域综合治理，加强入河排污口整治，重拳惩治工矿业、生产生活污水偷排偷放等违法行为，持续推进雨污分流和污水处理项目建设运维，确保全域水质持续稳定达标。要加强土壤污染源头防控，狠抓工业固体废弃物污染和农业面源污染治理，确保土壤环境安全。要全面整改中省环保督察检查反馈、疑似问题图斑和群众举报等问题，坚决消存量、遏增量。

三要加快推动绿色发展。要严把项目准入关，加快布局"双储林场"国家储备林、抽水蓄能电站等绿色发展产业，加大高耗能、高排放落后产能淘汰力度，坚决禁止高污染、高环境风险项目落户柞水。要持续推进矿山"五化"转型，鼓励支持企业技改升级，推进尾矿库治理与资源利用相结合，切实提升产业竞争能级。要扎实推进生态产品价值实现机制试点，抓好"百万亩绿色碳库"试点示范项目建设，加快建立生态系统生产总值核算体系和评估机制，着力破解生态价值度量难、交易难、变现难、抵押难问题，努力打造更多"秦岭模式""柞水经验"。要积极倡导绿色低碳、简约适度的生活方式，推动经济社会全面绿色转型。

（五）夯实振兴基础，稳步促进城乡协调发展。要坚持"三农"工作重中之重地位不动摇，一体推进城乡统筹与区域协调，锻长板、补短板、固底板，着力缩小地区差距、城乡差距、收入差距，以新型城镇化促进乡村振兴。

一要提升做优城镇品质。坚持城市建设服务于市民生活、城市定位和营商环境，积极争创省级县城建设示范县和城镇建设试点，加快编制国土空间规划，合理布局功能定位，一体推进交通、管廊、景观、商圈等建设。要加快城市更新和智慧城市建设，严管建房审批，加大违法建筑和自建房整治力度，加快中心城区棚改、盘龙花园二期和汇生源等住宅项目建设，跟踪处置城建项目遗留问题。要下茬治脏、治乱、治堵、治违，实现智慧城市"一屏共享"，真正用绣花功夫管出城市高品质。要推进以县城为载体的新型城镇化建设，精细实施民生实事项目和城建项目，加快高铁新城及配套设施建设，补齐城镇基础设施和公共服务短板，辐射促进乾佑河一体化发展。要强化"双20"目标支撑，大力发展房地产和民宿酒店经济，更好满足多元化住房需求，擦亮柞水康养地产品牌，打造宜居宜业宜游宜养的高品质城市。

二要持续巩固脱贫成果。严格落实"四个不摘"要求，强化防返贫动态监测帮扶工作机制，综合运用网格化、信息化手段，实时监测、定期摸排、及时预警，规范监测户纳入退出等程序，坚决防止出现规模性返贫现象。要衔接好、落实好重点帮扶县支持政策措施，持续扩大中央定点帮扶和苏陕协作工作成果，常态化、全方位跟踪掌握易致贫返贫人口"两不愁三保障"和饮水安全情况，着力抓好易地扶贫搬迁后续扶持，做到风险早发现、早干预、早解决，群众搬得出、稳得住、能致富。要积极争取2023年中央和省级财政衔接补助资金，突出抓好省委重点帮扶县专项巡视反馈问题整改，健全资金项目投入和资产管理运营长效机制，强化驻村帮扶责任，夯实稳定脱贫的坚实基础。

三要全面推进乡村振兴。聚焦农村基本具备现代生活条件目标，以经济强村、集体经济、法治建设、基层治理、党建示范和生态环境等九类示范创建为抓手，大力发展特色优势产业，持续深化"三变"改革，培育壮大农业新型经营主体，因地制宜发展"五小经济"，加快高标准农田建设，做大做强特色经济、联农带农经济和集体经济，实现一村一产业、一镇一特色，推动乡村振兴取得更大成效。要持续开展秦岭山水乡村建设，深入实施农房品质提升和人居环境整治行动，有序实施农村改厕、生活垃圾处理和生活污水治理，实现水系生态化、田园景观化、民居整洁化、治理现代化，聚力打造宜居宜业和美乡村。

（六）强化守正创新，不断壮大主流思想文化。要切实扛起举旗帜、聚民心、育新人、兴文化、展形象的使命任务，大力发展社会主义先进文化、优秀传统文化、革命文化，守正创新、以文化人，全力营造全社会向上向善、奋斗奋进的浓厚氛围。

一要加强改进思想政治工作。牢牢把握党对意识形态工作领导权，全面落实意识形态工作责任制和正负面清单，健全用习近平新时代中国特色社会主义思想武装头脑、教育人民的工作体系，巩固壮大奋进新时代的主流思想舆论。要抓好意识形态领域风险防范化解，统筹关键部门、重要时段、重点领域，动态排查消除风险隐患，守牢意识形态领域安全底线。要坚持依法管网治网，健全网络综合治理体系，加强网上正面宣传，妥善处置热点敏感舆情，推动形成良好网络生态。要加强融媒体中心建设，壮大主流媒体通讯员、评论员队伍，深化"爱我商洛·点赞柞水"等主题活动，讲好柞水故事，切实增强传播力、引导力、影响力。

二要传承弘扬核心价值观。大力弘扬以伟大建党精神为源头的共产党人精神谱系，深化拓展新时代文明实践中心和所站建设，持续推进社会主义核心价值观进社区、进机关、进学校、进企业、进农村、进家庭。依托牛背梁、金米村、红岩寺苏维埃革命旧址等爱国主义教育基地，加强爱国主义、集体主义、社会主义教育，抓好党史、新中国史、改革开放史、社会主义发展史宣传教育，推动社会主义核心价值观融入社会发展和日常生活。要提高社会文明程度，实施公民道德建设工程，深入开展文明培育、文明创建、文明实践，大力选树先进典型，推进诚信和志愿服务体系建设，推动城乡精神文明建设融合发展。

三要培育繁荣特色文化产业。大力发展文化事业和文化产业，深入挖掘红色文化、孝义文化、渔鼓文化、中医文化、木耳文化，谋划实施一批类型多样、特色鲜明、品质优良、适销对路的高质量文旅项目，推动地域特色文化创造性转化，促进文旅深度融合发展。要健全城乡公共文化服务体系，扎实推进文化惠民工程和文化科技卫生"三下乡"活动，加大博物馆、图书馆、文化馆等公共文化服务设施建设，提升基层文化惠民工程覆盖面和实效性。要推进文物和文化遗产振兴，保护好、传承好、利用好非物质文化遗产、文化遗址和传统村落。要坚持以人民为中心的创作导向，努力推出更多增强人民精神力量的优秀作品。

（七）对标共同富裕，持续提升群众幸福指数。要坚持走实现全体人民共同富裕的中国式现代化道路，认真践行以人民为中心的发展思想，用心用情用力办好民生实事，努力让人民群众在现代化建设中有更多获得感、幸福感、安全感。

一要狠抓就业增收。强化就业优先导向，认真落实省委、省政府支持稳就业扩就业6条措施、促进城乡居民增收27条措施和富民惠民意见，拓宽市场化、社会化就业渠道，挖掘产业、园区、小微企业就业潜力，做好高校毕业生、脱贫群众、农民工、退役军人、城镇困难人员等重点群体就业工作，全力稳就业、稳增收。要持续加强职业技能培训，开展基层成长计划、创业促进行动、春风行动和就业帮扶行动，精准对接市场用工需求，组织订单式培训、定向式输出，不断提升技能劳动力比例和报酬水平。要加强就业创业服务，落实好贷、减、补等优惠政策，加大拖欠农民工工资问题整治，切实维护群众合法权益。

二要解决民生难题。围绕办好人民满意教育，持续落实"双减"政策，稳步推进国家学前教育普及普惠县和国家义务教育优质均衡县创建，加快城区第四小学建设和马房子小学、太河小学、职业中专等迁建进度，推动教育事业优质均衡发展。要提升医疗卫生服务能力，抓好县医院重症医疗资源扩容和中医院"二甲"复审准备，推动村卫生室"民转公"全覆盖。要建强公共卫生体系，认真落实新冠病毒感染"乙类乙管"措施和"第十版"诊疗方案，推进重点人群疫苗接种，强化分级诊疗和转运救治能力，全力守护人民群众生命安全和身体健康。要全面落实"三孩"生育支持政策，广泛开展文化体育活动，倡导健康生活方式。

三要提高保障水平。持续落实全民参保计划和门诊共济保障制度，大力实施失业保险稳岗返还政策，不断扩大基本养老保险覆盖面，加快推进异地就医联网结算。要健全完善多层次社会保障体系，统筹低保、特困供养和临时救助政策，精准落实社会救助帮扶，规范残疾人补贴发放，进一步织密社会保障安全网。要全面提升养老托育服务能力，实施镇办区域综合养老服务中心建设，不断提升养老服务品质。要加强社会福利体系建设，扎实做好退役军人工作，积极发展慈善事业，加大农村留守儿童、妇女和老人等弱势群体关心关爱力度，规范小区物业管理，切实解决群众后顾之忧。

（八）厚植法治根基，着力提高社会治理效能。要把坚持党的领导、人民当家作主和依法治国有机统一起来，充分发挥法治固根本、稳预期、利长远的保障作用，更好把制度优势转化为治理效能，推动建设更高水平平安柞水、法治柞水。

一要全面提升民主政治水平。加强和改进党对人大工作的领导，保证人大及其常委会依法行使决定权、监督权、任免权，积极发展基层民主，助力办好民生实事，推动人大工作高质量发展。要更好发挥政协重要阵地、重要平台、重要渠道作用，强化政治协商、民主监督、参政议政制度建设，更好建言献策、协调关系、汇聚力量。要充分发挥统一战线重要法宝作用，持续巩固民族和睦、宗教和顺大好局面，加强党外知识分子思想政治工作，做好民营经济、新的社会阶层人士工作。支持鼓励工青妇、工商联等群团组织发挥优势、服务发展，最大限度凝聚人心、汇聚力量。

二要全力维护社会安全稳定。坚定不移贯彻总体国家安全观，着眼政治、经济、民生、社会、生态等重点领域，经常性排查隐患、堵塞漏洞、补齐短板，牢牢守住不发生系统性风险的底线。要坚持防范在前、预警在先，健全完善监测预警机制，充分运用预报、监控、大数据平台等监测系统，摸清底数、划小单元、动态研判，提高风险防范的前瞻性、系统性，坚持在最早时间介入、朝最大燃点聚力、用最精准手段拆弹，努力把各类隐患控制在苗头、化解在萌芽、解决在当下。要增强防灾减灾救灾和重大突发公共事件处置保障能力，压实安全生产"四方责任"，深化安全生产专项整治，提高本质安全水平。

三要加强改进社会治理体系。聚焦打造高效能治理创新区，加快基层治理体系和治理能力现代化建设，坚持和发展新时代"枫桥经验"，加强和创新网格化社会治理，强化社会矛盾纠纷多元预防调处化解机制，持续深入开展矛盾纠纷排查化解，集中整治重复信访，全力化解信访积案，维护社会大局和谐稳定，力争创建全国信访工作示范县。要深入开展"八五"普法，加快推进执法司法制约监督体系改革，不断提高政府依法决策质量和社会法治化水平。要加强社会治安整体防控，常态化推进扫黑除恶斗争，依法严惩群众反映强烈的各类违法犯罪活动，努力建设更高水平平安柞水。

五、弘扬伟大建党精神和延安精神，为开创全县各项事业发展新局面提供坚强政治保障

全面从严治党是党永葆生机活力、走好新的赶考之路的必由之路。要一以贯之推进党的建设新的伟大工程，健全完善全面从严治党和自我革命制度规范体系，赓续党的精神谱系，始终牢记初心使命，确保党始终成为各项事业发展的坚强领导核心。

一要抓好思想铸魂，锤炼绝对忠诚的政治品格。强化对党忠诚教育，实施"传承基因·铸魂提能"培训计划，坚持不懈用习近平新时代中国特色社会主义思想凝心铸魂，结合党中央将要开展的主题教育，常态化、长效化推进党史学习教育，引导党员强化理想信念、永葆政治本色。要严明政治纪律和政治规矩，健全贯彻落实总书记重要指示批示和党中央重大决策部署工作机制，完善县委常委会等相关议事规则，夯实党委（党组）主体责任，不断提高各级党组织和党员干部的政治判断力、政治领悟力、政治执行力。要严肃党内政治生活，严格遵守党章、准则、条例和民主集中制，发展积极健康的党内政治文化，切实把"两个确立"的政治成果转化为坚决做到"两个维护"的政治自觉。

二要突出实干导向，建设堪当重任的干部队伍。落实新时代好干部标准，树牢重实干、重基层、重担当、重公论导向，加强干部政治素质考察把关，真正把对党忠诚、勇于担当、群众公认、实绩突出的干部选出来、用起来。要大力实施干部能力素质提升计划，全面加强思想淬炼、政治历练、实践锻炼、专业训练，加大优秀年轻干部和女干部等培养选拔力度，不断优化各级领导班子结构，着力锻造一支学习型、研究型、实干型、进取型干部队伍。要构建"选育管用"全链条体系，不断加大各类人才引进力度。要完善干部考核评价机制，落实"三个区分开来"要求和容错纠错机制，旗帜鲜明支持干事者、保护创新者、宽容失误者。

三要强化党建统领，打造坚强有力的战斗堡垒。牢固树立抓基层、强基础、固根本的鲜明导向，强化村级党组织阵地建设、梯队培育和监督管理，持续整顿软弱涣散基层党组织，不断增强政治功能和组织功能。严格党的组织生活制度，提高发展党员和党员教育管理工作质效，引导激励党员担当作为。要统筹抓好机关事业单位、国企、学校、医院等各领域党建标准化、规范化建设，推动基层党建全面进步、全面过硬。要依托抓党建促乡村振兴、促基层治理、促服务提升，激活党建引领基层治理的"红色引擎"，推动党员志愿服务向基层延伸。要把党的建设同中心工作紧密结合起来，持续推进党组织书记领办党建实事硬事和党建项目化工作机制，切实以党的建设推动事业发展，用发展成效检验党建实效。

四要坚持团结奋斗，弘扬担当作为的优良作风。坚持不懈落实中央八项规定及其实施细则精神，对照中央《实施细则》和省委、市委办法措施，修订完善我县相关规定，从严抓好执行落实，真正让"铁规矩"更铁、"硬杠杠"更硬。要巩固作风建设专项行动成果，开展干部作风能力提升年活动，拿出过硬措施纠"四风"、树新风，集中整治普遍发生、反复出现的作风问题，重点纠治形式主义、官僚主义，持续为基层减负松绑，形成抓作风促工作、抓工作强作风的良性循环。要引导"关键少数"以上率下，带头弘扬党的光荣传统和优良作风，带头抓好班子、带好队伍，做到严于律己、严管所辖、严负其责，着力营造人心思进、人心思干的良好氛围。

五要深化自我革命，巩固风清气正的政治生态。坚持党性党风党纪一起抓，加快推进清廉柞水建设，深化以案促改和警示教育，见人见事见思想，正心正身正风纪，引导党员干部筑牢拒腐防变的思想堤坝。要强化制度约束，坚持"三不腐"一体推进，党内监督、政治监督同向发力，推进政治巡察、监督检查等与其他监督贯通协同，不断提升"一把手"和领导班子日常监督实效，切实管好关键人、管到关键处、管住关键事。要强化监督执纪，加大群众反映强烈突出问题整治力度，深化权力集中、资金密集、资源富集等重点行业领域专项治理，从严查处重点典型案件，形成强力震慑，坚决打赢反腐败斗争攻坚战、持久战。

同志们，砥砺奋进谱新篇，踔厉奋发向未来。让我们更加紧密地团结在以习近平同志为核心的党中央周围，在市委的坚强领导下，始终保持奋斗之志、奋发之力、奋进之势，真抓实干、埋头苦干、快干多干，在奋进中国式现代化新征程、谱写高质量发展新篇章、建设"三高三区"新柞水上取得更大突破、展现更大作为，以实干实绩向党和人民交一份优异答卷！

柞水县人大常委会工作报告

——在柞水县第十九届人民代表大会第二次会议上

柞水县人大常委会副主任　王晓波

（2023年2月9日）

各位代表：

我受县十九届人大常委会委托，向大会报告工作，请予审议，并请列席同志提出意见。

2022年工作回顾

2022年是党的二十大胜利召开之年，也是县十九届人大常委会履职第一年。在县委的坚强领导下，县人大常委会坚持以习近平新时代中国特色社会主义思想为指导，全面贯彻落实党的二十大精神和中央、省委、市委、县委人大工作会议精神，自觉在大局中定位，主动在大局中作为，忠实履行法定职责，充分发挥代表作用，不断丰富全过程人民民主柞水实践，以初心如磐的定力、踔厉奋发的姿态，实现新一届人大工作良好开局，为推动县域经济社会高质量发展和民主法治建设作出了积极贡献。

一、坚持党的领导，始终保持正确方向

持续加强理论武装。以学习贯彻党的二十大精神为主线，把习近平法治思想、习近平总书记关于坚持和完善人民代表大会制度的重要思想、习近平总书记来陕考察重要讲话重要指示作为党组会议、主任会议、常委会会议"第一议题"，开展每日自学1小时、每周集体学习1次、每人领学交流1次、每人外出学习1次"四个一"学习研讨活动，全年组织集中学习77次，开展"喜迎二十大·奋进新征程"读书交流等活动9次，围绕"学习党的二十大精神谈体会""我理解的人民代表大会制度"等主题研讨7次，自觉用马克思主义中国化时代化最新成果武装头脑、指导实践、推动工作，促使人大党员干部的政治判断力、政治领悟力、政治执行力不断提高。

有效落实县委决策。自觉把坚持党的领导落实到人大工作全过程、各方面，紧扣全县中心工作，谋划和推进人大工作，全年召开常委会会议7次、主任会议16次，审议专项报告42项、提出意见和建议106条，推动县委决策部署落实落地。牵头推进康养之都建设，推动云山湖康养产业园、城市提升等重点项目10个。常委会班子成员包联镇（办）村（社区）11个，经常性深入一线、督促指导，协调解决工作推进中的困难问题。特别是面对复杂多变的疫情形势，第一时间向全县各级人大代表发出倡议书、向人大机关党员干部吹响"集结号"，第一时间带队深入社区村组、交通卡口等抗疫一线督导检查，统筹推动疫情防控和经济社会发展措施落实，展现了人大干部的使命担当。

依法决定重大事项。紧紧围绕县委决策部署，审查年度国民经济计划草案、财政预算草案，为人代会批准年度计划、预算方案提供依据。对2022年度财政预算调整、2021年度财政决算、开展"八五"普法宣传教育、加强未成年人保护检察工作等事项依法作出决定决议5项，同步做好决定决议事项跟踪落实，推动县域经济社会高质量发展。

不断规范人事任免。坚持党管干部和人大依法选举任免相结合的原则，贯彻落实县委人事安排意图，紧扣任前审查、法律考试、履职承诺、投票表决、颁发任命书、宪法宣誓等关键环节，依法规范选举任免国家机关工作人员，一年来共任免国家机关工作人员41人，为县级国家机关正常运转提供了保证。

二、坚持围绕中心，全力服务发展大局

全力助推经济提质增效。深入贯彻落实新发展理念，高度关注经济运行和预算执行，听取审议了国民经济计划、财政预算执行情况的报告，提出意见建议7条，力促年度国民经济计划、预算收支顺利执行；采取"1+N"方式持续深入开展国有资产管理监督，审议全县企业国有资产管理情况报告，助力国有资产保值增值；首次组织开展全县政府性债务专题调研，在摸清债务底数的基础上，提出规范举债融资行为等针对性建议，督促政府防范化解重大风险，促进县域经济健康发展。

全力助推法治柞水建设。以维护社会公平正义为目标，切实加强对司法工作的监督，探索出台《人大代表旁听庭审暂行办法》《法官检察官履职评议暂行办法》，开展人民陪审员履职情况调研，组织开展《关于加强检察公益诉讼及诉前检察建议工作的决议》贯彻执行情况调研，健全完善了对法检两院监督网格；首次听取了县监委关于廉政教育的专项工作报告，实现对"一府一委两院"的全面监督；开展《传染病防治法》《治安管理处罚法》《慈善法》等执法检查，提出意见建议13条，督促政府部门履行法定职责，落实法律责任；对《柞水县县级储备粮轮换管理办法》等3个规范性文件进行了备案审查；对县信访局、科技局、城管局、招商服务中心4个县政府直属事业单位进行工作评议，有效促进了被评议单位依法行政和改进工作。

全力助推生态环境优化。深入学习贯彻习近平生态文明思想，紧扣"生态立县"战略，充分发挥人大职能作用，着力加强生态环境保护监督，开展《陕西省秦岭生态环境保护条例》执法检查"回头看"，听取和审议县政府2021年度全县环境状况和环境目标完成情况的报告，提出意见建议8条，加强跟踪督办，有力推动了国家生态文明建设示范区创建。在全县各级人大代表中开展"当卫士见行动"五个一活动，组织人大代表集中视察秦岭山水乡村建设，助力打好蓝天、碧水、净土保卫战。

全力助推乡村建设振兴。将助推乡村振兴战略实施作为重大政治任务和年度重点工作，开展人大代表防返贫监测体制机制助推乡村振兴调研，制定《柞水县人大常委会关于建立人大代表防返贫动态监测工作监督办法》，充分发挥人大代表监督和支持作用，及时研判预警、监测帮扶，全面巩固脱贫成果，强力推动乡村振兴。人大机关选派3名党员干部担任瓦房口镇金星村第一书记和驻村队员，组织27名干部结对帮扶脱贫群众36户，筹措资金55万元投入产业发展、灾后重建和环境提升，包扶村顺利通过省级考核评估。

全力助推民生福祉改善。针对教育政策落实、公共卫生和城市建设等民生热点，对义务教育"双减"政策落实情况和职业技术教育发展情况、医疗卫生服务质量、县城规划建设管理情况开展专题调研,对县中医院搬迁运营、"三无"小区治理进行集中视察,推进教育、公共卫生、城市建设等工作顺应新形势、满足新要求;组织人大代表对民生实事项目分阶段开展专题调研和专项视察,督促切实把好事办实、把实事办好,2022年票决民生实事项目基本完成,5个兄弟县区来我县考察学习民生实事人大代表票决制工作经验。

三、坚持为民履职,充分激发代表活力

多层次开展履职培训。搭建线上线下培训平台,通过微信群、公众号常态化向人大代表发送人大工作相关知识,为人大代表订阅业务报刊、购买书籍,采取"请进来"与"走出去"相结合,加强"一制度(人民代表大会制度)+四部法(宪法和地方组织法、代表法、监督法)+两技能(审议各项报告能力、撰写议案建议能力)"培训,不断提高代表履职能力。全年开展集中培训6次、外出考察学习5次,30多名基层代表应邀列席人大常委会会议,按专业抽调代表180人次参与专题调研、执法检查、集中视察等活动,在实践中不断提高履职能力,22名县人大代表被评为优秀代表。

广覆盖拓宽履职平台。重视人大代表履职平台建设,印发了《关于规范提升人大代表联络站管理运行工作办法》,建成9个中心联络站、28个村(社区)级联络站和农业农村、卫生健康两个专业联络站,为代表依法履职、密切联系群众提供了重要阵地。组织卫生健康行业代表进站开展活动,代表深入脱贫村巡诊送药、宣传健康知识和疫情防控措施,接诊群众近千人。全县590名各级代表就地就近编入代表联络站,共接待选民873人,为民办实事93件,较好地发挥了代表学习"充电站"、群众意见"收集站"、依法履职"监督站"、服务代表"工作站"的作用。

全方位加强联系指导。落实主任会议成员联系镇(办)人大主席团(工委)、常委会组成人员联系代表、代表联系群众"三联系"制度,定期向代表通报工作,县人大常委会主任会议成员带队深入联系镇办,通报县人大常委会、"一府两院"工作情况,保证人大代表的知情权、知政权。开展常委会组成人员走访代表、代表走访群众的"双走访"活动,全县各级代表共走访群众3000多人次,收集意见建议300多条。制定了《县人大代表专业小组组建和活动办法》,组建4个代表专业小组、30个混合代表小组,定期开展活动。

高标准办理议案建议。按照代表建议"两个高质量"要求,加强代表议案建议撰写培训力度,保证建议提出高质量;人代会后总结代表建议办理"十步工作法",规范办理程序,实行常委会班子成员领衔督办重点建议、各工委对口督办的方式,评选优秀建议和办理先进单位,确保办理高质量,128件议案建议落实率96%、满意率91%。同时,认真落实常委会领导信访接待制度,接访下访群众30批次,受理群众来信来访25件,办结22件。

四、坚持强基固本,持续加强自身建设

强化机关党建。履行人大常委会党组把方向、管大局、保落实的领导作用,新建《人大常委会机关工作人员职业守则》等4项制度,修订《县人大常委会机关工作"三色"管理制度》等7项制度,形成了人大常委会党组、人大常委会、机关支部、机关管理4个层面62项制度体系,构建了目标明确、职责清晰、程序规范、科学有序、高效运转的工作格局。认真落实管党治党主体责任和领导干部"一岗双责",党组成员带头参加双重组织生活、带头讲党课,开展理论宣讲活动21场次,组织支部党员345人次开展进社区报到活动23场次,开展主题党日活动13场次。围绕查堵点、破难题、树新风、促发展,深入开展作风建设专项行动建设清廉人大机关、"五个到一线"等活动，精心组织领导干部讲廉政党课，扎实开展以案促改，持之以恒改进作风，形成了风清气正、积极向上、干事创业的良好氛围。

强化文明创建。制订市级文明单位创建工作实施方案，将文明单位创建与业务工作同部署、同检查、同落实、同考评，做到两手抓、两手硬。组织志愿者378人次参与志愿服务22次，开展"缅怀革命先烈·传承爱国精神"清明祭扫等文明活动16场次，做到广泛动员、全员参与。美化亮化公共办公区域，机关办公环境全面提升。坚持每周开展"书香人大"读书交流活动，不断提升人大干部的文化修养和工作能力，机关14名干部荣获省市县表彰奖励。

强化信息宣传。严格落实意识形态工作责任制，牢牢守住意识形态主阵地，坚持人大工作全过程宣传，扩大与媒体更加紧密、更加深入的联系合作，用生动鲜活的方式讲好人大故事。严格落实人大信息发布"三审"工作机制，层层把好信息的政治关、内容关、质量关，人大网站及微信公众号全年编发信息380余条，充分展现了代表履职风采。出台新闻宣传工作管理办法，鼓励机关干部人人当好人大工作宣传员，《全过程人民民主的柞水实践》在《民声报》头版头条刊登、被《法治与社会》重点推介，柞水人大特色亮点工作在省市主流媒体刊登30余条，荣获全省人大2022年度新闻宣传工作一等奖。

强化基层基础。制定了《县人大常委会主任会议成员联系指导镇办人大工作办法》，不断加强对基层人大工作的指导，持续提升全县人大工作整体实效。组织召开镇办人大主席座谈会2次，指导各镇人大主席团切实发挥职能作用，票决民生实事项目38个，实现县镇两级全覆盖。指导乾佑街道议政会建立"一年两会"、建议办理、项目监督、联系群众等常态工作机制，引导街道议政会规范有序运行。

各位代表，过去一年，县人大常委会取得的工作成绩，是县委高度重视、坚强领导的结果，是常委会组成人员和全体人大代表履职尽责、扎实工作的结果，是"一府一委两院"密切配合、大力支持的结果，是人民群众和社会各界充分信任、积极参与的结果。在此，我代表县人大常委会向大家表示衷心的感谢并致以崇高的敬意！

我们也清醒地认识到，对标中央和省委、市委、县委人大工作会议精神，我们的工作与新时代新任务新要求、与人民群众和人大代表的期望还有不少差距，主要是监督的刚性实效有待进一步增强，代表主体作用有待进一步发挥，民生实事跟踪问效尚需进一步加强，常委会及机关自身建设还需进一步深化等。对此，我们将虚心听取代表和各方面的意见建议，不断加强和改进工作，更好履行宪法法律赋予的各项职责。

2023年工作任务

2023年县人大常委会工作的总体要求是：坚持以习近平新时代中国特色社会主义思想为指导，深入学习贯彻党的二十大、中央和省委、市委、县委人大工作会议精神，紧紧围绕县委十九届四次全会部署，更加自觉坚定正确政治方向，更加有为助力经济社会发展，更加有效促进民生持续改善，更加有力推动法治柞水建设，在守正创新中加强和改进新时代人大工作，在担当作为中践行全过程人民民主，为加快建设"三高三区"新柞水贡献人大智慧和力量。

一、聚焦党的全面领导，在旗帜鲜明讲政治上提升新境界

坚持把贯彻落实党的二十大精神作为首要政治任务，用党的二十大精神领航定向、凝心聚力，统揽人大工作，确保方向不偏、初心不改、本质不变。一是坚持不懈抓好理论武装。深学笃用习近平新时代中国特色社会主义思想，忠诚拥护"两个确立"，增强"四个意识"，坚定"四个自信"，坚决做到"两个维护"。始终把深入学习领会党的二十大精神以及中央、省委、市委、县委人大工作会议精神贯穿于人大工作的全过程、各方面，找准人大工作定位，明确方向路径，将学习的成效转化为创造性开展人大工作的强大动力。二是毫不动摇坚持党的领导。坚决执行党的政治路线，坚持重要会议、重大事项、重要工作第一时间向县委请示报告制度，高效完成县委交办的各项任务，认真落实县委《新时代坚持和完善人民代表大会制度加强和改进人大工作的具体措施》，进一步明确重点、夯实责任，把党中央和省委、市委、县委关于新时代人大工作的部署要求转化为具体行动和务实举措。坚持依法讨论决定重大事项，确保党的政策主张通过法定程序转化为全县人民的共同意志和自觉行动。坚持党管干部与人大依法任免相统一，依法做好选举任免工作，确保县委人事安排意图顺利实现。三是持之以恒加强党的建设。认真落实党内组织生活制度，严格落实管党治党主体责任和"一岗双责"，切实加强党风廉政建设，支持派驻纪检监察组履行监督责任，持续深化纠治"四风"，进一步加强县人大常委会党组和机关党组、支部的规范化制度化建设。

二、聚焦依法履职尽责，在助推经济社会发展上展现新作为

强化围绕中心、服务大局、突出重点、讲求实效的工作理念，紧紧围绕"三个年"活动和县委十九届四次全会部署，精选监督议题，突出问题导向，综合运用听取审议工作报告、执法检查、代表视察、专题调研、询问质询、跟踪问效等多种手段，积极探索以"问题清单"开展跟踪监督等做法，用好人大监督"工具箱"，打好人大监督"组合拳"，加强对"一府一委两院"的正确监督、有效监督、依法监督，推动县委决策部署贯彻落实和法律法规有效实施。一是围绕高质量发展开展监督。强化对国民经济和社会发展计划执行情况的监督，加强对财政预决算、政府债务、预算绩效的审查监督，加强对审计反馈问题整改情况的跟踪监督，持续推进预算联网监督。对全县自然资源国有资产管理情况、"十四五"规划中期评估、柞水县打造"康养之都"工作情况、秦创原与柞水科技创新发展情况开展专题调研。二是围绕社会民生改善开展监督。对教育、医疗等民生热点开展重点监督，开展人大代表防返贫动态监测"一参与一评议"工作办法实施情况及乡村振兴示范村建设情况集中视察。按照季度督查、年中审议、年底测评的方式加大人大代表票决民生实事项目的检查督办，推进民生实事落地落实。三是围绕生态环境安全开展监督。听取审议全县环境状况和环境保护目标完成情况的报告，持续开展《陕西省秦岭生态环境保护条例》实施情况执法检查，加强对中省环保督察反馈问题整改的跟踪监督，助推全县筑牢生态安全屏障，巩固提升国家生态文明建设示范区成果。四是围绕法治柞水建设开展监督。强化宪法法律宣传教育，充分发挥基层立法联系点作用，积极配合上级人大常委会做好立法调研，奠定制定良法的基础。开展《消防法》《陕西省消防条例》《家庭教育促进法》等执法检查，依法做好规范性文件备案审查工作。对员额法官、员额检察官进行年度履职评议。加强对人大选举和任命工作人员的任后监督，对部分国家工作人员进行履职评议，督促其依法履职、为民服务、担当作为。

三、聚焦人民至上原则，在践行全过程人民民主上迈出新步伐

加强和改进人大代表工作，支持和保障人大代表在全过程人民民主中筑牢桥头堡、当好主力军。一是提升履职能力。加强代表培训，坚持形式多样、务求实效原则，综合运用举办培训班、专题讲座、以会代训、经验交流、视察调研、执法检查、学习考察等形式，提高代表履职能力。二是拓宽联系渠道。不断推进代表工作机制、载体和服务创新，健全完善"三联系"制度，常态邀请基层人大代表列席县人大常委会会议，丰富人大代表联系群众的内容和形式，更好发挥代表在发展全过程人民民主、反映群众诉求、解决民生难题中的积极作用，做到民有所呼、我有所应。提升人大代表联络站运行和管理水平，开展国家机关负责人进代表联络站主题接待活动，优秀人大代表联络站评选工作，健全代表反映群众意见处理反馈机制。组织"一府一委两院"负责人向代表通报工作情况。三是强化管理服务。健全评价和激励机制，评选优秀人大代表，激发代表履职热情。建立代表退出和增补机制，对不称职代表及时退出，及时增补出缺代表。加强代表履职档案规范化建设，开展人大代表述职评议工作，安排部分代表向原选区选民报告履职情况并接受评议。四是督办议案建议。全面落实代表议案、建议、批评和意见办理规定，改进代表议案建议审查、办理、反馈工作方式，优化代表建议提、督、办、评工作流程，推行"办理事项承诺制+工作台账制"，将非涉密代表建议办理情况向社会公开，开展建议办理结果测评，评选优秀代表建议和先进承办单位，力促议案建议内容和办理"两个高质量"。

四、聚焦"四个机关"定位，在加强人大自身建设上焕发新气象

以党的政治建设为统领，全面加强人大常委会各方面建设，努力打造让县委放心、让人民满意的政治机关、权力机关、工作机关、代表机关。一是加强机关管理。进一步完善人大议事制度，及时制定修改各项工作制度，用制度管权、按制度办事、靠制度管人，健全规范有序、运转高效、充满活力的运行机制。加快"智慧人大"建设，全面提升机关整体管理水平。扎实推进"四个机关"创建，组织各工委外出考察学习交流，围绕新时代人大工作的新要求、聚焦高质量发展的重难点，探索创新业务工作，形成"一委一亮点"品牌经验。二是加强队伍建设。按照坚定法治自觉、锻造务实作风、强化精准履职、涵养底线思维、打造品质机关的目标要求，加强干部队伍建设，坚持开展"四个一"学习研讨、"书香人大"读书交流等活动，不断提升人大机关干部能力素质，有序推进人大系统干部对外交流、轮岗锻炼，为人大及其常委会更好依法履职提供有力支撑。落实《"三色"管理制度》，实行岗位目标量化考核、差错失误登记追责，提升机关工作质效，大力整治"慵懒散漫拖虚粗"等现象，引导机关干部切实增强做好人大工作的责任感和使命感，把各项工作做细、做实、做精。三是加强联动协作。进一步密切与上级及兄弟人大常委会的联系，积极配合上级人大常委会开展工作。完善县人大常委会领导联系镇办人大工作制度，加强对镇办人大工作的指导，组织召开县镇人大工作经验交流会议，不断激发镇办人大工作活力和创造力，稳步提升全县人大工作整体水平。四是加强信息宣传。守牢意识形态领域阵地，持续深化人大宣传工作，用好"一网一微"阵地，讲好人大故事、展现代表风采，推动根本政治制度深入人心。更加注重对人民代表大会制度在我县创新发展、全过程人民民主在人大生动实践等理论研究，力争形成有分量的研究成果。

各位代表，使命呼唤担当，实干成就未来。让我们更加紧密地团结在以习近平同志为核心的党中央周围，坚持以习近平新时代中国特色社会主义思想和党的二十大精神为指引，在县委的坚强领导下，广泛凝聚全县人民的智慧和力量，依法履职、务实为民，踔厉奋发、勇毅前行，不断推动我县人大工作与时俱进、创新发展，为"三高三区"新柞水建设作出应有贡献！

柞水县人民政府工作报告

——在柞水县第十九届人民代表大会第二次会议上

柞水县人民政府县长　刘　鹏

（2023年2月9日）

各位代表：

现在，我代表县人民政府向大会报告工作，请予审议，并请县政协委员和其他列席人员提出意见。

2022年工作回顾

刚刚过去的一年，面对经济下行、疫情冲击等多重挑战，全县上下迎难而上、锐意进取，经济保持了平稳运行、质效提升的良好态势。全年完成生产总值101.31亿元；固定资产投资135.49亿元，增速排名全市第三；社会消费品零售总额11.62亿元，增速排名全市第二；财政总收入5.01亿元，地方财政收入2.22亿元；城乡居民人均可支配收入分别达到30974元、12219元，高质量发展迈上了新台阶。

聚力强争引、扩投资，项目建设成效显著。云山湖森林康养度假区入选全省20个万亿级重点旅游项目，曹坪抽水蓄能电站即将开工建设，西康高铁扎实推进，全年131个重点项目完成投资137.6亿元，占年任务的106.8%，在全市重大项目观摩中位居第一方阵。坚持招大项目与引大企业并举，累计签约项目67个，招商到位资金194亿元，占年任务的123.5%，其中省际到位资金居全市第一。争取上级专项资金11.5亿元、债券资金3.3亿元，为高质量发展提供了强有力的支撑。

聚力抓纾困、蓄动能，工业经济平稳运行。协调金融机构向企业发放信贷资金7.8亿元，为企业争取上级奖补资金1.2亿元，落实减税降费6535万元，新增市场主体1232户，培育"五上"企业29家。建设标准化厂房7.7万平方米，盘龙药业入选全国第四批服务型制造示范企业，三八妇乐科技公司被授予第九批省级工业品牌培育示范企业，宝华矿业被认定为全省高新技术企业，全县规上工业完成产值235.59亿元。培育高新技术企业2家、科技型中小企业44家，在秦创原设立飞地孵化器，我县荣获全国首批、全省唯一的国家创新型县。

聚力挖潜力、稳消费，旅游三产提档升级。孝义文化体验园、飞跃终南极限运动公园等涉游项目建成运营，金米村、朱家湾村、洞天福地等5个景点入选全国乡村旅游精品线路，营盘镇获评第二批全国乡村旅游重点镇，牛背梁旅游度假区被评为国家级旅游度假区。特色民宿、户外拓展、研学旅行等康养业态蓬勃发展，"秦岭闺秀·康养柞水"品牌持续唱响，我县荣获2022健康中国·康养旅游百强县、全省森林旅游示范县。完善电商物流配送体系，线上交易额突破3亿元，荣获全省首家"832"平台产业帮扶示范县、国家电子商务进农村综合示范县。

聚力固成果、促衔接，乡村振兴全面推进。投入乡村振兴衔接资金1.88亿元，整合财政资金2.87亿元，实施涉农项目235个，全力兴产业、促就业，村集体经济持续壮大，联农带农作用凸显，脱贫人口人均纯收入增长13.5%，"三带"促就业经验在全国脱贫人口稳岗就业工作会上交流。柞水木耳入选全国农业产业"三品一标"典型案例，杏坪镇获评全国"一村一品"示范镇，我县被认定为全省食用菌产业链典型县。粮食播种面积和产量实现"双增长"，打造"五美庭院"3100户，金凤、秦丰等村被评为全省美丽宜居示范村，全省农村宅基地制度改革试点工作现场会在我县召开。

聚力补短板、提品质，城乡面貌日新月异。深化"两拆一提升"行动，实施城区立面改造、线缆落地等九大环境提升工程，拆除违建1.3万平方米，整治有安全隐患经营性自建房109栋，新建游园14个、绿地5.05万平方米、停车位2429个，改造老旧小区330户、跨河大桥13座、提升城市公厕18座，县城中心片区棚户区改造一期项目建成回迁，县城群众文化广场、休闲健身步道等投入使用。营盘、凤凰两个省级重点镇建设步伐加快，G211大坪至营盘、窑镇社区至李家砭、曹坪至瓦房口等公路改建项目稳步推进，建成村组道路77条91.28千米，修复水毁公路75条234.66千米，群众生产生活条件不断改善。

聚力重治理、严监管，环境质量持续向好。查处涉秦岭违法案件49起，问题图斑在全市率先清零，全省秦岭生态"五乱"问题整治现场会在我县召开。从严落实河长制、林长制、田长制，完成造林绿化7.35万亩，建成堤防16.5千米，治理水土流失面积85平方千米，我县入选国家水土保持示范县。全面打好"三大保卫战"，出境断面水质稳定达标，空气质量优良天数居全市第一。首批生态产品价值实现创新案例通过中科院认定，迎春社区等9个社区被评为全省绿色社区，朱家湾村入选第六批中国传统村落名录，我县成功创建为国家生态文明建设示范区。

聚力惠民生、增福祉，社会大局和谐稳定。大力推进"稳就业"，城镇新增就业1950人，农村劳动力转移就业3.5万人。改扩建学校5所，增加学前及义务教育学位1470个，高考二本上线率保持全市前列，中考质量稳居全市第一。县医院住院楼建成投入使用，县中医院整体搬迁开诊，新建公有制产权村卫生室18个，实现所有村（社区）全覆盖。开展文化惠民演出120余场次，《柞水渔鼓》等3个案例被评为全省"一县一品"特色文化艺术典型案例，手工编草碗等2个项目入选全省第七批非物质文化遗产名录。建成日间照料中心和农村幸福院13个，发放各类民生保障资金1.56亿元。安全生产事故和死亡人数"双下降"，荣获全省信访工作先进县、全省平安县区及"平安铜鼎"。

聚力提效能、促实干，自身建设不断加强。扎实开展"争资夺旗抱奖牌"等活动，干部作风持续向好，争先氛围更加浓厚。制定出台县政府系统带头过紧日子"二十三条"措施，大力压减一般性支出，"三公"经费压缩5%。推行政务服务"好差评"制度，高频事项网办率95%以上，创新"5个+"审批服务和"一三五"帮办模式在《全国优化营商环境简报》刊发。大力推进法治政府建设，自觉接受人大法律监督、政协民主监督，完成123件人大代表议案建议和115件政协委员提案办理任务。同时，民族、宗教、外事、气象、档案、史志等工作也都取得了新成绩。

各位代表，过去一年，面对复杂多变的新冠疫情，我们始终坚持人民至上、生命至上，统筹兼顾防疫"主阵地"和发展"主战场"，顶住压力上，不分昼夜干，特别是广大干部、医护人员、公安干警、社区工作者、志愿者闻令而动、冲锋陷阵，用热血和汗水展示了责任担当，用奉献和坚守践行了为民情怀，共同谱写了战"疫"情、促发展、争一流的动人华章！

各位代表，柞水发展中经受的每一次考验、发生的每一点变化、取得的每一份成绩，都浸透着汗水、凝聚着心血，都是拼出来、干出来的！在此，我代表县人民政府，向全县广大干部群众，向各位人大代表和政协委员，向民主党派和社会各界人士，向武警官兵、公安干警和消防指战员，向所有关心支持柞水发展的各级领导和同志们、朋友们，表示衷心的感谢并致以崇高的敬意！

同时，我们也清醒地认识到，在发展中还面临诸多困难和挑战：重大项目储备不足，招商引资质量不优，支撑发展基础还需进一步夯实；传统工业转型缓慢，新型产业培育不够，产业结构优化还需进一步加快；农村基础设施短板较多，村级集体经济较弱，群众增收渠道还需进一步拓宽；干部担当能力和服务本领还需提升，营商环境还需优化；等等。这些问题，我们将认真加以解决！

2023年重点工作

2023年既是全面贯彻落实党的二十大精神的开局之年，也是谱写柞水高质量发展新篇章的关键之年。党的二十大擘画了新时代新征程党和国家事业发展的宏伟蓝图；省上推动陕南地区生态优先绿色升级，支持传统产业转型和绿色食品、生物医药、文旅康养等产业发展，推动县域经济高质量发展；市上推进"一都四区"建设，加快西商融合发展，这些都为我们立足优势奋力推进高质量发展指明了方向、提供了遵循、增添了信心，只要我们坚持既定目标，下足精细功夫，做好统筹文章，就一定能够推动"三高三区"新柞水取得新成效、实现新突破、再上新台阶！

今年县政府工作的指导思想是：以习近平新时代中国特色社会主义思想为指导，全面贯彻党的二十大精神，贯通落实习近平总书记来陕考察重要讲话重要指示，按照市委、市政府和县委部署要求，始终紧扣高质量发展主线，牢牢把握稳中求进工作总基调，完整、准确、全面贯彻新发展理念，更好服务和融入新发展格局，大力实施生态优县、工业强县、康养活县、创新兴县、木耳名县战略，聚力推进"三个计划"，持续加快生态、资源、区位比较优势转化为发展优势，着力实现经济发展质效、产业绿色转型、创新改革开放、生态环境保护、群众就业增收、社会治理效能"六个上水平"，奋力谱写柞水高质量发展新篇章！

主要预期目标是：生产总值增长7%左右，全社会固定资产投资增长10.5%左右，社会消费品零售总额增长10%左右；城乡居民人均可支配收入分别增长7%左右、10%左右；财政总收入和地方财政收入分别增长15%左右、10%左右；城镇调查失业率控制在5.5%以内；居民消费价格涨幅控制在3%左右。

工作主要抓手是："瞄准一个目标"，力争各项工作在全省争先进、在全市创一流；守牢"三条底线"，坚守生态环保、民生保障、安全稳定不动摇，切实统筹好发展和安全；紧扣"六大重点"，坚持以项目建设强支撑、以工业转型增动能、以文旅康养带消费、以乡村振兴促三农、以城镇发展提品质、以营商环境增活力，引领高质量发展实现新突破；开展"十大创建"，抓好国家级全域森林康养试点建设县、国家义务教育优质均衡发展县等十个国省级示范创建，全面提升工作水平、打造品牌名片、扩大对外影响，奋力谱写新时代柞水高质量发展新篇章。

重点做好八方面工作：

（一）狠抓项目增投资，在蓄积动能上迈出新步伐。牢固树立"项目为王"理念，全力抓招引、扩投资、增动能，着力以高质量项目推动高质量发展。

广开思路谋项目。用足用活上级扶持政策，积极谋划一批能源、水利、交通、市政等重大设施类项目，精心储备一批中央预算内投资、专项债券、政策性金融工具和制造业中长期贷款项目，全年储备项目200个以上，总投资1200亿元以上。设立项目前期费1000万元，建立逐年增长机制，强力推进项目前期工作，为尽快落地、顺利推进、早日建成奠定坚实基础。

创新方式招项目。优化招商扶持政策，推出惠企助发展"大礼包"，聚焦五大产业、基础设施、民生事业发展等重点，精心策划招商项目，创新宣传推介方式，积极组织参加丝博会、进博会、陕南循环经济活动周等重点招商活动，全面增强投资"洼地"吸引力。坚持投行思维、链式思维和闭环思维，加快招商"四库一平台"建设，建好"朋友圈"，着力提升招商精准度。坚持打好"老乡牌"，深入对接央企省企、有实力民营企业和柞水籍在外人士，扎实开展叩门招商、精准招商、以商招商和产业链招商，确保全年引进"链主企业"1家、总部经济企业2家、高品质酒店1家、签约项目35个以上，落实到位资金180亿元以上。

大干快上建项目。从严落实项目"六个一"包抓机制和"六包"专班服务，压实县级领导包联、部门包抓责任，实行专班推进、定期调度、全程问效，确保151个重点项目完成投资149.5亿元以上。开辟项目推进"绿色通道"，积极做好西康高铁等重大项目保障，全力加快曹坪抽水蓄能电站等项目建设，力争云山湖森林康养度假区开园营业，确保盘龙中药健康产品生产线改建等62个项目年内建成投产。盘活存量建设用地，清理低效闲置土地，保障重大项目用地需求，全面提升"亩均效益"。组织召开政银企座谈会，引导金融机构加大信贷支持，全力破解项目融资难题。

（二）做强工业促转型，在提质增效上实现新跨越。坚持做大规模、调优结构、提升质量并重，全力抓纾困、强调度、促转型，着力推动工业经济扩能增效。

强化企业服务保障。全面落实运行监测、援企稳岗、服务保障等政策措施，着力在减税降费、融资信贷等方面疏堵点、补断点、解难点，帮助停产企业复工复产，力促大西沟矿业、盘龙药业等31家规上企业全面达产达效。加速推进尾矿弃渣综合利用等延链项目建设，推动骨干企业扩大产能，着力增强工业经济发展后劲。

增强园区平台承载。按照"一区两园"总体布局，补齐园区水电路网等设施短板，新建标准化厂房5.3万平方米，力争企业入驻率70%以上。实施"腾笼换鸟""筑巢引凤"工程，启动省级经济技术开发区创建，扶持园区盘活闲置资源，实行入园企业"保姆式"服务，推进产业耦合共生、基础配套协同、交通物流融合，全面提升园区承载力，全年新引进入园企业5家以上，园区工业总产值突破210亿元，积极创建省级专业特色园区。

提升工业发展质量。实施工业、税收"倍增计划"和GDP"赶超计划"，全年规上工业总产值增长19%以上、税收收入增长15%以上、人均GDP增长14%以上，确保五年实现工业产值、税收收入倍增目标，力争人均GDP三年内超过全省平均水平、五年内超过全国平均水平。狠抓矿业"五化"转型，力促大西沟菱铁新材料绿色循环产业项目取得实质性进展，支持博隆公司等传统矿产企业技术改造，鼓励同兴轧钢开展招商合作，着力培育新动能。推广"链主企业引领、小微企业配套"的集群化发展模式，鼓励尾矿资源综合利用，着力引进一批高科技、高成长、高附加值产业，确保年内战略性新兴产业增加值增长10%以上。强化规上企业培育，加快推进"个转企、小升规"，新培育"专精特新"企业2家以上、"五上"企业30家以上。

（三）融合文旅优三产，在消费升级上培育新优势。围绕创亮"秦岭闺秀·康养柞水"品牌，着力推动旅游大发展、消费大繁荣，倾力打造"生态康养之都"最具活力县域板块。

建好精品景区。围绕巩固国家全域旅游示范区、牛背梁国家旅游度假区创建成果，支持洞天福地5A、秦楚古道及孝义小镇4A、金米3A级景区创建，推动景区提档升级。加快终南山寨三期等22个涉游项目建设，大力发展乡村休闲旅游产业，着力优化旅游线路、丰富消费体验。推广"终南宿集·共享村庄"民宿发展模式，开展民宿品牌培育和农家乐星级评定，新建民宿300院以上。完善旅游公厕、标识标牌、智慧导览等功能，优化导游、餐饮、住宿等服务，全面提升旅游业服务水平。

壮大康养产业。抢抓西商融合发展机遇，加快梨园、云山湖、龙王沟、盘谷山庄、盘龙医药5大康养产业园建设，抓好秦岭时光康养综合体、尊尚龙景文养园等29个康养项目，推出"春季赏花怡情、夏季避暑戏水、秋季自驾露营、冬季赏雪避霾"的全季康养产品，着力丰富康养产业发展内涵。坚持以旅游度假、医疗保健、研学科考等为特色，健全"医养游体药食"协同发展的康养产业体系，吸引更多西安市民康养度假、休闲旅居，形成多业态深度融合的康养产业发展新格局。

推动消费升级。深化消费增长三年行动，精心举办孝义文化旅游节、高山杜鹃花节等八大主题营销活动，做到"周周有活动、月月有主题、季季有节庆"，力争全年接待游客800万人次以上，实现旅游综合收入50亿元以上。加快国家数字乡村试点县创建步伐，健全商贸服务体系，抓好县城、集镇特色商圈建设，开展好消费促进月、网上购物节等活动，推进消费品下乡、农产品进城双向流动，全年新纳限商贸企业10家以上，实现社会消费品零售总额13亿元以上。

（四）巩固成果促衔接，在全面振兴上取得新成效。持续深化"两边一补齐"行动，着力完善设施、壮大产业、优化环境，努力实现农业强、农村美、农民富。

巩固拓展脱贫成果。健全易返贫致贫人口动态监测机制，精准运用产业发展、就业带动、技能培训、消费拉动、金融扶持、兜底保障等措施，着力抓好曹坪省级乡村振兴重点帮扶镇和18个重点帮扶村发展，坚决防止规模性返贫。全面盘活农村集体资源资产，稳慎推进农村宅基地制度改革试点，扎实开展"清零消薄"行动，积极引导农村能人、企业个体、第三方机构等参与村集体经济发展，力争集体经济收入超过10万元村达到50个以上。广泛汇聚苏陕协作、科技部定点帮扶、省级驻柞帮扶团等力量，加大财政涉农资金整合力度，强化扶贫资产运营管理，健全联农带农分配机制，促进群众持续稳定增收。

做大做强特色产业。深化农业供给侧结构性改革，健全源头可溯、去向可追、质量可查的绿色农产品溯源体系，推动特色产业全链条升级，新培育市级以上家庭农场4个、合作社2个，推进农业产业化、景区化、品牌化、绿色化发展，创建国家现代农业产业园。围绕增产量、提质量、扩销量，强化木耳产业种植管理，抓好木耳食品加工产业园、木耳功能性食品加工等延链项目建设，精心举办木耳产业文化节，加大产销对接和农超对接，畅通销售渠道，做大做强"小木耳·大产业"。持续壮大"菌果药畜茶"等特色产业，发展中药材3.8万亩，新建茶园1000亩，畜禽出栏156万头（只）。实施"品牌点亮"工程，积极开展名特优新和"两品一标"农产品认证，打造更多农产品区域公用品牌，争创省级知识产权强县建设示范县。

建美秦岭山水乡村。按照"整流域推进、整沟域提升"思路，实施乡村建设行动，因地制宜编制村庄规划，发展壮大"沟域经济"，推进农旅等产业融合发展，集中建设康养、旅游、宜居3类21个秦岭山水乡村示范村。深化农村人居环境整治提升五年行动，强化农村"五乱"治理，全面优化公路沿线、镇办村组、农户院落环境，做到扫干净、摆整齐、一眼净。加强文明乡风建设，推进农村移风易俗，努力实现乡村由表及里、形神兼备的全面提升。

（五）建管并举提品质，在城乡发展上开创新局面。坚持景城互动、产城融合、城乡一体，推进城乡"颜值"和"品质"双提升。

高标准推动城市建设。围绕创建"省级县城建设示范县"，实施城市桥梁建设、道路改造、环境提升等城建工程，推进滨河公园、棚改二期、乾佑河水生态修复及堤岸综合治理等工程建设，持续完善城市功能。纵深推进违建拆除和城市更新，定期开展城市体检，注入"文化、康养、美学、旅游"四大元素，让"公园下乡""绿道串联"，构建干净、清爽、宜居的城市空间，打造全域旅游城市会客厅。

高水平打造特色集镇。坚持突出特色、错位发展，优化营盘、杏坪等镇产业布局，促进曹坪、瓦房口、红岩寺特色集镇发展，扩大凤凰、下梁、小岭等镇经济规模，着力培育一批工业重镇、农业强镇和旅游名镇。大力实施强镇带村工程，推进农村改厕、土坯房改造、生活垃圾污水治理，新建农村道路38.8千米、桥梁31座，着力提升乡村基础设施完备度、公共服务便利度、人居环境舒适度。

高质量抓好城市管理。巩固阳光房、自建房整治成果，持续开展线缆落地和"多杆合一、多牌合一、多箱合一"治理，纵深推进交通秩序、环境卫生、市容市貌综合整治，着力破解车难停、路拥堵、物业弱等问题。坚持从细节入手，补齐背街小巷功能设施短板，创新推进"三无"小区管理，常态抓好市政设施管护。围绕打造"精致柞水"，统筹推进绿化美化、卫生保洁、市场经营等精细化管理，全面提升城市环境品质、生活品质、人文品质，努力形成共建、共治、共享的城市管理新格局。

（六）当好卫士护生态，在绿色发展上续写新篇章。深入践行"绿水青山就是金山银山"理念，统筹推进污染防治、生态保护、绿色发展，让天更蓝、水更清、山更绿、生态更美好。

护好秦岭环境。扎实开展"秦岭生态卫士行动日"等宣传活动，深入推进绿色家庭、绿色学校、绿色社区、绿色机关创建，着力提升群众生态保护意识。常态查处秦岭"五乱"问题，持续推进景区违建、砂石运输等专项整治，深入实施非煤矿山和尾矿库综合治理，不断巩固秦岭生态保护成果。抓好秦岭生态环境保护区勘界立标，开展生态产品价值实现机制试点，坚决守住生态保护红线、环境质量底线、资源利用上线。

抓好污染防治。统筹山水林田湖草沙系统一体化保护，坚持"减煤、控车、抑尘、治源、禁燃、增绿"多管齐下,确保空气质量优良天数350天以上。压实三级"河长"巡河责任,严打河道"四乱"行为,全面提升水环境质量。深入开展农业面源、工业固废等污染治理,持续加大畜禽养殖等重点行业监管,完成垃圾填埋场扩容应急抢险工程建设,全力保障生态环境安全。

建好生态工程。推进国土绿化行动,加快国家7万亩储备林建设,实施好50万亩林业有害生物防治项目,完成营造林6.55万亩。全面加强野生动物保护,做好森林防火、松材线虫病防治等工作。加快乾佑河水生态修复、金钱河流域综合整治,治理水土流失面积45平方千米,厚植高质量发展生态底色。

(七)用心用情办实事,在增进福祉上交出新答卷。坚持以人民为中心的发展思想,统筹社会事业发展和兜底政策落实,让发展更有温度、幸福更有质感。

繁荣教育文化事业。实施教育高质量发展工程,优化教育资源配置,加大紧缺教师和优秀人才招引,扎实推进教育"双创",巩固提升"双减"成效,确保中考质量和高考成绩继续保持全市前列。创新文化惠民工程,持续开展文化"六进"、周末广场展演、志愿者下基层等活动,着力丰富群众精神文化生活。

推进健康柞水建设。深化综合医改,建设县域紧密型医共体,抓好妇幼保健服务能力、县医院医疗发展提升等项目,优化分级诊疗、双向转诊等制度,促进优质医疗资源扩容下沉和区域均衡布局。深入开展爱国卫生运动,着力巩固国家卫生县、省级文明城市创建成果,积极创建全国基层中医药先进县。落实"四个最严"要求,加强食品药品监管,切实保障群众饮食用药安全。严格落实新冠病毒感染"乙类乙管"措施,加强重点人群健康服务和免疫接种,着力保健康、防重症、守底线,努力守护人民群众生命健康。

兜牢民生保障网底。围绕推进劳动力更高质量、更加充分就业,加强与劳务输入地协作,强化职业技能培训,做好高校毕业生、农民工、退役军人、残疾人等重点群体稳定就业,城镇新增就业1850人以上,农村劳动力转移就业3.55万人。健全多层次社保体系,全面落实城乡低保、特困供养人员、残疾人两项补贴等政策,做到应兜尽兜。统筹抓好养老、医保等工作,实施陕西全民健康保,完善普惠托育和康复护理服务体系。深化双拥共建活动,做好退役军人服务保障,巩固省级双拥模范县创建成果。

(八)坚守底线防风险,在社会治理上展现新作为。树牢底线思维,积极防范化解各类风险隐患,全力打造安全稳定的发展环境。

强化风险防范。深入贯彻总体国家安全观,聚焦"七大领域风险",扎实开展隐患大排查、大化解、大整治,坚决防范系统性风险。加强新兴经济业态管理,健全金融风险预防预警机制,严厉打击非法集资、恶意逃债等行为。有序化解存量隐性债务,坚决遏制新增地方隐性债务,促进房地产市场健康发展。

强化安全生产。巩固安全生产专项整治三年行动成果,严格落实"三管三必须"要求和"十五条硬措施",从严执行安全生产事前问责实施办法,持续强化道路交通、非煤矿山、建筑施工、消防燃气、防火防汛、特种设备等行业领域监管,常态开展实战演练,着力健全应急管理体系,持续提升防灾减灾能力,全力保障群众生命财产安全。

强化平安建设。扎实开展"八五"普法,全面提升公众法治意识。坚持和发展新时代"枫桥经验",健全矛盾纠纷排查化解机制,落实领导干部接访下访制度，推进重复信访治理和积案化解，积极创建"全国信访工作示范县"。深化平安创建，常态化开展扫黑除恶、全民反诈、禁毒人民战争，严厉打击"盗抢骗、黄赌毒、食药环"等违法犯罪活动，确保社会大局和谐稳定。

各位代表，我们将力促去年已建成民生实事项目发挥最大作用，今年继续聚焦群众所需所盼，在抓好人大代表票决"民生实事项目"的基础上，再聚力实施好"十大民生工程"：一是技能培训工程。开展订单式、定向式、定岗式专业技能培训41期1800人，发放创业担保贷款3200万元，全面提升就业创业服务水平。二是河堤防洪工程。建成社川河常湾清水段、乾佑河营盘段6.81千米防洪工程，保障沿线行洪安全。三是停车场建设工程。建设停车场4处，新增车位1550个。四是敬老院建设工程。新建下梁区域敬老院，新增床位130张。五是城区道路提升工程。优化县城乾佑河东岸4.7千米过境路，减少扬尘和噪声污染。六是教育资源优化工程。新建城区二中小学部，迁建马房子和太河两所小学，新增学位1410个，补充中小学和幼儿园教师110名。七是城区备用水源工程。建设取水坝1座，铺设输配水管网15千米，保障城区居民饮水安全。八是高速路口保畅工程。新建包茂高速溶洞段半互通式立交，拓宽包茂高速营盘收费站出入口道路，全面提升通行能力。九是城乡环境提升工程。启动固体废弃物综合处置场和建筑垃圾综合处理场建设，完成农村改厕2600户，新打造"五美庭院"3000户。十是气象能力提升工程。新建北斗水汽观测站，配备激光雷达等自动监测设备26套，全面提升气象预警预报和防灾减灾能力。

加强政府自身建设

新时代引领新征程，新作为创造新业绩。我们将顺应时代要求和人民期盼，扎实开展"高质量项目推进年、营商环境突破年、干部作风能力提升年"活动，努力建设人民满意政府。

旗帜鲜明讲政治。始终心怀"国之大者"，坚持用习近平新时代中国特色社会主义思想凝心铸魂，深入贯彻落实党的二十大精神，坚定捍卫"两个确立"，坚决做到"两个维护"。

依法行政守规矩。坚持把依法行政贯穿始终，按照法定程序履行职责，做到依法科学民主决策。自觉接受人大法律监督、政协民主监督以及舆论监督、社会监督，主动向人大报告、向政协通报工作，认真办理人大代表建议和政协委员提案。深入推进政务公开，及时回应社会关切，确保权力在阳光下运行。

奋勇争先抓落实。建立部署推进、督导检查、考核评估、反馈整改"四个闭环"链条，做到工作项目化、项目节点化、节点责任化。强化正向激励和反向惩戒，坚决纠正"干与不干一个样、干多干少一个样、干好干差一个样"等庸政懒政现象，树立比学赶超、奖优罚劣的鲜明导向。

风清气正树形象。坚决扛牢从严治党主体责任，切实履行"一岗双责"，严格落实中央八项规定及实施细则。坚持带头过"紧日子"，严控"三公"经费支出，把有限财力用在推动发展和为民服务上。强化工程建设、土地出让、政府采购等重点领域监管，从源头预防和治理腐败，永葆为民务实清廉的政治本色。

各位代表，百舸争流，奋楫者先；千帆竞发，勇进者胜。让我们更加紧密地团结在以习近平同志为核心的党中央周围，在市委、市政府和县委的坚强领导下，踔厉奋发、笃行不息，开拓创新、勇毅前行，为建成"三高三区"新柞水、开创柞水高质量发展新篇章而不懈奋斗！

守正创新　勇毅前行
在新使命中奋进新征程展现新作为

——在政协柞水县第十届委员会第二次会议上的常委会工作报告

王　博

(2023年2月8日)

各位委员：

我代表政协柞水县第十届委员会常务委员会，向大会报告工作，请予审议。并请列席会议的同志提出意见。

2022年工作回顾

2022年，我们迎来了举世瞩目的党的二十大的胜利召开。在县委的坚强领导下，我们高举中国特色社会主义伟大旗帜，以习近平新时代中国特色社会主义思想为指导，认真贯彻落实党的二十大和十九届历次全会精神，紧紧围绕县第十九次党代会确定的目标任务，团结带领全体政协委员和政协干部，创新履职、凝聚共识、助推发展、展现作为，为建设"三高三区"新柞水贡献了政协智慧和力量。

一、坚持高举旗帜、凝心铸魂，明方向、聚共识，在助推高质量发展中担当新使命

始终高举旗帜，坚定政治自觉，把学习宣传贯彻党的二十大精神贯穿于政协工作全过程，以实际行动把准了政协方位。

一是政治引领明方向。突出政治引领，自觉把党的领导贯穿到政协工作各方面，深入学习习近平新时代中国特色社会主义思想，深刻领悟"两个确立"的决定性意义，增强"四个意识"、坚定"四个自信"、做到"两个维护"。不断增强政协党组班子的政治领悟力、政治判断力和政治执行力，先后召开政协党组会10次、主席会7次、常委会4次，自觉做到同县委和声共鸣、同心同向，确保了政协事业始终沿着正确方向勇毅前行。

二是思想引领凝共识。突出思想引领，把学习宣传贯彻党的二十大精神作为首要政治任务，建立了政协会议常态化学习制度，坚持会前集中学、机关集体学、干部自主学、委员交流研讨学等方式，推进政治理论学习常态化，政协系统集中学习38场次；县政协班子成员率先深入包抓的5镇11村，广泛宣讲党的二十大精神11场次；在县政协微信公众号开辟党的二十大学习专栏，班子成员、各专委会、界别委员带头谈认识、讲感悟6期，广泛凝聚起同心同德、履职尽责的奋进共识。

三是党建引领筑基础。突出政治功能定位，充分发挥政协党组领导作用，加强政协系统党组织、机关党支部、专委会联合党支部建设，永葆全面从严治党生机活力。坚持"三会一课"制度，定期组织开展主题党日活动，推动了政协党建全面进步。加强机关党支部包抓的小区治理，在疫情防控关键时刻发挥了党建引领作用。创新"结对子"共建，和省政协办公厅联络处党支部联合开展"弘扬'两山'理论·践行初心使命"主题党日活动、"同心庆七一·奋进新征程"联谊活动，交流党建经验，赢得省政协好评。

二、坚持胸怀大局、拼搏实干，聚众智、献良策，在协商议政中展现新作为

围绕县委、县政府重大决策部署，用活全委会协商、专题协商、对口协商、微协商等参政议政方式，在中心工作主战场上拼搏抓落实、显身手、出成果。

一是全委会协商聚众智。充分发挥政协全委会重要建言资政平台作用，在十届政协一次全体会议上，委员们聚焦"三百四千工程"等助力建设"三高三区"新柞水，在经济发展、教育科技、医疗卫生、城市管理、重点民生等领域踊跃发言议政，书面提交建议，提出12类140条建议，为县委、县政府决策汇聚了众智。

二是专题协商献良策。围绕营商环境、文旅融合、旅游产业延链和疫情对旅游业影响、医疗病患流失、城区停车难等群众关注的热点难点问题，发挥政协专门协商机构作用，组织开展了"优化项目服务环境""以文旅融合推动旅游产业高质量发展""提升医疗服务水平、减少病患资源流失""加强城区停车场建设与管理"等4个专题协商，分析22个方面的问题，提出合理化建议135条，得到有关单位部门采纳和有效落实，其中3篇调研报告推荐参加市政协年度优秀调研成果评选。

三是微协商破解难题。围绕群众普遍关注的大坪至营盘"三改二"公路工程进度缓慢影响旅游产业发展、县城学府路至县医院关键时段拥堵严重等问题，组织政协专委会、部分委员和有关部门，深入一线，现场踏勘，共同制定措施，快速整改落实，有力推动了相关问题解决。全年开展微协商12场次，准确把握问题热度，加快问题解决速度，提高了群众的满意度。

三、坚持锐意创新、开拓进取，抓重点、攻难点，在民主监督中取得新成效

瞄准重点、聚焦难点，在支持中评议、在服务中监督，有针对性开展民主评议监督，助力了县直部门和行业工作提速提效，服务了经济社会发展。

一是评议监督紧扣重点。集中对社会关注度高、审批事项多、执法难度大的重点部门进行评议，向县发改局、自然资源局、住建局3个重点经济部门，委派3个民主监督小组，开展民主评议监督工作。评议中，既肯定部门工作成绩，又客观看待不足短板，还帮助化解工作堵点难点，真正体现出民主评议监督的针对性、科学性和成效性，有力促进了部门作风优化、行政效能提升。

二是提案办理提质增效。构建政协提案"提、办、督"三方责任体系，拓展委员履职广度、深度和精准度，让提案作用发挥更充分、效果更明显。县政协十届一次会议以来收到提案140件、立案120件，不予立案2件，转为意见和建议提案18件。这些提案，得到相关部门和单位重视，所有提案全部办结，满意率达98.5%，获得委员广泛认可和各界一致好评。

三是联动视察协同发力。深化推进"三级联动"协商机制和"双走进"主题实践活动，成功协办了全国政协"六省一市"环秦岭地区生态保护和高质量发展视察活动，受到了省政协通报表彰。精心组织省政协来柞开展破解"两个薄弱问题""夯实乡风文明基础、推动乡村文化振兴"等视察调研3次，先后与市政协联动开展委员"走进企业·助力发展""疫情常态化防控"等集中视察5次。接待江苏省政协、汉阴县政协等来柞考察交流21批次。圆满承办了首次市县政协联席会议，交流柞水政协"建强两支队伍、擦亮政协最美底色"经验，开创了省市县政协上下联动、异地政协相互交流、协同履职发力的新局面。

四、坚持服务中心、同向发力，建平台、办实事，在提升群众幸福指数中激发新活力

始终坚持委员主体地位、增强委员履职意识、激发委员工作热情、丰富委员活动载体，让委员科学履职、参政议政作用得以充分彰显。

一是倾力抓好阵地建设。坚持丰富载体、建强阵地、搭建平台，探索推出"四联系四促进"工作法，加强县政协主席会成员、常委会组成人员、各专委会、各镇办政协联络组、各界别和党员委员之间的交流沟通联络，促进各阶层相互联动，有效破解了政协工作"基础薄弱问题"。先后建成文化艺术界、医药卫生界、教育共青团新闻界等委员工作室10个，搭建桥梁纽带，达到了委员履职有场所、商事有组织、服务有效果、社会有影响的目的。终南山寨文化艺术界委员工作室先后多次接受了国省市政协领导莅临指导并获好评。

二是倾心助力重点工作。坚持把参与全县重点工作作为履职第一要务，县政协班子成员率先垂范、深入一线，强力推动了重点工作落实。在包联镇村、项目建设、疫情防控等重点工作中发挥带头作用，协调解决项目报批报建手续问题，化解征地拆迁难题，保障重大项目建设环境，包抓的投资百亿的陕西曹坪抽水蓄能电站项目，前期手续办理和基础性工作按计划推进，西康高铁柞水段建设稳步实施，大坪至营盘"三改二"公路一期项目如期完工，县医院住院楼顺利建成投用。积极为企纾困、排忧解难，促使柞水金正等企业顺利复产、达产达效。政协机关夯实巩固脱贫攻坚成果同乡村振兴有效衔接工作责任，建立的"3+1+1"帮扶机制被有关部门推广。机关干部捐款1.48万元支持发展木耳特色产业，进村入户走访排查20批次350人次，完成了包扶的金盆村查问题补短板强弱项任务。抗疫关键时刻，广大政协委员主动捐献物资1100余箱，价值8万多元，及时配送到执勤点和相关单位；委员们自发为高速路口疫情防控执勤人员送餐，政协机关3名干部主动参加高速路口疫情防控闭环执勤，26名干部轮流执勤、参加全员核酸检测采样，抗疫之举充分展现了政协人冲在前、干在先的榜样作用。

三是倾情关怀困难群众。坚持引导政协委员参与社会济困活动，"五一"组织慰问了边远贫困群众120多户；"六一"深入3所偏远学校捐赠价值7.4万元爱心物资，暑假期间为51名留守学生开展"送关爱、帮学习、开眼界"活动；"七一"看望边远农村困难老党员50名，"八一"走访慰问边远村退伍老军人50名，"九九"重阳节看望90岁以上高龄老人13人；走进6个边远村，开展"问诊送药"活动5期，赠送药品价值2.5万元，诊疗困难群众1370人次。充分发挥各界爱心济困协会扶危济困、助学解困作用，开展济困行动4期，捐款捐物42场次，救助困难群众32户、资助贫困大学生84名、发放济困资金34.8万元，联络会员单位为抗疫捐物捐资130.2万元，以实际行动践行了习近平总书记在党的二十大报告中提出的："要深入群众、深入基层，采取更多惠民生、暖民心举措，着力解决好人民群众急难愁盼问题。"

五、坚持弘扬经典、崇尚读书，育新人、展形象，在书香政协建设中引领新风尚

以委员读书为重点，积极搭建诵经典、读好书平台，动员委员和各界广泛参与，以读书引领潮流，让广大委员和机关干部成为有智慧、有修养、有内涵的政协人。

一是读书活动丰富多彩。印发"书香政协·助推书香柞水"读书方案，策划四大类16项读书内容，建立政协机关书画阅读室，成立"书香政协·畅享阅读"悦读会，开展"书香润政协·诵读庆七一""学习党的二十大精神·传递时代最强音""非遗文化迎新春"等诵读活动13场次，参与委员和各界人士358人次。机关干部赴省政协开展集体诵读活动，参与省市领导调研现场集体读书活动，政协系统惠风和畅、书香四溢，赢得各级领导纷纷好评。紧扣打造书香政协、塑造书香委员、营造书香文化三大目标，动员委员主动读书，带动各界自觉读书，推动了"书香柞水"建设。目前已组建群众性读书会5个，设立了柞水书店读书驿站，让读书明智、读书明理成为柞水新风尚。

二是文史编撰资政聚能。弘扬地域文化，挖掘保护、传承开发非物质文化遗产，启动编纂《柞水非物质文化遗产》文史资料。制订征编方案、审定编纂大纲、成立专门机构，先后召开6次座谈会，完成了柞水非遗名录、非遗代表性传承人、非遗大事记、待开发非遗项目等内容征编，《柞水非物质文化遗产》一书编排完成，印刷出版3000册，为全县上下传承发展非物质文化奠定了坚实基础。

三是信息宣传亮点纷呈。发挥信息宣传凝聚共识、汇聚正能量作用，充分运用报刊、微信、网站通报委员履职、政协工作情况，在省《各界导报》刊登履职交流材料12篇、工作专访1篇，向市政协报送协商报告4篇、调研报告2篇，向《各界商洛》投送稿件34篇，向县委、县政府报送民意信息15篇，在柞水政协公众号刊载工作信息215篇，收集社情民意信息220条，2条社情民意信息被市政协评为优秀信息，其中《关于非物质文化遗产保护传承利用的建议》获得市委主要领导批示调研，增强了政协工作的吸引力、感染力和影响力。组织政协退休老干部视察县域重点项目，汇报政协工作，共话全县发展，汇集了各界正能量。

六、坚持管理创新、优化效能，强硬件、优软件，在政协自身建设中焕发新动能

秉承管理创新、作风优良、科学高效的理念，用心加强自身建设，健全完善机制，注重日常管理，锻造了一支朝气蓬勃、活力倍增、年富力强的政协队伍。

一是完善制度机制，工作运转高效。修订完善《县政协党组工作规则》《常委会工作规则》《主席会议事规则》，印发《委员管理办法》《委员联系界别群众办法（试行）》《镇办政协联络组工作通则》等制度11项；规范党务、政务、事务、委员管理，优化整合公文处理、材料审核、信息报送程序，使政协工作和政协机关运行更加科学、更具规范、更为高效。

二是坚持守正创新，委员活力凸显。深化学原文、读原著、悟原理政治理论学习，坚持集中学习和自主学习、写笔记和大讨论相结合，组织开展学习党的二十大谈感悟活动，让委员和机关干部在学中明智；组织开展"爱家庭、爱政协"研讨活动，让机关干部在学中明德；组织机关干部学法用法，获得全市学法先进单位称号；推动"两支队伍"建设走深走实，筑牢踔厉奋发、勇于担当思想基础，初步实现了政协委员和机关干部有能力、有形象、有尊严的良好开局。

三是注重硬件建设，办公环境优美。持续改善政协机关办公条件，优化办公场所，更新办公设施，配备相应的候会室、读书室、会议室等，创造了干净整洁、秩序井然的良好办公环境。引导机关干部重文明、讲礼仪，识大体、顾大局，建设了一个严肃活泼、精细高效的委员之家。

回顾过去一年的工作，常委会较好完成了各项目标任务，这是认真学习贯彻落实习近平新时代中国特色社会主义思想和党的二十大精神的结果，是市政协精心指导、县委坚强领导和县人大、县政府大力支持的结果，是县直各部门、各单位和社会各界密切配合的结果，也是全县各级政协组织、广大政协委员和机关干部共同奋斗的结果。在此，我代表县政协常委会，向大家表示衷心的感谢！

同时，我们也清醒地认识到，对照新时代人民政协的新使命、县委和社会各界对政协工作的新期望，我们的工作还存在一些差距和不足，主要是：发挥好政协作为专门协商机构的机制还不够完善；服务和促进委员充分履职的方式方法还不够灵活；建言资政和凝聚共识双向发力还需加大；委员主体作用发挥还不充分等。我们将认真研究，努力改进，不断推动政协工作再上新台阶。

2023年工作部署

2023年，是全面贯彻落实党的二十大精神的开局之年，也是全面落实省市委政协工作会议精神的关键之年。县政协工作的总体要求是：坚持以习近平新时代中国特色社会主义思想为指导，全面贯彻落实党的二十大精神，深入学习贯彻习近平总书记关于加强和改进人民政协工作的重要思想，准确把握新时代政协工作定位，坚持团结、民主两大主题，认真履行政治协商、民主监督、参政议政三大职能，建设"三大平台"，提升"三种能力"，广泛凝聚共识，以更加昂扬的姿态担负新使命、奋进新征程、建功新时代，为谱写柞水高质量发展新篇章贡献政协智慧和力量。

一、守正创新、细照笃行，厚聚推动经济高质量发展的思想共识

深入学习贯彻落实党的二十大精神，在政治上与党中央保持高度一致，在思想上统一到中央决策部署上来，在实践上凝聚起助力高质量发展的广泛共识。一是在政治上，认真学习习近平新时代中国特色社会主义思想。旗帜鲜明讲政治，持之以恒抓好政治理论学习，坚持不懈用习近平新时代中国特色社会主义思想指导实践、推动工作，引导广大政协委员和社会各界人士，坚决捍卫"两个确立"、增强"四个意识"、坚定"四个自信"、做到"两个维护"。二是在思想上，统一到党的二十大赋予政协使命上来。聚焦在全面学习、全面把握、全面落实上见行见效，深学细悟笃行党的二十大精神，综合运用政协党组会学习、常委会集体学习、微党课等形式，深入理解全过程人民民主重要论述，让党的二十大精神成为政协履职的智力法宝。三是在实践上，广泛凝聚助力高质量发展强大共识。坚持党建引领，充分发挥政协党组把方向、管大局、保落实作用，加强党组成员与界别委员、党员委员与党外委员联系，不断巩固团结奋斗的政治基础。坚持思想引领、理论引导、实践引路，在政协会议、视察考察、民主监督、提案办理等履职全过程中广聚共识、汇集力量，凝聚起政协委员和各界群众同心向党、同向齐进、共促发展的合力共识。

二、积极建言、务实献策，推进新时代政治协商迈向新高度

更好发挥政协协商重要阵地、重要平台、重要渠道作用，聚焦县委确定的经济发展质效、产业绿色转型、创新改革开放、生态环境保护、群众就业增收、社会治理效能6个上水平目标任务，利用各种形式，广泛政治协商，及时为县委、县政府献计出力。一是专题协商献精准之策。围绕经济发展、项目建设、营商环境优化等重点，组织视察调研，掌握一手情况，分析存在问题，形成科学合理建议，助力经济发展。紧扣社会事业发展和社会治理热点难点，围绕"绿色矿山建设""乡村道路建设及管护""推进学前教育高质量发展"等精准选题，深入基层单位开展调研，进行专题协商。二是对口协商建务实之言。紧扣民生改善、群众关注问题入手，巩固拓展脱贫攻坚成果，推动乡村振兴，围绕"巩固提升农村安全饮水保障能力""食品安全监管""农村村医队伍建设""社区矫正人员服务管理"等事关民生主题，开展深度调研，进行专委会对口协商。三是基层协商解群众之难。探索创新微协商，组织镇办政协联络组、委员工作室等基层政协组织，聚焦农村人居环境整治、矛盾纠纷化解等事项开展微建言、微协商，以"小切口"改善"大民生"，高效快捷地解决群众急难愁盼的问题。

三、聚焦热点、突破难点，助推民主评议监督出实招求实效

坚持在评议中支持、支持中服务、服务中监督，灵活运用专题会议、调研视察、民主评议，有组织有重点开展民主监督，推动部门作风转变、效能提升。一是提案监督着力。确定五件重点提案进行协商，采取民生热点提案主席会议成员集体督办、重点提案领导领衔督办、社会焦点提案专委会视察督办、一般提案联合督办等举措，推动提案事项圆满办结，切实提升委员满意度、群众认可度。二是民主监督发力。深入履行政协民主监督职能，将民主评议监督同整体工作同部署同推进，对县交通局、文旅局、环境局等3个重点经济部门开展民主监督，以民主监督推动部门效能提升。三是联动监督助力。将省市县政协专题协商、民主监督、委员视察等有机结合，联合开展主题实践活动。邀请群众代表、镇办联络组列席县政协常委会、专题协商会、监督议政活动。支持和选派政协委员担任各类特约监督员，参与明察暗访、旁听庭审、社会组织评价等工作，推动惠民政策落实、民生问题解决，促进政协监督"联动有声、落地见效"。

四、构筑平台、激发活力，围绕中心工作踔厉奋发展现作为

认真贯彻落实县委十九届四次全会精神，围绕经济高质量、项目快推进、文化大繁荣、服务最基层、展现大作为的思路，积极构建委员履职三大平台，激发委员助力高质量发展的活力和作用。一是搭建助力经济发展的平台，争做经济主战场的表率。坚持发挥政协独特优势，引导广大政协委员积极为经济高质量发展加油鼓劲，冲锋经济建设主战场，创一流作表率。主动参与县委、县政府中心工作，在项目建设一线优服务作保障，强力推动陕西曹坪抽水蓄能电站项目建设，加快高铁等包抓项目建设进度；发挥经济联谊会作用，在招商引资前沿上强联谊引客商，积极参与"迎老乡、回故乡、建家乡"等活动，吸引更多知名企业、更好项目落户柞水、建设柞水、发展柞水。二是搭建文化艺术平台，争做推动文旅融合发展的排头兵。深入挖掘孝义文化、中医康养文化、木耳文化，推动地域特色文化创造性转化，促进文旅深度融合发展。组织委员开展采风创作、作品展览、影视拍摄等活动，为文化艺术铸型、为文旅产业铸魂。深化委员读书活动，唱响书香政协主旋律，全力营造向善向上、奋斗奋进的良好氛围。启动编撰第22辑政协文史资料《柞水民歌精选》，收录柞水道地民歌100首，制作音频视频，积极宣传柞水、推介柞水。三是搭建为民服务平台，争做关心关爱百姓的暖心人。坚持服务基层、服务群众，聚焦惠民政策落实、基础设施建设管理等群众最关注事项开展协商议政、监督视察活动。将委员工作室建成亲民爱民的"暖心客栈"，以室为媒"零距离"倾听群众呼声、"一对一"回应群众关切、"面对面"解决群众合理需求，争当关爱百姓的暖心人。

五、心系百姓、提升素质，增强委员服务群众的责任感使命感

深化委员履职"五个一"活动，继续推行委员履职考核、常委联系委员制度和委员履职台账、考核表彰、年度通报制度，激发委员履职热情，持续关爱弱势群体，不断增进人民福祉。一是持续关注关爱弱势群体。关注边远农村困难群众所需，持续为民办实事、解难事，开展"关注空巢老人""问诊送药献爱心""关爱留守儿童"等活动，持续走访慰问，把党和政府的温暖送到群众心坎上。二是精准反映社情民意。动员广大委员当好党委政府联系群众的桥梁纽带，主动走基层、到一线，倾听群众呼声，感知民情冷暖，撰写社情民意信息，协调解决基层群众合理诉求，切实发挥社情民意"小信息"的"大作用"。三是大力开展济困助学。深化"我为群众办实事"活动，大力发挥各界爱心济困协会作用，积极开展政协委员捐赠、大病救助、大学新生资助、特殊群体济困等工作，及时解决困难群众上学、看病难题。

六、主动作为、优化效能，锤炼政协系统干事创业精气神

充分发挥政协党组领导、常委会主导、委员主体和机关服务作用，不断加强制度建设，提升"两支队伍"能力，打造懂政协、会协商、善议政、守纪律、讲规矩、重品行的政协队伍，以能力大提升推动政协事业大发展。一是提升创新思维能力，锤炼委员履职"真本领"。把学习作为提升创新思维的有效途径，引导委员和机关干部厚实理论功底，自觉用党的创新理论武装头脑，在实践中学真知、悟真谛、长本领，用新眼光看待新事物、用新办法解决新问题、用新思路谋求新发展，让创新思维成为政协委员履职、政协干部工作的看家本领。二是提升担当作为能力，锻造委员履职"宽肩膀"。把担当当作一种支柱精神，在履职担当中勇往直前，在困难面前迎难而上，坚持不懈落实中央八项规定及实施细则，严于律己、严负其责，努力营造人心思进、人心思干、敢想敢干、善作善成的良好环境。三是提升干事创业能力，激发委员履职"原动力"。把钉钉子精神作为干事创业的有力保障，稳扎稳打向前走，不断提升干事创业能力，锤炼干事创业意志，围绕全县发展大局谋划事业、创新创业，扎牢创业根基，扩大创业成果，努力让委员在经济社会发展中成大事、立新功。

各位委员，力量源于团结，奋斗创造未来。让我们在中共柞水县委的坚强领导下，勇担新使命、展现新作为，不负韶华，勇毅前行，奋力续写人民政协事业发展新篇章，为建设"三高三区"新柞水作出新的更大的贡献！

2022年大事记

大 事 记

1月

1日 县级领导慰问疫情防控工作人员，县长刘鹏，县委常委、常务副县长胡大志，县委常委、副县长李浴溱，副县长、县公安局局长李小军，副县长王茂荣参加。

3日 县委书记崔孝栓深入下梁镇调研重点项目建设情况，县委常委、常务副县长胡大志，县委常委、副县长李浴溱一同调研。

同日 柞水县召开新冠肺炎疫情防控工作视频调度会议，通报县疫情防控工作开展情况并安排下一步重点工作，县委常委、常务副县长胡大志出席并讲话，副县长、县公安局局长李小军出席会议，副县长王茂荣主持会议。

4日 县长刘鹏带领县政府办、住建局、资源局、城管局等相关单位负责同志，深入下梁镇实地查勘幸福林带及排水管道建设项目，县委常委、常务副县长胡大志，县委常委、副县长李浴溱，副县长陈新波一同参加。

同日 县委书记崔孝栓到瓦房口镇、杏坪镇、水阳高速凤凰东出口督导检查疫情防控工作，县政协主席王立栋，县委常委、纪委书记王永祥一同检查。

同日 县委书记崔孝栓到曹坪镇调研曹坪抽水蓄能电站前期项目推进情况，确保项目快速顺利推进，县政协主席王立栋，县委常委、纪委书记王永祥一同调研。

6日 县委书记崔孝栓检查县中医院迁建和县医院住院楼项目建设情况，他强调，要克服疫情影响，强化协调调度，妥善解决项目建设过程中存在的各项问题，全力以赴加快推进项目建设，确保惠及广大百姓的民生项目早日竣工投入使用。县委常委、副县长李浴溱，副县长王茂荣一同检查。

同日 县长刘鹏主持召开疫情防控工作视频调度会，贯彻落实全市疫情防控工作视频调度会议精神，分析研判当前形势，安排部署重点工作，县委常委、组织部部长杜晓宁，县委常委、政法委书记汪正华，副县长陈新波、李小军、王茂荣出席会议。

7日 省教育厅督导组来柞检查疫情防控工作，县长刘鹏、副县长王茂荣参加。

8日 柞水县召开"敲门行动"问题反馈会，县委常委、常务副县长胡大志出席会议并讲话，县委常委、副县长李浴溱，副县长王茂荣出席会议。

9日　柞水县召开新冠肺炎疫情防控工作视频调度会，传达学习商洛市疫情防控会议精神，安排部署相关重点工作，县委常委、常务副县长胡大志主持会议并讲话，副县长王茂荣出席会议。

10日　县委书记崔孝栓主持召开2022年第1次县委常委会会议，传达学习习近平总书记新年贺词、有关重要讲话重要指示、《2022年开训动员令》及中央有关会议、文件精神，听取县人大、政府、政协、法院、检察院2021年度党组工作、市委第三巡察组作风建设和粮食购销领域专项巡察整改方案制订情况、关于成立中国共产党柞水县物流行业委员会有关情况的汇报，并研究贯彻落实意见。县政府在家县级领导参加。

同日　副市长李育江来柞督导检查疫情防控、巩固拓展脱贫攻坚成果同乡村振兴有效衔接等当前重点工作开展情况，县长刘鹏、副县长陈新波一同检查。

11日　柞水县国有建设用地招拍挂领导小组会议在县政府四楼会议室召开，县长刘鹏、副县长陈新波参加。

12日　县长刘鹏主持召开县政府2022年第1次常务会会议，传达学习习近平总书记新年贺词等有关重要讲话、批示和文件精神，传达学习中央经济工作会、中央农村工作会议精神，听取贯彻落实"一都四区"和"三高三区"工作有关文件起草情况、2021年度高质量发展综合绩效评价指标完成情况、2022年度重点建设项目计划（草案）编制工作情况、2021年度人大代表票决民生实事项目实施情况和2022年度拟提请县人大代表票决的民生实事项目征集筛选情况等汇报，研究部署乡村振兴示范镇建设、困难群众温暖过冬等工作。县政府在家县级领导参加。

13日　柞水县召开一季度项目开工安排部署会议，听取2021年项目建设收尾、全县重点企业复工复产和2022年开工项目准备情况的汇报，安排部署当前重点工作。县长刘鹏主持会议并讲话，县委常委、常务副县长胡大志，县委常委、副县长李浴溱，副县长陈新波出席会议。

14日　柞水县召开县级领导廉洁过节集体谈话会，教育引导全县党员干部时刻警觉由风及腐的风险，自觉念好廉洁自律的"紧箍咒"，筑牢拒腐防变的作风"防火墙"，严以修身、防微杜渐，巩固提升全县风清气正的政治生态。县委书记崔孝栓主持会议并讲话，县人大常委会主任谢建民，县长刘鹏，县政协主席王立栋、县政协党组副书记王博，县委常委严文军、胡大志、陈晓琴、王永祥、杜晓宁、李浴溱、汪正华、吴根、魏巍等所有在家县级领导出席会议。

15日　市委领导来柞调研疫情防控工作，县长刘鹏参加。

17日　省教育厅领导来柞调研疫情防控工作，县长刘鹏，县委常委、常务副县长胡大志，县委常委、副县长李浴溱，副县长王茂荣参加。

18日　柞水县召开新冠肺炎疫情防控工作视频调度会，县委常委、常务副县长胡大志主持会议并讲话，副县长王茂荣安排当前重点工作。

同日　柞水县召开专题会议，传达贯彻省委经济工作会议精神，安排部署当前重点工作。县长刘鹏主持会议并讲话，县人大常委会主任谢建民，县政协党组副书记王博，县委常委严文军、胡大志、陈晓琴、王永祥、杜晓宁、汪正华、吴根、魏巍等县级领导出席会议。

19日　柞水县召开新冠肺炎疫情防控工作视频调度会，贯彻落实全市疫情防控视频调度会议精神，安排部署近期疫情防控相关重点工作，县委常委、常务副县长胡大志主持会议并讲话，县委常委、副县长李浴溁，副县长陈新波、李小军、王茂荣、鲁永红出席会议。

21日 县长刘鹏主持召开县政府第2次常务会议，集体学习习近平总书记在十九届中央纪委六次全会等会议上的有关重要讲话重要指示及中央有关文件精神，传达学习全国安全生产工作电视电话会议、全省安全生产视频会议和全市安全生产视频会议精神，讨论审定县十九届一次人代会有关材料，听取2021年度全县生态环境保护工作等情况汇报，研究柞水县贯彻落实意见。县政府在家县级领导参加。

24日 县委书记崔孝栓主持召开县委第2次常委会会议，传达学习习近平总书记重要讲话重要指示、中央一号文件及有关会议、省十三届人大六次会议精神，研究我县贯彻落实意见，听取2021年度巡察工作、全县经济社会发展预期目标、重点建设项目计划编制等工作汇报。县政府在家县级领导参加。

同日 市河长办副主任、市河库中心主任刘尚忠带领市河长制第三考核组一行来柞就2021年河长制工作进行考核，并召开座谈会。县委书记崔孝栓，县委副书记、县长刘鹏，县委常委、宣传部部长、统战部部长陈晓琴，县人大常委会副主任王晓波，副县长陈新波参加会议。

25日 柞水县召开2022年征兵工作电视电话会议，传达省、市征兵工作电视电话会议精神，总结2021年度全县征兵工作，安排部署2022年上半年征兵工作任务。县委常委、常务副县长、县征兵工作领导小组组长胡大志出席会议并讲话，县委常委、人武部政委、县征兵工作领导小组副组长闫云辉出席会议。

27日 柞水县召开2021年度县委党的建设工作领导小组（扩大）会议暨镇（办）党（工）委、县直各党（工）委书记抓基层党建述职评议考核会议，县委书记崔孝栓主持会议并讲话，市委组织部组织一科科长史小涛到会指导，县委副书记、县长刘鹏，县委常委严文军、胡大志、王永祥、杜晓宁、李浴溁、汪正华出席会议。

同日 县委书记崔孝栓，县人大常委会主任谢建民，县委副书记、县长刘鹏，县政协主席王立栋，县政协党组副书记王博一行深入部分重点企业开展春节走访慰问活动，通过他们向全县各企业送去节日慰问和新春美好祝福，希望各企业在新的一年里万象更新、再创辉煌。

28日 县委书记崔孝栓主持召开县委第3次常委会会议，传达学习习近平总书记重要讲话重要指示以及中央有关会议和文件、市委四届十二次全会精神，研究柞水县贯彻落实意见，听取2021年度全县生态环境保护工作情况等的汇报。县政府在家县级领导参加。

同日 市委常委、统战部部长杜志强来柞看望慰问困难党员、困难群众、人才专家和驻村工作队员。县委常委、宣传部部长、统战部部长陈晓琴，县委常委、组织部部长杜晓宁一同慰问。

2月

6日 柞水县召开2022年春节收假点名会，进行了春节收假集中视频点名，检查了各部门、镇办干部到岗情况，县委副书记支朝奇主持会议并讲话，县委常委、常务副县长胡大志对各镇（办）干部到岗情况进行了随机点名抽查。

7日 县委书记崔孝栓主持召开2022年第4次县委常委会会议，集中学习习近平总书记重要讲话重要指示精神，传达学习全市巩固拓展脱贫攻坚成果同乡村振兴有效衔接工作推进视频会议精神，并研究柞水县贯彻落实意见，讨论审议县委十九届二次全会相关材料及有关事项，听取《柞水县加快打造营商环境最优区改革实施方案》《柞水县落实市委、市政府〈实施"三百四千"工程奋力赶超行动方案〉的具体措施》制定情况的汇报。县政府在家县级领导参加。

同日 柞水县召开"查堵点、破难题、树新风、促发展"作风建设活动动员部署会，安排部署全县作风建设活动，动员引导广大干部职工收心聚神、调整状态，迅速形成提速争先抓落实的浓厚氛围，切实以良好作风力促新的一年各项工作再上新台阶、再创新佳绩。县政府在家县级领导参加。

8日 柞水县2022年一季度重点项目集中开工活动举行，县政府在家县级领导参加。

9日 柞水县召开2021年度经济高质量发展表彰大会，动员全县上下真抓实干、务实进取，为建设"三高三区"新柞水作出新的更大贡献。县委书记崔孝栓出席会议并讲话，县委副书记、县长刘鹏主持会议，县人大常委会主任谢建民，县政协主席王立栋，县政协党组副书记王博，县委副书记支朝奇，县委常委严文军、胡大志、陈晓琴、王永祥、杜晓宁、李浴溱、汪正华出席会议。

同日 中国共产党柞水县第十九届委员会第二次全体会议在县党政机关大院2号楼10楼会议室召开，县政府在家县级领导参加。

同日 柞水县召开2022年春季木耳生产工作推进会，安排当前木耳产业发展重点工作。县委副书记支朝奇主持会议并讲话，副县长陈新波参加会议。

10日 省财政厅主要领导来柞调研乡村振兴工作，县长刘鹏、副县长陈新波参加。

同日 县委常委、常务副县长胡大志主持召开稳投资工作推进会议，传达学习省委经济工作会、全省一季度稳增长工作视频会及全市复工复产稳投资视频会议精神，深入分析当前全县稳投资工作形势，安排部署稳投资重点工作。

11日 全县避灾移民搬迁对象调查登记工作部署会议在县政府4楼会议室召开，副县长陈新波参加。

14日 柞水县首届乡党回乡发展招商引资大会筹备会在县政府4楼会议召开，副县长蒋维杰参加。

16日 县委理论学习中心组召开第4次学习会议，重温习近平总书记2015年来陕考察重要讲话精神，进一步增添感恩奋进、接续奋斗、担当作为的思想自觉和行动自觉，进一步深刻认识"两个确立"的决定性意义，坚定不移地沿着习近平总书记指引的方向奋勇前进、笃定前行。县政府在家县级领导参加。

同日 中国共产党商洛市第四届纪律检查委员会第七次全体会议召开，县政府在家县级领导在县级分会场县党政机关大院2号楼10楼会议室参加。

同日 柞水县召开疫情防控安全生产森林防火暨征兵工作推进会，县委常委、常务副县长胡大志主持会议并讲话，县人武部部长张新峰，副县长陈新波、王茂荣出席会议。

17日 县长刘鹏邀请柞水县部分企业负责人在政府廉政灶共进早餐，面对面倾听企业心声，解决发展难题。县委常委、常务副县长胡大志，副县长蒋维杰出席早餐会。

18日 国家发改委环资司来柞调研工作，县长刘鹏，县委常委、常务副县长胡大志参加，并于下午3：30在县政府4楼会议室召开座谈会议。

同日 柞水县召开党建引领"人盯人+"基层社会治理工作安排部署暨片长业务培训视频会，县委常委、政法委书记汪正华出席会议并讲话，副县长、县公安局局长李小军出席。

同日 柞水县首届乡党回乡发展招商引资大会在县政府总值班室会议室召开，县委常委、常务副县长胡大志，副县长蒋维杰参加。

21日 柞水县政府召开2022年度工作安排部署会议，深入贯彻县委十九届二次全会精神，安排部署2022年度各项工作，动员全县上下争分夺秒动起来，撸起袖子干起来，超前把各项工作抓实、抓好、抓出成效，以一季度的"开门红"、二季度的"双过半"，确保全年工作的高标准、高质量和高水平。县委副书记、县长刘鹏主持会议并讲话，县委常委、常务副县长胡大志，县委常委、副县长李浴溱、吴根、魏巍，副县长蒋维杰、王茂荣、鲁永红出席会议。

同日 柞水县实施"三百四千"工程奋力赶超行动实施方案讨论会在县政府4楼会议室召开，县委常委、常务副县长胡大志参加。

同日 县委书记崔孝栓带队检查各镇办西安木耳专卖店建设工作，县人大常委会主任谢建民，县政协主席王立栋，县政协党组副书记王博，县委副书记支朝奇，县委常委严文军，副县长陈新波一同检查。

22日 柞水县中医医院整体迁建后续建设项目收尾阶段有关问题协调会在县政府4楼会议室召开，副县长王茂荣参加。

23日 柞水县举行招商引资暨首届乡党回乡发展大会，积极动员柞水籍在外人士支持和参与家乡建设，鼓励、吸引柞水籍在外企业家及在外创业成功人士回乡创业、共谋家乡经济发展大计。县委书记崔孝栓出席会议并致辞，县委副书记、县长刘鹏主持，县人大常委主任谢建民，县政协主席王立栋，县政协党组副书记王博出席会议，县委副书记支朝奇通报柞水县经济社会发展情况，县委常委、常务副县长胡大志发布2022年柞水县招商引资、市政建设、乡村道路三类项目建设清单。

同日 柞水县召开县委农村工作（实施乡村振兴战略）领导小组会议暨巩固拓展脱贫攻坚成果同乡村振兴有效衔接领导小组会议，认真学习贯彻中央和省委农村工作会议精神以及省委、市委、县委全会精神，听取工作情况汇报，研究审议有关文件，安排部署重点工作。县委书记崔孝栓主持会议并讲话。县政府在家县级领导参加。

同日 县委书记崔孝栓主持召开2022年第6次县委常委会（扩大）会议，集中学习习近平总书记重要文章和重要有关文件精神，传达学习市纪委四届七次全会、省市安全生产和信访稳定工作视频会议精神，研究我县贯彻落实意见。县政府在家县级领导参加。

24日 柞水县召开落实"三百四千"工程奋力赶超行动安排部署会议，深入学习贯彻落实市委、市政府关于实施"三百四千"工程奋力赶超行动动员部署会议精神，安排部署相关重点工作。县委书记崔孝栓出席会议并讲话，县委副书记、县长刘鹏主持会议，县人大常委会主任谢建民，县政协主席王立栋，县政协党组副书记王博，县委副书记支朝奇，县委常委严文军、陈晓琴、王永祥、杜晓宁、李浴溱、汪正华、魏巍出席会议。

同日 县长刘鹏主持召开县政府第3次常务会议，集中学习李克强总理对全国春季农业生产暨加强冬小麦田间管理工作会议作出的重要批示精神及省"两会"、省纪委六次全会和市纪委七次全会、市委四届十二次全会精神，传达学习省市安全生产和信访稳定工作视频会议、全市2022年推进高质量发展重点工作誓师动员大会精神，研究柞水县贯彻落实意见。听取进一步强化巩固拓展脱贫攻坚成果同乡村振兴有效衔接工作机制、《柞水县"十四五"生态环境保护规划》起草情况等汇报。县政府在家县级领导参加。

25日 县政府县长碰头会在县政府4楼会议室召开，县政府在家县级领导参加。

28日 县委书记崔孝栓主持召开2022年第7次县委常委会会议，集中学习习近平总书记有关重要讲话和中央有关文件精神，传达学习省市党史学习教育总结大会会议精神，研究我县贯彻落实意见，听取县委常委班子2021年度民主生活会筹备意见和《县委常委班子2021年度民主生活会对照检查材料》起草情况的汇报。县政府在家县级领导参加。

3月

2日 柞水县召开巩固拓展脱贫攻坚成果同乡村振兴有效衔接工作视频调度会议，深入学习贯彻习近平总书记来陕考察重要讲话精神，安排部署乡村振兴有关工作。县委副书记支朝奇主持会议并讲话，副县长陈新波出席会议。

3日 全县党史学习教育总结会议召开，县委书记崔孝栓出席会议并讲话，他强调，要深入学习贯彻党的十九届六中全会精神和习近平总书记关于党史学习教育的重要讲话重要指示精神，以党史照亮前行之路、洗涤心灵之尘、激发奋进之力，为加快建设"三高三区"新柞水、推动高质量发展作出新的更大的贡献，以优异成绩迎接党的二十大胜利召开。县政府在家县级领导参加。

同日 县委书记崔孝栓主持召开第5次县委理论中心组学习会议，集体学习习近平总书记来陕考察重要讲话重要指示精神、习近平总书记在中央党校（国家行政学院）中青年干部培训班开班式上的重要讲话精神，安排部署相关工作。县政府在家县级领导参加。

同日 县委书记崔孝栓实地检查调研我县城市建设重点项目。县委常委、副县长李浴溱一同检查。

4日 县委书记崔孝栓主持召开"查堵点破难题树新风促发展"作风建设活动领导小组会议，通报前一阶段工作进展，听取相关单位工作开展情况汇报，安排部署下一阶段重点工作，动员全县上下进一步提高认识、端正态度，真正把制约和影响经济社会高质量发展的问题以及作风问题查准、查实、查透，为下一阶段破解难题、抓好整改奠定坚实基础。县委常委、常务副县长胡大志，县委常委、副县长李浴溱，副县长蒋维杰、陈新波，副县长、县公安局局长李小军，副县长王茂荣参加。

同日 省林业局局长党双忍来柞调研药业发展和林长制推行工作，县委书记崔孝栓，县委常委、常务副县长胡大志一同调研。

同日 柞水县召开2022年消防工作暨加强基层消防安全综合治理工作推进会，学习传达省、市消防工作会议精神，客观分析全县消防安全形势，全面总结2021年消防工作，谋划部署新一年目标任务，确保全县消防安全形势持续稳定。县委常委、常务副县长胡大志主持会议并讲话。

7日 中国扶贫基金会副理事长陈志刚一行来柞调研，县委常委、常务副县长胡大志，副县长王茂荣参加。

9日 县政府领导调研重点项目建设工作，县委常委、常务副县长胡大志参加。

10日 县委书记崔孝栓主持召开2022年第9次县委常委会会议，集中学习习近平总书记重要讲话精神，讨论审定柞水县第十九届人民代表大会第一次会议和政协柞水县第十届委员会第一次会议相关材料及有关事项，听取《柞水县年度目标责任考核工作办法》制定情况的汇报。县政府在家县级领导参加。

同日 县委书记崔孝栓带领各镇（办）及相关部门负责人，深入凤凰镇金凤村、双河村调研木耳高质量发展情况并召开推进会。县人大常委会主任谢建民，县政协主席王立栋，县政协党组书记王博，县委副书记支朝奇，县委常委严文军，县委常委、常务副县长胡大志，副县长陈新波一同调研或参加推进会。

11日 柞水县召开高速路沿线环境卫生整治提升现场观摩会，县委书记崔孝栓，县委常委严文军，县委常委、副县长李浴溱，副县长陈新波出席观摩会。

同日 柞水县2022年义务植树活动在乾佑街道石镇社区气象站举行，县政府在家县级领导参加。

13日 柞水县召开新冠肺炎疫情防控工作视频调度会，认真贯彻落实各级疫情防控工作会议精神，全面安排部署当前疫情防控重点工作，县委常委、常务副县长胡大志主持会议并讲话，县委常委、副县长李浴溱，副县长李小军、王茂荣出席会议。

14日 县委书记崔孝栓调研我县"木耳U形产业带"建设情况，县委副书记支朝奇，县委常委严文军，县委常委、常务副县长胡大志，副县长陈新波一同调研。

15日 县委书记崔孝栓主持召开县委第10次常委会会议，传达学习十三届全国人大五次会议和全国政协十三届五次会议精神，习近平总书记在全国"两会"上的重要讲话精神，以及韩正同志在参加陕西代表团审议时的讲话精神，研究柞水县贯彻落实意见。

16日 中国人民政治协商会议柞水县第十届委员会第一次会议在县委党校开幕，县政府在家县级领导参加。本次大会应到会委员145人，实到会137人，符合《政协章程》规定。会议由王博主持，王立栋代表政协柞水县第九届委员会常务委员会向大会作工作报告，县政协副主席徐光亮代表政协柞水县第九届委员会常务委员会向大会作提案工作报告。会议通过了《政协柞水县第十届委员会第一次会议选举办法》和总监票人、监票人名单。经过无记名投票选举，王博当选为政协柞水县第十届委员会主席，徐光亮、傅强、孙明珠为副主席，柯长斌为秘书长，王丹、王治安等22名同志为政协柞水县第十届委员会常务委员。

同日 市人大常委会主任张凯盈、市政府温琳同志来柞检查疫情防控工作，副县长王茂荣一同检查。

同日 柞水县中医医院新址开诊仪式在下梁镇沙坪社区新中医医院举行，县长刘鹏，县委常委、常务副县长胡大志，副县长王茂荣参加。

17日 柞水县十九届人大一次会议在县影剧院召开，县政府在家县级领导参加。本次大会应到代表165人，实到代表156人，符合法定人数。大会听取由县长刘鹏作县政府工作报告、县人大常委会主任谢建民作县人大常委会工作报告、县人民法院代院长支社旗作县人民法院工作报告、县人民检察院代检察长蒋燕作县人民检察院工作报告。大会还审查了柞水县2021年国民经济和社会发展计划执行情况与2022年国民经济和社会发展计划（草案）的报告；审查柞水县2021年财政预算执行情况和2022年财政预算（草案）的报告；表决通过了选举办法（草案），民生实事项目票决办法（草案）。

20日 柞水县召开新冠肺炎疫情防控工作调度会，会议对当前疫情防控重点工作再安排、再部署，县委常委、常务副县长胡大志主持会议并讲话，副县长李小军、王茂荣出席会议。

21日 县政府县长碰头会在县政府4楼会议室

召开，县政府在家县级领导参加。

22日 柞水县召开创建国家生态文明建设示范县工作推进会，传达全市生态文明建设示范区创建会议精神，安排部署柞水县创建工作，县委常委、常务副县长胡大志出席会议并讲话，县委常委、宣传部部长、统战部部长陈晓琴主持会议，副县长蒋维杰参加会议。

23日 柞水县召开新冠肺炎疫情防控工作视频调度会，贯彻落实省、市疫情防控工作视频会议精神，对疫情防控工作进行再安排、再部署、再落实。县人大常委会主任谢建民主持会议，县政协主席王博出席会议，县委常委、常务副县长胡大志出席会议并讲话，副县长王茂荣通报疫苗接种情况并安排工作。

25日 柞水县召开2022年全市森林防灭火现场会筹备工作会议，安排部署森林防灭火现场会筹备相关工作，县委常委、常务副县长胡大志主持会议并讲话，副县长陈新波出席会议。

同日 柞水县召开砂石资源统一运营管理暨矿业发展"五化"建设推进会议，县委副书记支朝奇出席会议并讲话，副县长蒋维杰安排部署砂石运营统一运营管理和矿业发展"五化"建设各项工作，副县长陈新波主持会议。

27日 柞水县召开疫情防控工作视频调度会，贯彻落实3月26日全市新冠肺炎疫情防控工作视频调度会议精神，安排部署当前疫情防控重点工作。县委副书记支朝奇主持会议并讲话，县委常委、常务副县长胡大志传达全市新冠肺炎疫情防控工作视频调度会议精神，并安排当前重点工作。县委常委、副县长李浴溱、魏巍，副县长、县公安局局长李小军出席会议。

28日 柞水县国有建设用地招拍挂领导小组会议在县政府4楼会议室召开，县委常委、常务副县长胡大志，副县长陈新波参加。

30日 市人大常委会副主任、县委书记崔孝栓主持召开县委第11次常委会会议，传达学习习近平总书记有关重要讲话精神以及市第五次党代会和市五届人大一次会议、市政协五届一次会议等会议精神，研究柞水县贯彻落实意见。县政府在家县级领导参加。

31日 县委党的建设工作领导小组召开2022年度第一次会议，全面贯彻落实市第五次党代会精神和市委党的建设领导小组2022年第一次会议精神，安排部署2022年度党的建设各项工作。市人大常委会副主任、县委书记、县委党的建设工作领导小组组长崔孝栓主持并讲话，县委常委严文军、王永祥、杜晓宁出席会议。

同日 市人大常委会副主任、县委书记崔孝栓主持召开"查堵点、破难题、树新风、促发展"作风建设转段工作推进会，通报第一阶段工作开展情况，安排部署下一阶段重点工作，动员全县上下思想再重视、行动再迅速、措施再强化，努力以作风建设活动的新成效推动高质量发展取得新进展。县人大常委会主任谢建民，县政协主席王博，县委常委、营盘镇党委书记严文军，县委常委、纪委书记、监委主任王永祥，县委常委、组织部部长杜晓宁，县委常委、副县长李浴溱，副县长王茂荣出席会议。

同日 2022商洛市森林防灭火现场会暨秦岭卫士——2022商洛（柞水）森林防灭火实战演练在下梁镇西川村举行。省应急厅二级巡视员朱玉朝，市委常委、副市长李波分别讲话，市人大常委会副主任、县委书记崔孝栓致辞，市应急局党委书记、局长马建琦点评，县委常委、常务副县长胡大志出席，县人武部部长张新峰主持。县委常委、常务副县长胡大志，副县长陈新波参加。

同日 柞水县召开疫情防控责任清单交账视频会,全面落实全国和全省全市疫情防控有关会议精神,对全县疫情防控责任清单任务落实情况进行一次全面梳理,安排部署下一步常态化疫情防控工作。县委副书记支朝奇主持并讲话,副县长、县公安局局长李小军,副县长王茂荣出席会议。

同日 商洛市政府副市长温琳赴凤凰镇调研指导省级乡村振兴示范镇建设工作,县政府副县长蒋维杰陪同调研。

4月

1日 柞水县召开建设"三高三区"新柞水工作推进会,学习贯彻市第五次党代会和全市打造"一都四区"重点项目推进会议精神,研究部署下一步重点工作,市人大常委会副主任、县委书记崔孝栓出席会议并讲话,谢建民、王博、支朝奇、严文军、胡大志、陈晓琴、王永祥、杜晓宁、魏巍等在家县级领导参加会议。

同日 柞水县召开实施"三百四千"工程奋力赶超行动推进会,听取全县实施"三百四千"工程进展情况和各牵头责任单位工作汇报,研究审议有关文件,安排部署相关工作,市人大常委会副主任、县委书记崔孝栓出席会议并讲话,谢建民、王博、支朝奇、严文军、胡大志、陈晓琴、王永祥、杜晓宁、魏巍等在家县级领导参加会议。

2日 市人大常委会副主任、县委书记崔孝栓深入凤凰镇、小岭镇、下梁镇调研重点项目建设推进情况。县人大常委会主任谢建民,县委副书记支朝奇,县委常委、常务副县长胡大志一同调研。崔孝栓一行先后深入黑木耳精深加工示范园、陕西万银航空岩棉纤维开发、金木耳深加工、茨沟标准化厂房建设项目现场,查看项目施工进度,询问项目建设中遇到的困难问题,现场会商研判,对重点项目建设工作再安排、再部署。

同日 柞水县首届网上消费促进月活动启动仪式在柞水县联通公司4楼会议室举行,副县长蒋维杰参加。

5日 凤凰籍中国科学院院士徐世烺回到家乡凤凰镇,现场调研指导古建筑保护与开发利用、母校发展和老年大学建设情况,并为老年大学捐赠办学资金,市政协副主席、市科技局局长赵绪春,县委常委、常委副县长胡大志,县政府副县长陈新波陪同调研。

6日 市人大常委会党组书记、主任陈宁带队来柞调研康养产业发展及项目建设情况。市人大常委会副主任、县委书记崔孝栓,县人大常委会主任谢建民一同调研。

同日 县委常委、常务副县长胡大志主持召开县政府第4次常务会议,集体学习习近平总书记有关重要讲话重要批示精神,传达学习中省有关文件、市第五次党代会和市五届人大一次会议、市政协五届一次会议精神,听取柞水县2022年乡村振兴示范村谋划情况、一季度消防工作开展情况、疫情防控等工作汇报,研究柞水县贯彻落实意见。县政府在家县级领导参加。

同日 柞水县召开巩固拓展脱贫攻坚成果同乡村振兴有效衔接工作视频调度会,县委副书记支朝奇主持会议并讲话,副县长陈新波出席会议。

7日 柞水县首届云蒙山茶园开采节启动仪式在云蒙茶山举行。市人大常委会副主任、县委书记崔孝栓宣布云蒙山茶园开采,高淳区区长蒋冰视频致贺词,县人大常委会主任谢建民,县政协主席王博出席,县委副书记支朝奇致辞,市农业农村局副局长叶赟讲话,西北农林科技大学教授肖斌对终南皓月系列茶叶产品进行评价,县委常委、常务副县长胡大志主持活动，县委常委严文军、陈晓琴、汪正华、魏巍参加活动。

同日　柞水县召开全县森林防火工作视频会，县委常委、常务副县长胡大志出席会议并讲话，副县长陈新波出席会议。

同日　柞水县召开新冠肺炎疫情防控工作视频调度会，县委副书记支朝奇主持会议并讲话，县委常委、常务副县长胡大志，县委常委、副县长李浴溙，副县长蒋维杰、李小军、王茂荣在主会场出席会议，相关县直部门单位主要负责人参加了会议，各镇办党政主要领导，分管负责同志，辖区派出所所长、卫生院院长在分会场参加了会议。

9日　柞水县召开砂石统一运营管理工作推进会，县委副书记支朝奇主持会议并讲话，副县长蒋维杰安排部署当前重点工作，副县长陈新波宣读了《柞水县砂石资源统管运营集中攻坚行动实施方案》。

10日　市人大常委会副主任、县委书记崔孝栓主持召开疫情防控工作领导小组会议，传达学习省委书记刘国中4月9日在商洛市检查指导疫情防控工作讲话精神，听取全县疫情防控工作开展情况，研究柞水县贯彻落实意见，安排部署近期疫情防控工作，动员全县上下把各项工作做科学、做规范、做到位，坚决构筑疫情防控坚固防线。

同日　柞水县召开新冠肺炎疫情防控视频调度会，县委副书记支朝奇主持会议并讲话，县委常委、常务副县长胡大志安排当前重点工作，县委常委、宣传部部长、统战部部长陈晓琴，县委常委、纪委书记、监委主任王永祥，县委常委、组织部部长杜晓宁，县委常委、副县长李浴溙，县委常委、政法委书记汪正华，副县长蒋维杰、陈新波、李小军、王茂荣出席会议。

11日　上级领导来柞调研秦岭生态环境保护工作筹备会在县政府4楼小会议室召开，县委常委、常务副县长胡大志参加。

12日　柞水县召开"柞水木耳文化节"筹备现场推进会，实地查看"文化节"筹备相关工作，县委副书记支朝奇、副县长陈新波参加。

同日　省委常委、常务副省长王晓来柞调研秦岭生态环境保护工作。

13日　市人大常委会副主任、县委书记崔孝栓带领县城建局、城管局、水利局、林业局负责人深入下梁镇、乾佑街办检查城市建设和环境整治工作，县委常委、副县长李浴溙一同检查。

同日　西康高铁柞水段项目弃渣利用工作协调会在县政府4楼会议室召开，县委常委、常务副县长胡大志，县委常委、副县长李浴溙参加。

14日　县政府领导赴营盘镇检查重点项目建设工作，县委常委、常务副县长胡大志参加。

15日　柞水县召开2022年土地卫片执法工作推进会，深入贯彻落实习近平总书记关于耕地保护的重要指示批示精神，安排部署全县土地卫片执法工作。县委常委、常务副县长胡大志主持会议并讲话，副县长陈新波安排卫片图斑核查上报工作。

同日　柞水县应对新冠肺炎疫情防控工作领导小组会议在县委6楼常委会议室召开，县委常委、常务副县长胡大志，副县长蒋维杰、陈新波，副县长、县公安局局长李小军，副县长王茂荣参加。

17日　市人大常委会副主任、县委书记崔孝栓主持召开第12次县委常委会会议，集中学习习近平总书记有关重要讲话和中央有关文件精神，传达学习省市生态环境保护工作会议精神，研究柞水县贯彻落实意见，听取《柞水县"十四五"生态环境保护规划》（讨论稿）起草情况及有关事项的汇报。县政府在家县级领导参加。

18日　县委主要领导带队调研城区学校建设、慰问柞水中学，县委常委、常务副县长胡大志，副县长王茂荣参加。

19日 柞水县在牛背梁国家森林公园广场举行2022年"当好秦岭生态卫士"实践活动，重温习近平总书记来陕考察重要讲话重要指示精神，深刻体悟习近平生态文明思想和博大的生态文明情怀，动员全县上下以义不容辞的责任当好秦岭生态卫士，奋力推动秦岭生态环境持续向好。市人大常委会副主任、县委书记崔孝栓出席活动并讲话，县委常委、常务副县长胡大志主持，县委常委、宣传部部长、统战部部长陈晓琴组织重温习近平总书记来陕考察重要讲话重要指示精神和习近平总书记关于秦岭生态环境保护的重要指示批示精神，县委常委、纪委书记、监委主任王永祥带领现场宣誓，县上领导谢建民、王博、支朝奇、严文军、杜晓宁、李浴溱、汪正华、蒋维杰、陈新波、李小军、王茂荣等出席活动。

同日 县委理论学习中心组在牛背梁月亮垭举行第六次学习会议暨"学习日"活动，重温习近平总书记三次来陕考察重要讲话重要指示，进一步深学细悟习近平总书记重要讲话重要指示精神实质和核心要义，推动全县各方面工作朝着更高目标全速迈进。市人大常委会副主任、县委书记崔孝栓主持会议并讲话。

20日 陕西省秦岭生态环境保护委员会联席（扩大）会议暨"五乱"问题整治现场观摩会在柞水县召开，县委常委、常务副县长胡大志参加。

21日 柞水县召开2022年生态环境保护工作会议，深入学习贯彻习近平生态文明思想和习近平总书记来陕考察重要讲话重要指示精神，总结2021年工作，表彰先进典型，对相关单位抓生态环境保护工作开展述职点评，安排部署2022年生态环境保护重点任务。市人大常委会副主任、县委书记崔孝栓出席会议并讲话，县人大常委会主任谢建民，县政协主席王博，县委常委严文军、胡大志、王永祥、李浴溱、汪正华，副县长蒋维杰、陈新波、鲁永红出席会议。

同日 柞水县召开2022年公安工作会议，深入学习贯彻中央和省、市政法、公安工作会议精神，回顾总结2021年工作，表彰先进典型，安排部署2022年全县公安工作。市人大常委会副主任、县委书记崔孝栓出席会议并讲话，县委常委、常务副县长胡大志主持会议，县委常委、政法委书记汪正华，副县长、县公安局局长李小军出席会议。

22日 县委常委、常务副县长胡大志带领县农业农村局、县乡村振兴局、县交通局、县水利局等相关单位负责人深入营盘镇药王堂村示范点现场踏勘乾佑河流域乡村振兴示范带建设工作并召开座谈会，县委常委、营盘镇党委书记严文军，副县长陈新波一同踏勘。

同日 县委理论学习中心组举行"4·23学习日"暨第七次县委理论学习中心组学习会议，重温习近平总书记2020年4月20日来陕考察重要讲话精神，以及在柞水县考察时作出的重要指示，认真学习《互联网宗教信息服务管理办法》。同时"围绕习近平总书记来柞作出的'四条指示'"开展研讨交流。受市人大常委会副主任、县委书记崔孝栓委托县委副书记支朝奇主持会议。

25日 市人大常委会副主任、县委书记崔孝栓主持召开第13次县委常委会会议，传达学习习近平总书记有关重要文章、李克强总理批示和中央有关文件精神，听取市委政法工作会议精神、商洛军分区党委全体（扩大）等会议精神及柞水县贯彻落实意见的汇报，听取2022年县委工作会议筹备情况的汇报，研究柞水县贯彻落实意见。县政府在家县级领导参加。

同日 市人大常委会副主任、县委书记崔孝栓主持召开县委全面深化改革委员会第14次会议，学习中央全面深化改革委员会第二十四次、二十五次会议和市委全面深化改革委员会第十五次会议精神，听取农村宅基地试点改革、全国数字乡村示范县试点建设、生态价值实现机制试点工作建设进展情况的汇报，讨论审定《中共柞水县委全面深化改革委员会2022年工作要点》。县政府在家县级领导参加。

27日　柞水县在迎春广场举行《魅力柞水》丛书首发仪式活动，县委常委、组织部部长杜晓宁出席活动并讲话，副县长王茂荣主持活动，县人大常委会副主任吴芳雯、县政协副主席傅强出席活动。

28日　市人大常委会副主任、县委书记崔孝栓主持召开2022年县委工作会议，总结去年工作，安排部署今年任务，动员全县上下统一思想、统一行动，全力以赴加快建设"三高三区"新柞水，奋力谱写高质量发展新篇章。

同日　市人大常委会副主任、县委书记崔孝栓主持召开县委农村工作（实施乡村振兴战略）领导小组会议暨巩固拓展脱贫攻坚成果同乡村振兴有效衔接领导小组会议，专题传达学习全国和全省相关会议、文件精神，听取有关部门工作汇报，并研究柞水县贯彻落实意见，动员全县上下进一步统一思想、强化措施，明确任务、压茬推进，全力以赴把各项工作做扎实、做到位。县政府在家县级领导参加。

同日　柞水县召开2022年度党管武装工作会议，县委常委、营盘镇党委书记严文军出席，县委常委、常务副县长胡大志讲话，县委常委、人武部政委闫云辉主持，县人武部部长张新峰出席会议。

29日　柞水县新冠肺炎疫情防控封控工作专班会议在县政府4楼会议室召开，副县长、县公安局局长李小军参加。

30日　市人大常委会副主任、县委书记崔孝栓深入高速路进出口卡点看望慰问疫情防控一线工作人员，向他们致以节日问候，县委副书记支朝奇，县委常委、副县长李浴溱一同慰问。

5月

2日　柞水县重点人群全员核酸检测筹备会议在县政府4楼会议室召开，县委常委、常务副县长胡大志参加。

3日　县委常委、常务副县长胡大志带队检查疫情防控工作。

4日　柞水县新冠肺炎疫情防控工作调度视频会议在县党政机关大院2号楼10楼会议室召开，县委常委、常务副县长胡大志参加。

5日　县委常委会2022年第14次会议在县委6楼常委会议室召开，县委常委、常务副县长胡大志，县委常委、副县长李浴溱参加。

同日　县委全委会会议在县委6楼常委会议室召开，县委常委、常务副县长胡大志，县委常委、副县长李浴溱，副县长蒋维杰、陈新波，副县长、县公安局局长李小军参加。

6日　柞水县召开巩固拓展脱贫攻坚成果同乡村振兴有效衔接工作调度会暨防返贫监测帮扶集中排查安排部署视频会议，县委副书记支朝奇出席并讲话，副县长陈新波安排当前重点工作。

同日　柞水县召开巡察工作会议暨十九届县委第一轮巡察动员部署会，贯彻落实省委、市委工作要求，全面启动十九届县委第一轮巡察工作，市人大常委会副主任、县委书记崔孝栓出席会议并讲话，县委常委、纪委书记、监委主任王永祥，县委常委、组织部部长杜晓宁参加会议。

7日　柞水县召开2022年度文明单位创建工作推进会，县委常委、宣传部部长、统战部部长陈晓琴出席会议并讲话，副县长王茂荣主持会议，县人大常委会副主任吴芳雯、县政协副主席孙明珠出席会议。

8日 市政府2022年第五次周末现场观摩会在柞水县召开。市委副书记、市长王青峰出席会议并讲话。市委常委、副市长李波作点评。市委常委、商州区委书记张国瑜，市人大常委会副主任、市交通局局长李旭光，市人大常委会副主任、柞水县委书记崔孝栓，市人大常委会副主任、山阳县委书记袁良善，副市长苏红英，副市长、市公安局局长矫增兵，副市长温琳，副市长、洛南县委书记璩泽涛，市政协副主席、市科技局局长赵绪春，市政协副主席、丹凤县委书记徐秀全，市政协副主席、市农业农村局局长罗存成，原副市长周秀成，以及各县区委书记、县区长和市政府各工作部门、有关单位主要负责人参加会议。

9日 市人大常委会副主任、县委书记崔孝栓到营盘镇督导检查重点项目建设情况，实地调研、现场推进。崔孝栓一行先后来到云山湖森林康养度假区、盘古山庄二期温泉酒店康养项目、孝义旅游文化体验园项目现场，详细了解各项目建设施工情况，询问项目建设过程中遇到的困难问题，现场会商研判，协调解决，并就项目建设提出明确要求。县人大常委会主任谢建民，县委副书记支朝奇，县委常委、营盘镇党委书记严文军，县委常委、常务副县长胡大志，县委常委、政法委书记汪正华，县人大常委会副主任王晓波先后参加督导检查。

10日 柞水县召开2022年信访工作会议，传达学习习近平总书记关于加强和改进人民信访工作的重要思想和《信访工作条例》，贯彻落实中央和省、市信访工作会议精神，安排部署相关工作。市人大常委会副主任、县委书记崔孝栓出席会议并讲话，县委副书记支朝奇，县委常委严文军、胡大志、汪正华，副县长李小军出席会议。

同日 市人大常委会副主任、县委书记崔孝栓邀请陕西大西沟矿业有限公司、国电投柞水有限公司、柞水宝华矿业有限公司和柞水县再生资源利用有限公司等企业负责人在县政府廉政灶共进早餐，破解难题、畅谈发展，研究解决企业发展中的难题。县委常委、常务副县长胡大志参加"早餐会"。

同日 柞水县举行2022年重点工作现场观摩会，动员全县上下振奋精神、比学赶超、争先进位、争创一流，以更高标准、更高效率抓实抓好各项工作，市人大常委会副主任、县委书记崔孝栓，县人大常委会主任谢建民，县政协主席王博等在家县级领导参加现场观摩会。

同日 柞水县在营盘镇秦丰村召开新冠肺炎疫情防控工作会议，对当前疫情防控工作进行再安排、再部署，市人大常委会副主任、县委书记崔孝栓出席会议并讲话，谢建民、王博、严文军、胡大志、王永祥、杜晓宁、李浴溱、汪正华等县级领导参加会议。

11日 县城中心片区棚户区改造项目二期B地块土地供应工作推进会在县政府4楼会议室召开，县委常委、常务副县长胡大志，县委常委、副县长李浴溱，副县长陈新波参加。

12日 县政府2022年第六次常务会议在县政府4楼会议室召开，县政府在家县级领导参加。

同日 县委主要领导赴下梁镇检查扶贫产业园轻工业标准化厂房使用情况，县委常委、常务副县长胡大志参加。

13日 柞水县召开"查堵点破难题树新风促发展"作风建设活动领导小组（扩大）会议，全面总结作风建设活动开展情况，表彰先进典型，安排部署下一阶段工作。市人大常委会副主任、县委书记崔孝栓主持会议并讲话，县人大常委会主任谢建民,县政协主席王博,县委常委严文军、胡大志、陈晓琴、王永祥、闫云辉、杜晓宁等县级领导出席会议。

16日 市决咨委来柞开展健全公共卫生服务体系全力推进健康商洛建设课题调研,副县长王茂荣参加。

17日 市人大常委会副主任、县委书记崔孝栓主持召开第15次县委常委会会议,传达学习习近平总书记有关重要讲话、指示、文章以及李克强总理批示精神,听取全县一季度经济运行、2021年党风廉政建设目标责任制考核结果、全县安全生产和防汛抗旱等工作的汇报,并研究贯彻落实意见。县政府在家县级领导参加。

同日 市委常委、市委政法委书记李华深入柞水县下梁镇老庵寺村调研指导工作并召开座谈会,县委副书记支朝奇,县委常委、政法委书记汪正华参加调研。

18日 柞水县召开"积案大清理,迎接二十大"信访案件化解推进汇报会,听取县级领导包抓化解信访案件情况,研究解决工作中存在的主要问题,推进积案化解工作,市人大常委会副主任、县委书记崔孝栓出席会议并讲话,胡大志、王永祥、李浴溱、汪正华、蒋维杰、陈新波、李小军等县级领导参加会议。

19日 柞水县举行2022年重点工作第三次现场观摩会,分析存在问题,安排部署下一阶段工作,动员全县上下进一步提高认识、统一思想,再添举措、再鼓干劲,以更高标准、更高效率抓实抓好各项重点工作,市人大常委会副主任、县委书记崔孝栓,县人大常委会主任谢建民,县委副书记支朝奇,县上领导胡大志、陈晓琴、王永祥、杜晓宁、李浴溱、汪正华、陈新波参加现场观摩会。

同日 柞水县召开农业农村暨居民自建房安全隐患排查整治等重点工作推进会,安排部署当前全县农业农村和居民自建房安全隐患排查整治等重点工作。市人大常委会副主任、县委书记崔孝栓出席会议并讲话,县人大常委会主任谢建民,县委副书记支朝奇,县上领导胡大志、陈晓琴、王永祥、杜晓宁、李浴溱、汪正华、陈新波参加会议。

同日 柞水县召开2021年度国家和省市巩固拓展脱贫攻坚成果同乡村振兴有效衔接考核评估发现问题整改工作推进暨有效衔接调度视频会,贯彻落实国家和省、市考核评估发现问题整改工作推进会部署要求,全面安排柞水县问题整改工作,推动巩固拓展脱贫攻坚成果同乡村振兴有效衔接工作不断取得新成效。市人大常委会副主任、县委书记崔孝栓出席会议并讲话,支朝奇、胡大志、陈晓琴、王永祥、杜晓宁、李浴溱等县级领导参加会议。

23日 柞水县林业有害生物防治工作领导小组会议暨省林业局督查反馈意见整改会议在县政府4楼会议室召开,副县长陈新波参加。

24日 柞水县举行建设"一都四区"贡献生态环境保护力量专题讲座,市环境局副局长杨卫作专题讲座,县委常委、常务副县长胡大志主持讲座,县委常委、常务副县长胡大志参加,县人大常委会副主任史高纯出席讲座。

25日 柞水县召开"人盯人+八抓八防"基层社会治理创新工作部署会,县委副书记支朝奇出席会议并讲话,县委常委、政法委书记汪正华出席会议,副县长、县公安局局长李小军主持会议。

同日 县委常委会2022年第16次会议在县委6楼常委会议室召开,县委常委、常务副县长胡大志,县委常委、副县长李浴溱参加。

26日 柞水县召开关于贯彻落实中办国办《意见》暨全县关工委工作会,贯彻习近平总书记关于关心下一代工作的重要指示批示和中央有关文件精神，全面落实全市关心下一代工作会议精神，回顾总结2021年工作，系统谋划安排今年重点任务，县委副书记支朝奇主持会议并讲话，县人大常委会副主任王曾涛，县政协副主席孙明珠出席会议。

同日 柞水县召开网络安全和信息化工作会议，传达全国和省市网信办主任会议精神，安排部署全县2022年网络安全和信息化工作，县委副书记支朝奇出席会议并讲话。

27日 柞水县召开实施"三百四千"工程奋力赶超行动调度会。县委副书记支朝奇出席会议并讲话，县委常委、营盘镇党委书记严文军出席会议，县委常委、组织部部长杜晓宁主持会议。

同日 柞水县召开木耳产业链高质量发展座谈会，听取木耳产业高质量发展"六大行动"任务完成情况的汇报，安排部署当前木耳产业发展重点工作，县委副书记支朝奇主持会议并讲话，县委常委、营盘镇党委书记严文军，副县长陈新波参加会议。

30日 受县长刘鹏委托，县委常委、常务副县长胡大志主持召开县政府第7次常务会议，传达学习国务院第五次廉政工作电视电话会、省政府第五次廉政工作视频会，全国、全省、全市新冠肺炎疫情防控工作视频会，全国稳住经济大盘电视电话会、全省稳住经济大盘工作推进会，全国、全省、全市居民自建房安全专项整治有关会议，全省、全市巩固拓展脱贫攻坚成果同乡村振兴有效衔接考核评估发现问题整改工作推进会，全省招商引资工作现场会会议精神，研究柞水县贯彻落实意见。县政府在家县级领导参加。

31日 市人大常委会副主任、县委书记崔孝栓主持召开全县新冠肺炎疫情防控工作领导小组会议，贯彻落实全市新冠肺炎疫情防控工作电视电话会议精神，分析当前形势，研究解决相关问题，对近期疫情防控工作再安排、再部署。县委常委、营盘镇党委书记严文军，县委常委、常务副县长胡大志，副县长、县公安局局长李小军出席会议。

同日 柞水县召开打造中国康养之都工作推进会，交流学习民宿发展经验、研究讨论《柞水县2022年度打造中国康养之都工作考核办法》，以及安排部署全年重点工作。县人大常委会党组书记、主任、县打造中国康养之都工作推进专班组长谢建民主持会议并讲话，副县长王茂荣出席会议。

同日 县委常委会召开第17次扩大会议，专题传达学习中国共产党陕西省第十四次代表大会精神，研究柞水县贯彻落实意见。市人大常委会副主任、县委书记崔孝栓主持会议并讲话。县政府在家县级领导参加。

6月

1日 柞水县召开疫情防控工作视频调度会，县委副书记支朝奇出席并讲话，副县长王茂荣安排部署当前疫情防控重点工作。

2日 柞水县召开2022年高考考前检查暨高考安全工作推进会议，安排部署高考各项准备工作。县委副书记支朝奇出席会议并讲话，副县长王茂荣主持会议。

同日 "六五"世界环境日暨"共建清洁美丽世界——创建国家生态文明建设示范县"生态环境保护主题摄影展活动在县迎春广场举行，副县长蒋维杰参加。

5日 柞水县主城区全员核酸检测筹备工作交账会在县政府4楼会议室召开，副县长王茂荣参加。

6日 柞水县举行秦岭生态保护局挂牌仪式，县委常委、常务副县长胡大志出席仪式并讲话，县委常委、组织部部长杜晓宁出席仪式并宣读成立文件。

同日 柞水县召开城区住宅小区及商铺楼顶露台违法建（构）筑物整治工作推进会，传达贯彻落实全市楼顶露台违法建（构）筑物整治工作会议精神，全面启动柞水县城区住宅小区及商铺楼顶、露台违法建（构）筑物拆除整治百日攻坚专项行动。县委常委、纪委书记、监委主任王永祥出席会议并讲话，县委常委、副县长李浴溱安排相关工作。

同日 县政府领导检查高考准备工作，县委常委、常务副县长胡大志，副县长王茂荣参加。

7日 市委常委、市委政法委书记李华带领市供销社、市电信公司、市专项办负责同志到我县调研指导乡村振兴、自建房安全整治、以案促改和打击整治养老诈骗专项行动等工作，县委副书记支朝奇，县委常委、政法委书记汪正华等参加调研。

8日 省文旅厅领导来柞开展省级乡村旅游示范村创建验收工作，县委常委、副县长魏巍参加。

同日 市人大常委会副主任、县委书记崔孝栓主持召开"以案促改"专题学习教育暨2022年县委理论学习中心组第十次学习会议，传达学习习近平总书记论全面从严治党和十九届六中全会公报以及相关文件精神，研究部署相关工作。县政府在家县级领导参加。

9日 柞水县2022年重点工作第四次现场观摩会在红岩寺镇召开，市人大常委会副主任、县委书记崔孝栓出席并讲话。县人大常委会主任谢建民，县政协主席王博，县委副书记支朝奇，县委常委严文军、陈晓琴、魏巍，副县长蒋维杰、陈新波、李小军参加会议。

10日 柞水县棚改二期安置房问题专题会议在县政府4楼会议室召开，县委常委、常务副县长胡大志参加。

同日 柞水县召开自建房安全专项整治工作现场观摩会，县委常委、常务副县长胡大志，副县长陈新波带领相关部门负责人深入乾佑街办仁和社区、下梁镇沙坪社区，集中观摩自建房安全专项整治工作成效，推动自建房安全专项整治工作。

同日 全国政协及"六省一市政协"来柞开展环秦岭地区生态环保和高质量发展协商研讨视察。

13日 县政府党组召开以案促改党风廉政知识现场测试座谈会，县委常委、常务副县长胡大志主持并讲话，县政府党组成员参加会议。

14日 省政府办公厅政务公开工作检查组来柞检查政务公开工作，县委常委、常务副县长胡大志参加。

同日 市委领导来柞督查自建房安全排查整治工作汇报会在县委6楼常委会议室召开，县委常委、常务副县长胡大志参加。

15日 陕西省2022年全国低碳日主题宣传活动启动仪式在牛背梁国家森林公园举行。省政府副秘书长吴聪聪出席启动仪式并宣布活动启动。省生态环境厅党组书记、厅长张智华宣读倡议书，市委副书记、市长王青峰致辞，西北大学党委常委、副校长常江，市人大常委会副主任、柞水县委书记崔孝栓，市政府一级巡视员周秀成，县委常委、常务副县长胡大志，副县长蒋维杰出席。

同日 市政协调研组来柞开展"森林康养产业"专题协商调研并召开座谈会，副县长王茂荣参加。

16日 市人大常委会副主任、县委书记崔孝栓主持召开县委常委会第18次会议，集体学习习近平总书记重要讲话及中央、省委有关文件精神，听取全县自建房安全专项整治"百日攻坚"行动、秦岭生态环境保护有关工作情况以及全市党建引领城市基层治理暨"三无"小区规范化建设推进会议精神贯彻落实意见的汇报。

同日 县委常委、常务副县长胡大志主持召开县政府第 8 次常务会议，听取柞水县落实市政府系统带头过紧日子二十条具体措施、《柞水县税费保障办法》起草情况、全县自建房安全专项整治工作情况等相关汇报，研究柞水县贯彻落实意见。县政府在家县级领导参加。

17 日 柞水县召开农村宅基地制度改革、"三夏"生产暨农业农村重点工作推进视频会，进一步推动相关工作落实、落细、落到位，副县长陈新波出席会议并讲话。

同日 柞水县国有建设用地招拍挂领导小组会议在县政府 4 楼会议室召开，县委常委、常务副县长胡大志，副县长陈新波参加。

19 日 县委主要领导带队检查全省食用菌产业现场推进会暨第六届柞水木耳文化节筹备情况，县委常委、常务副县长胡大志，副县长陈新波，副县长、县公安局局长李小军，副县长王茂荣参加。

20 日 柞水县 2022 年重点工作第五次现场观摩会在瓦房口镇举行，县委常委、常务副县长胡大志，县委常委、副县长吴根，副县长陈新波、王茂荣参加。

同日 县委领导带队检查全省食用菌产业现场推进会暨第六届柞水木耳文化节筹备情况，副县长陈新波参加。

21 日 全省食用菌全产业链建设现场推进会在柞水县召开，总结 2021 年和今年上半年全省食用菌全产业链建设工作，交流经验做法，安排部署下半年食用菌全产业链建设工作。省农业农村厅党组成员、副厅长张盈安出席会议并讲话，市委常委、副市长李波致辞，市人大常委会副主任、县委书记崔孝栓出席，省农业农村厅规划处处长孙智峰主持，县委副书记支朝奇参加会议。

22 日 省水利厅复核组来柞复核国家水土保持示范县创建工作，并在县政府 4 楼会议室召开汇报座谈会。县委常委、常务副县长胡大志，副县长陈新波分别参加。

同日 柞水县人民政府与中能建葛洲坝集团公司举行杏坪抽水蓄能项目投资开发合作签约仪式，县委常委、常务副县长胡大志主持仪式，中能建市场开发事业部执行总经理高万才，副县长蒋维杰出席仪式。

同日 柞水县召开党建引领"三无"小区治理工作推进会，县委副书记支朝奇主持会议并讲话，县委常委、组织部部长杜晓宁，县委常委、副县长李浴溱，县委常委、政法委书记汪正华出席会议。

23 日 市人大常委会副主任、县委书记崔孝栓主持召开县委理论学习中心组第十一次学习会议，专题学习习近平总书记三次来陕考察重要讲话重要指示，各中心组成员围绕省第十四次党代会精神进行研讨。与会人员还进行了理论测试。

24 日 柞水县举行"庆七一·康养柞水·健步走"活动，引导全民健身热起来，城市建设快起来，进一步激发共同建设城市、共同热爱城市、共同守护城市的思想自觉和行为自觉，让群众生活更有品质、城市发展更有温度。市人大常委会副主任、县委书记崔孝栓讲话并宣布"庆七一·康养柞水·健步走"活动启动，县人大常委会主任谢建民、县委副书记支朝奇出席活动，县委常委、常务副县长胡大志致辞，县委常委、副县长李浴溱介绍城区休闲健身步道项目有关情况，县人大常委会副主任、县工会主席王晓波，县政协副主席徐光亮以及其他所有在家县级领导和部分离退休老干部出席活动，副县长王茂荣主持活动。

27 日 柞水县盘龙医康养综合体项目签约暨负压救护车捐赠仪式在盘龙药业有限公司举行，县委常委、常务副县长胡大志出席签约捐赠仪式并讲话，副县长王茂荣主持签约捐赠仪式。

29日 陕西柞水曹坪抽水蓄能电站预可行性研究报告审查会闭幕式在禹龙晨昇大酒店会议中心2楼B会议室召开，县委常委、常务副县长胡大志，副县长蒋维杰参加。

同日 2022年全省旅游安全综合应急救援演练活动在牛背梁国家森林公园游客服务中心广场举行，县委常委、常务副县长胡大志，副县长王茂荣参加。

30日 全省农村宅基地改革试点工作现场推进会在禹龙晨昇大酒店会议中心2楼B会议室召开，县委常委、常务副县长胡大志，副县长陈新波参加。

7月

1日 柞水县涉及保护区矿业权退出补偿工作领导小组第二次会议在县党政机关大院1号楼4楼会议室召开，县委常委、常务副县长胡大志，副县长蒋维杰、陈新波参加。

4日 柞水县召开城市建设补短板工作推进会，深入学习贯彻习近平总书记关于城市工作的系列重要论述，全面落实省、市党代会精神和全市城市建设管理重点项目现场观摩推进会精神，听取全县城市建设补短板工作汇报，安排部署下一步重点工作。县委常委、常务副县长胡大志，县委常委、副县长李浴溱，副县长蒋维杰、陈新波，副县长、县公安局局长李小军，副县长王茂荣参加。

5日 柞水县召开乾佑河流域乡村振兴示范带建设规划汇报座谈会，听取设计单位建设规划编制情况，以及各相关部门对规划编制工作的意见建议，研究部署下一步工作。县长刘鹏出席会议并讲话，县委常委、营盘镇党委书记严文军，县委常委、常务副县长胡大志，副县长陈新波参加会议。

6日 柞水县召开应对新冠肺炎疫情工作领导小组会议，学习习近平总书记在武汉重要讲话精神及国家卫健委主任马晓伟讲话精神，对我县当前疫情防控工作进行安排部署。县委副书记、县长刘鹏主持会议并讲话，县人大常委会主任谢建民，县委副书记支朝奇，县委常委胡大志、陈晓琴、李浴溱、汪正华等在家县级领导出席会议。

同日 市人大常委会副主任、县委书记崔孝栓主持召开城市提升项目任务交办会议，安排部署城市提升相关工作。县人大常委会主任谢建民、县长刘鹏、县政协主席王博、县委副书记支朝奇，县委常委胡大志、陈晓琴、李浴溱、汪正华等所有在家县级领导出席会议。

7日 县长刘鹏主持召开城市提升项目推进会议，深入贯彻落实全县城市建设补短板工作推进会议精神，安排部署城市提升相关工作。县委常委、常务副县长胡大志，县委常委、副县长李浴溱，副县长蒋维杰、陈新波、李小军、王茂荣出席会议。

同日 省委书记刘国中、省长赵一德来柞调研秦岭生态环境保护工作。

同日 柞水县城区市容环境综合整治百日攻坚行动动员大会在县党政机关大院2号楼10楼会议室召开，县委常委、常务副县长胡大志，副县长、县公安局局长李小军参加。

8日 省政协副主席魏增军带领调研组来我县围绕"夯实乡风文明基础，推动乡村文化振兴"开展专题调研，市政协主席王宁岗，县委副书记、县长刘鹏，县政协主席王博一同调研。

同日 县委常委会2022年第19次会议在县党政机关大院1号楼6楼会议室召开，县政府在家县级领导参加。

同日 市委常委、副市长孙举恒一行来柞调研科技工作。县委常委、副县长吴根一同调研。

11日 市考核组来柞考核巡查2021年度安全生产和消防工作汇报会在县党政机关大院1号楼4楼会议室召开，县委常委、副县长胡大志参加。

11—13日 2022年上半年全市重大项目建设县级交叉集中学习观摩活动分四组在各县区同时举行，柞水县公共服务及基础设施提升项目、木耳加工产业园项目、飞跃终南极限运动公园三大项目接受全市"检阅"，全市各县区和高新区学习观摩团先后走进柞水县重点项目建设现场，查看项目建设的新变化、新成效。全市各县区和高新区相关领导及市人大常委会副主任、县委书记崔孝栓，县人大常委会主任谢建民，县委副书记、县长刘鹏，县政协主席王博，县委副书记支朝奇，县委常委、常务副县长胡大志等参加观摩活动。

12日 柞水县组织部分县级领导及科级干部前往商州区检察院参加市"以案促改·警钟长鸣"以案促改警示教育展。市人大常委会副主任、县委书记崔孝栓，县人大常委会主任谢建民，县政协主席王博，县委常委陈晓琴、王永祥、杜晓宁、李浴溱、汪正华、吴根等县级领导参加活动。

13日 县长刘鹏主持召开县政府第9次常务会议，传达学习国省安全生产视频会议精神、全市职业教育高质量发展暨国家级（康养）高技能人才培训基地建设视频会和推进会会议精神和省政府主要领导关于推广旬邑做法的相关批示要求，听取全县防汛抗旱、农村宅基地制度改革试点、柞水县乾佑河旅游度假区、柞水县固体废弃物综合处置场建设等有关情况汇报，安排部署安全生产、防汛、农村宅基地制度改革、县职专迁建等工作。县政府在家县级领导参加。

同日 柞水县召开新时代文明实践工作观摩推进会，县委常委、宣传部部长、统战部部长陈晓琴出席会议并讲话。

14日 县长刘鹏带领县发改局、科教局、财政局、资源局、住建局、水利局、林业局、城管局、环境局相关单位负责人到下梁镇沙坪社区专题调研职业中等专业学校迁建项目，县委常委、常务副县长胡大志、副县长王茂荣参加调研。

同日 柞水县召开防汛工作视频调度会议，深入贯彻落实省、市防汛工作会议要求，安排部署我县近期防汛工作。县委常委、常务副县长胡大志主持会议并讲话，副县长陈新波出席会议。

同日 柞水县举行新冠肺炎防控方案（第九版）第一期培训会，县委副书记支朝奇出席开班式并讲话，县委常委、营盘镇党委书记严文军，县委常委、宣传部部长、统战部部长陈晓琴，县委常委、纪委书记、监委主任王永祥，县委常委、组织部部长杜晓宁，副县长王茂荣出席开班式。

15日 柞水县召开城区立面改造和线缆落地工作推进周调度会，听取相关部门工作进展情况的汇报，就存在的问题和下一步重点工作进行调度部署，县委副书记支朝奇出席会议并讲话，副县长蒋维杰主持会议。

同日 柞水县召开党建引领"三无"小区治理工作现场研判会，安排部署下一步具体工作。县委副书记支朝奇出席会议并讲话，县委常委、组织部部长杜晓宁主持会议，县委常委、副县长李浴溱，县委常委、政法委书记汪正华，副县长陈新波出席会议。

18日 市委常委、副市长孙举恒一行来柞调研乡村振兴工作开展情况，为柞水县推动乡村振兴各项工作进一步取得实效提出指导意见，县委常委、营盘镇党委书记严文军，县委常委、副县长吴根，副县长陈新波一同调研。调研组一行实地走访了朱家湾村、梨园村、老庵寺村、金米村，通过实地查看、现场交流等方式，重点围绕发展壮大村级集体经济、产业融合发展、人居环境整治，详细了解各村在乡村振兴进程中发展情况。

同日 市人大常委会副主任、县委书记崔孝栓，县人大常委会主任谢建民，县政协主席王博带队检查城市提升项目建设工作，县委副书记支朝奇，县委常委陈晓琴、王永祥、杜晓宁、李浴溱等县级领导一同检查。

19日 市人大常委会副主任、县委书记、县级总河长崔孝栓带领应急局、水利局相关单位负责人到小岭、凤凰、杏坪等镇，实地督导检查防汛减灾并开展巡河工作。

同日 市人大常委会副主任、县委书记崔孝栓主持召开2022年度县委党的建设工作领导小组第二次会议，认真学习习近平总书记关于党的建设重要论述，贯彻落实党的十九届六中全会和省、市党代会精神，审议有关文件，安排部署党的建设重点工作。

同日 市人大常委会副主任、县委书记崔孝栓主持召开第20次县委常委会（扩大）会议，集中学习习近平总书记有关重要文章、重要讲话、中央文件，以及省委领导讲话精神，研究柞水县贯彻落实意见。听取2022年苏陕协作工作要点起草、上半年党风廉政建设和反腐败工作、全县安全生产及防汛抗旱等工作开展情况的汇报。

同日 市人大常委会副主任、县委书记崔孝栓主持召开巩固拓展脱贫攻坚成果同乡村振兴有效衔接领导小组会议，深入学习习近平总书记关于"三农"工作的重要论述，贯彻落实中央和省、市关于巩固拓展脱贫攻坚成果同乡村振兴有效衔接的新部署、新要求，审议有关文件，安排部署当前重点工作。

19—20日 全省林权登记现场推进会在柞水县召开，通报2022年度重点工作进展情况，安排部署全省林权登记等年度重点工作。省自然资源厅副厅长卢勇，商洛市政府一级巡视员周秀成出席会议，县长刘鹏致辞，副县长、县公安局局长李小军参加观摩。

20日 柞水县举办全县科级领导干部学习党的十九届六中全会精神暨省第十四次党代会精神专题培训班，县委副书记、县委党校校长支朝奇出席开班仪式并讲话，县委常委、组织部部长杜晓宁主持开班仪式。

21日 市人大常委会副主任、县委书记崔孝栓主持召开县委全面依法治县委员会会议，深入学习贯彻习近平法治思想和习近平总书记在第十九届中共中央政治局第三十五次集体学习时的重要讲话精神，认真贯彻落实党中央和省委、市委有关会议精神，审议《柞水县法治政府建设实施方案（2022—2025年）》等有关文件，安排部署全面依法治县重点工作。县人大常委会主任谢建民，县委副书记支朝奇，县委常委胡大志、王永祥、闫云辉、杜晓宁、汪正华，副县长、县公安局局长李小军，县政协副主席孙明珠出席会议。

同日 市人大常委会副主任、县委书记崔孝栓主持召开县委审计委员会会议，深入学习贯彻习近平总书记关于审计工作的重要论述和重要指示批示精神，全面贯彻落实省、市党代会精神和审计委员会会议精神，审议《柞水县2022年审计（调查）项目计划》等文件，研究部署下一步审计重点工作。县委常委、常务副县长胡大志，县委常委、纪委书记、监委主任王永祥出席会议。

22日 柞水县在卫健局4楼召开疫情防控信息化系统培训会，分析总结当前疫情防控工作常态化开展情况，邀请西安电子科技大学工作人员对各成员单位、各镇办检查点卡口二维码的录入、检测方式方法、村社区排查和信息补录、重点人员的管控措施、重点行业人员的管理以及大数据分析工作进行了培训。要求各相关单位及镇办充分发挥信息技术、大数据分析在疫情防控工作中的支撑作用，构建全覆盖、无缝隙的疫情防控工作网络，利用平台的便捷性、高效性和安全性，确保柞水县常态化疫情防控工作再上新台阶。

同日　县四套班子主要领导带队检查城市提升项目建设工作，县委常委、常务副县长胡大志，县委常委、副县长李浴溱，副县长王茂荣参加。

23—24日　柞水县召开乡土人才建设观摩会，市科协副主席李文强，县委常委、组织部部长杜晓宁参加观摩。观摩团一行先后深入镇办，依次对石瓮社区叶正印渔鼓传人、窑镇社区秦付林玄参种植、李砭村郝祥贵雕刻技艺、红安村朱自兵中药材育苗、街垣社区宋海东蜂蜜产学研等9个工作室进行了参观考察并授牌，了解工作室规划建设管理工作情况，听取负责人对工作室生产经营及发展前景情况介绍，并就下一步工作进行深度交流。

25日　县长刘鹏主持召开县政府2022年重点工作推进会议，回顾上半年工作，分析研判当前面临的形势，安排部署后一阶段重点工作。县委常委、常务副县长胡大志，县委常委、副县长李浴溱出席会议。

同日　县长刘鹏主持召开全县安全生产防汛抗旱暨疫情防控工作推进会议，贯彻落实全市安全生产工作电视电话会议精神，分析研判当前形势，安排部署后一阶段重点工作任务。县委常委、常务副县长胡大志出席会议。县政府在家县级领导参加。

26日　市委依法治市办来柞督察法治政府建设和法治化营商环境工作，副县长鲁永红陪同参加。

同日　柞水县召开2022年二季度统计联席会议，传达全市上半年经济运行通报约谈会议精神，分析研判当前经济发展形势，查找存在的问题，拟定赶超措施，确保各项目标任务全面超额完成。县委常委、常务副县长胡大志出席会议并讲话。

27日　柞水县举行城区防汛实战演练活动，市委常委、政法委书记李华，市人大常委会副主任、县委书记崔孝栓，县委常委、常务副县长胡大志，县委常委、副县长李浴溱，县委常委、政法委书记汪正华，副县长李小军等到场指导、观摩演练并召开总结点评会。

同日　市委常委、政法委书记李华深入柞水县乾佑街道办、凤凰镇督导检查防汛工作，副县长鲁永红一同检查。

同日　雷雨、陆邦柱、刘春茂、崔华锋严重违纪违法案以案促改专题民主生活会在县党政机关大院1号楼6楼会议室召开，市人大常委会副主任、县委书记崔孝栓主持会议并讲话，市监委委员、办公室主任雷保卫到会指导并作点评，县人大常委会主任谢建民，县长刘鹏，县委常委、常务副县长胡大志，县委常委、副县长李浴溱参加，县政协主席王博列席会议。

同日　省委常委、省委秘书长李春临到党建联系点柞水县调研并为小岭镇镇村党员干部讲授专题党课。

28日　柞水县迎接省级生态文明建设示范县现场核查工作推进会在县党政机关大院1号楼4楼会议室召开，县委常委、常务副县长胡大志，副县长蒋维杰、陈新波，副县长、县公安局局长李小军，副县长王茂荣参加。

29日　柞水县召开全县法治政府建设示范单位创建巩固提升暨复查验收动员会，组织学习《柞水县法治政府建设示范单位动态管理规定（试行）》，解读法治政府建设示范单位创建标准，动员部署对2018年、2019年命名的法治政府建设示范单位，进行评估、复查验收工作。

同日　柞水县第十九届人大常委会召开第2次

会议，县人大常委会主任谢建民主持会议，县人大常委会副主任吴芳雯、王晓波、王曾涛、史高纯出席会议。县委常委、常务副县长胡大志，县委常委、纪委书记、监委主任王永祥列席会议。会议集体学习了省委人大工作会议精神。听取和审议了2021年度全县国有资产管理情况的报告和县人大常委会关于全县国有资产管理情况的调研报告、县政府关于县人大代表票决民生实事项目实施情况的报告及县人大常委会关于县人大代表票决民生实事项目实施情况的检查报告等8个报告。审议通过了关于柞水县民生实事项目监督暂行办法（草案）、人大代表旁听庭审暂行办法（草案）和县人大常委会关于员额法官员额检察官履职评议暂行办法（草案）。

8月

1日 "八一"建军节当天市人大常委会副主任、县委书记崔孝栓，县长刘鹏，县政协主席王博等四套班子领导走访慰问驻柞官兵和消防救援指战员，共叙军地情深，共谋军民融合发展，并向广大官兵、消防救援指战员致以节日的问候和美好祝福。县委副书记支朝奇，县委常委胡大志、王永祥、闫云辉，县人武部部长张新峰，县人大常委会副主任王晓波，副县长李小军、鲁永红一同慰问。

同日 市人大常委会副主任、县委书记崔孝栓主持召开第21次县委常委会会议，传达学习习近平总书记在省部级主要领导干部"学习习近平总书记重要讲话精神，迎接党的二十大"专题研讨班上的重要讲话精神，听取县委政法委关于全市党的二十大维稳安保工作暨重点风险隐患排查推进会议精神及我县贯彻落实意见的汇报，安排部署相关工作。县政府在家县级领导参加。

同日 县政府主要领导带队检查城区环境综合提升工程，县长刘鹏，县委常委、常务副县长胡大志，县委常委、副县长李浴溱参加。

2日 市委常委、政法委书记李华，副市长温琳来我县督查重点工作，县委副书记、县长刘鹏，县委副书记支朝奇，县委常委、政法委书记汪正华一同督查。李华、温琳一行先后深入洞天福地景区、石瓮子社区、乾佑街办等地，督查柞水县平安创建、防汛、景区运营、人盯人防抢撤、自建房百日攻坚行动等重点工作开展情况。李华指出，要认真学习贯彻习近平总书记"始终把保障人民群众生命财产安全放在第一位"的重要指示，切实贯彻落实省委、市委工作要求，提高站位、转变作风，突出重点、压实责任，扎实做好防汛等各项重点工作，努力为全市高质量发展营造安全稳定环境。县长刘鹏，县委常委、常务副县长胡大志，县委常委、副县长李浴溱陪同参加。

3日 副市长温琳来柞调研检查防汛防滑和重点项目建设工作，县委常委、营盘镇党委书记严文军，副县长王茂荣一同检查。温琳一行先后来到营盘镇政府、秦丰村委会、云山湖森林康养项目现场等地，通过听取汇报、实地查看等方式，详细了解了柞水县防汛防滑、项目建设等重点工作开展情况，并就下一步工作提出明确要求。县长刘鹏、副县长王茂荣陪同调研。

同日 柞水县召开2022年纳规入统2023年重点项目谋划暨专项债券项目申报工作推进会，安排部署近期重点工作，县委常委、常务副县长胡大志主持会议并讲话。

同日 柞水县召开城区市容环境综合整治百日攻坚行动推进会，安排部署城区市容环境综合整治相关工作，县委常委、常务副县长胡大志主持会议并讲话，副县长、县公安局局长李小军出席会议。

4日 柞水县召开景区违建暨农家乐（民宿）

专项整治工作推进会议，贯彻落实全市景区违建暨农家乐（民宿）专项整治工作会议精神，安排部署有关工作，副县长王茂荣出席并讲话。

5日　市人大常委会副主任、县委书记崔孝栓主持召开县委常委会（扩大）会议，专题传达学习市委主要领导来柞调研讲话精神，讨论研究贯彻落实意见，安排部署有关工作。县政府在家县级领导参加。

同日　县委常委会2022年第22次会议在县党政机关大院1号楼6楼会议室召开，县政府在家县级领导参加。

7日　市委副书记、市长王青峰来柞调研指导云山湖森林康养度假区项目建设工作。他强调，要聚焦"中国康养之都"总目标，践行"抓大项目、大抓项目"理念，进一步深化企地融合，合力加快项目建设步伐，以高品质康养项目示范引领全市康养产业高质量发展。市人大常委会副主任、县委书记崔孝栓，副市长温琳，县人大常委会党组书记熊德海，县长刘鹏，县委常委、营盘镇党委书记严文军一同调研。市政府主要领导来柞调研云山湖项目建设情况，县长刘鹏陪同参加。

8日　市委常委、市纪委书记、监委主任雷西明来柞调研督导巩固拓展脱贫攻坚成果同乡村振兴有效衔接、自建房安全专项整治、廉洁文化建设和纪检监察等工作。市人大常委会副主任、县委书记崔孝栓，县长刘鹏，县委常委、纪委书记、监委主任王永祥，副县长陈新波、王茂荣一同调研或出席汇报会。

同日　柞水县召开自建房专项整治工作推进会，县委常委、副县长李浴溱出席会议并讲话。

8—9日　市人大常委会副主任、县委书记崔孝栓带领县四套班子领导到"两站一口"和国省干线卡口慰问疫情防控一线人员，为高温酷暑下坚守在防疫一线的工作人员送去慰问物资和防暑降温物品，并对他们的辛勤付出表示敬意和感谢。县委副书记支朝奇，县委常委严文军、胡大志、王永祥、汪正华，县人大常委会副主任吴芳雯参加慰问。

9日　市人大常委会副主任、县委书记崔孝栓主持召开全县重点领域风险隐患排查化解工作专题会，安排部署相关工作。县人大党组书记熊德海，县长刘鹏，县政协主席王博，县委副书记支朝奇，县委常委严文军、陈晓琴、王永祥、杜晓宁、李浴溱、汪正华、吴根等县级领导出席会议。

同日　柞水县举行"电商技能大提升乡村振兴云助力"电商技能培训，邀请国家商务部电子商务讲师、陕西直播产业研究院高级讲师余国珍授课，副县长蒋维杰出席并讲话。

同日　县委副书记、县长刘鹏检查城区立面改造、门头牌匾更换及线缆落地等工作，他强调，要牢固树立"以人民为中心"的发展思想，切实加快项目建设步伐，努力打造更多优质工程、满意工程，推动城市建设迈上新台阶，真正让群众得到实惠、看到变化。县委常委、副县长李浴溱，副县长蒋维杰、王茂荣一同检查。

10日　市人大常委会副主任、县委书记崔孝栓主持召开第23次县委常委会会议，集体学习习近平总书记有关重要讲话精神、中央领导同志有关批示及中央文件精神，传达学习全市宣传部部长会议暨2022年全市"扫黄打非"工作会议精神，研究柞水县贯彻落实意见；听取2021年度目标责任考核结果、领导班子及主要领导考核等次的汇报。县政府在家县级领导参加。

同日　中共柞水县委全委会会议在县党政机关大院1号楼6楼会议室召开，县长刘鹏，县委常委、副县长李浴溱，副县长陈新波，副县长、县公安局局长李小军参加。

同日 柞水县召开城市提升项目建设工作推进会，对城市提升项目建设工作进行再督促、再检查、再部署，确保按时按点、保质保量完成各项建设任务。市人大常委会副主任、县委书记崔孝栓主持会议并讲话，县人大党组书记熊德海，县长刘鹏，县政协主席王博，县委副书记支朝奇，县委常委陈晓琴、王永祥、杜晓宁、李浴溱、汪正华等县级领导出席会议。

同日 县四套班子主要领导带队检查城市提升项目建设工作，县长刘鹏，县委常委、副县长李浴溱，副县长蒋维杰、陈新波，副县长、县公安局局长李小军，副县长王茂荣参加。

11日 县长刘鹏带领县发改局、县自然资源局等相关部门深入下梁镇、小岭镇、营盘镇等地督导检查重点项目建设进展情况。刘鹏一行先后来到金柞水木耳精深加工、陕西万银航空岩棉纤维开发、孝义文化旅游体验园等项目建设现场，实地查看项目建设进度，认真听取有关情况汇报，协调解决项目推进中存在的困难和问题，并就加快项目建设进程、按期高质量完成项目建设任务提出具体要求。

同日 柞水县召开巩固拓展脱贫攻坚成果同乡村振兴有效衔接工作调度会，县委副书记支朝奇主持会议并讲话，县委常委、纪委书记、监委主任王永祥安排通报问题整改及督查督导工作，副县长陈新波安排当前重点工作。

同日 县长刘鹏主持召开全县新冠肺炎疫情防控工作推进会，传达省市疫情防控视频会议精神，部署当前重点工作，进一步压紧压实各方责任，切实堵死疫情输入关口，筑牢疫情防控防线，全力保障群众生命健康安全。县委常委、副县长李浴溱、副县长王茂荣出席会议。

12日 县长刘鹏主持召开县政府2022年第10次常务会议，集体学习习近平总书有关重要讲话、重要指示批示以及中央有关文件精神，传达学习全市景区违建和农家乐（民宿）专项整治工作推进会议精神，听取2022年"百县千乡万村"乡村振兴示范创建、全面加强粮食安全工作四十条措施起草、2022年巩固拓展脱贫攻坚成果同乡村振兴有效衔接、曹坪镇抽水蓄能电站项目征地拆迁安置等工作的汇报，研究部署柞水县景区违建和农家乐（民宿）专项整治等工作。县政府在家县级领导参加。

同日 南京市商务局调研组来柞调研工作，县长刘鹏、副县长蒋维杰陪同参加。

13日 柞水县落实国家统计局第十统计督察组督察反馈意见整改工作推进会在县党政机关大院1号楼4楼县政府会议室召开，县委常委、副县长李浴溱参加。

14日 市委书记赵璟，市委副书记、市长王青峰，市人大常委会副主任、县委书记崔孝栓，县委副书记、县长刘鹏来到第六届丝绸之路国际博览会暨中国东西部合作与投资贸易洽谈会柞水展区，检查指导柞水县参展工作。市县领导张国瑜、温琳、徐秀全、蒋维杰等参加检查。

15日 生态环境部应对气候变化司司长李高一行来柞开展调研活动，省生态环境厅副厅长孙丽，副市长刘伟，县委副书记支朝奇，县委常委、副县长李浴溱一同调研。

16日 柞水县经营性自建房专项整治工作推进会在县党政机关大院1号楼5楼总值班室会议室召开，县委常委、副县长李浴溱参加。

17日 柞水县全员核酸工作安排部署会议在县党政机关大院2号楼10楼会议室召开，副县长王茂荣参加。

18日 县长刘鹏带领县住建局、交通局、发改局等相关部门负责人实地检查高铁新城项目建设工作，县委常委、营盘镇党委书记严文军，县委常委、常务副县长胡大志，县委常委、副县长李浴溱一同检查。

19日　城区环境综合提升及线缆落地工作推进会在县党政机关大院1号楼4楼县政府会议室召开，县长刘鹏，县委常委、副县长李浴溱，副县长蒋维杰、陈新波、王茂荣参加。

20日　市人大常委会副主任、县委书记崔孝栓，县长刘鹏带队检查城市提升项目建设工作。县委副书记支朝奇，县委常委胡大志、陈晓琴、杜晓宁、李浴溱，县人大常委会副主任史高纯，副县长陈新波、王茂荣等县级领导一同检查。

21日　县委副书记、县长刘鹏带领县水利局等相关部门单位深入下梁镇、杏坪镇开展巡河并检查水利工程项目建设及疫情防控工作。他强调，要全面落实"疫情要防住、经济要稳住、发展要安全"总要求，在抓好常态化疫情防控工作的同时，持之以恒落实落细"河长制"，加快推进水利工程项目建设，扎实做好防汛救灾各项工作，全力保障人民群众生命财产安全。

同日　柞水县2022年城市提升项目建设工作推进会在县党政机关大院1号楼4楼县政府会议室召开，县长刘鹏，县委常委、副县长李浴溱参加。

22日　市人大常委会副主任、县委书记崔孝栓主持召开第24次县委常委会会议，传达学习习近平总书记在辽宁考察时的重要讲话精神，听取省委第十一巡视组巡视柞水县有关材料及《柞水县全面加强粮食安全工作四十条措施》起草情况的汇报，安排部署相关工作。县政府在家县级领导参加。

同日　2022年第二次编委会会议在县党政机关大院1号楼6楼会议室召开，县长刘鹏参加。

同日　县政府党组书记、县长刘鹏主持召开第十次县政府党组（扩大）会议，集中学习习近平总书记有关重要讲话和相关会议精神，研究我县贯彻落实意见，力促政府各项工作高效推进。县政府在家县级领导参加。

23日　县政府主要领导带队检查城区环境综合提升、门头牌匾提升及线缆落地工作，县长刘鹏，县委常委、副县长李浴溱，副县长蒋维杰参加。

同日　柞水县召开2022年苏陕协作工作推进会，深入分析当前苏陕协作工作面临的形势和存在的问题，安排部署下一步重点工作，县委常委、常务副县长胡大志出席会议并讲话，县委常委、副县长魏巍主持会议。

24日　职中迁建和欧珂药业公司迁建项目建设调度会在县党政机关大院1号楼4楼县政府会议室召开，县委常委、常务副县长胡大志，副县长蒋维杰、王茂荣参加。

25日　柞水县开展党建引领"三无"小区治理工作"擂台赛"，进一步严实包抓工作责任，提升"三无"小区治理水平，解决"三无"小区治理难题，推进"三无"小区治理工作。县委常委、组织部部长杜晓宁，县委常委、副县长李浴溱，副县长陈新波参加活动。

同日　柞水县召开防汛工作视频调度会议，传达省市县领导关于防汛工作批示精神和工作要求，安排部署近期强降雨天气防范应对工作，县委常委、常务副县长胡大志主持会议并讲话，副县长陈新波参加会议。

26日　柞水县国有建设用地招拍挂领导小组会在县党政机关大院1号楼4楼县政府会议室召开，县长刘鹏，县委常委、常务副县长胡大志，副县长陈新波参加。

28日　全县防汛工作视频调度会议在县党政机关大院2号楼2楼县应急局会议室召开，县委常委、常务副县长胡大志参加。

29日　县长刘鹏主持召开城区市容环境综合整

治"百日攻坚"行动推进会，回顾前一阶段集中整治工作，安排部署下一阶段整治任务，县委常委、常务副县长胡大志，县委常委、副县长李浴溱，副县长、县公安局局长李小军出席会议。

30日　市委常委、市纪委书记、监委主任雷西明，副市长温琳来柞调研疫情防控工作，市人大常委会副主任、县委书记崔孝栓，县长刘鹏，副县长王茂荣一同调研。

31日　县委常委、常务副县长胡大志带领县发改局、科教局、资源局、林业局等相关部门负责人深入下梁镇沙坪社区徐家大院调研县职中和欧珂药业公司迁建项目选址工作，副县长蒋维杰、王茂荣一同调研。

9月

1日　柞水县砂石资源管理工作专题会议在县党政机关大院1号楼4楼县政府会议室召开，县委常委、常务副县长胡大志，副县长蒋维杰、陈新波参加。

同日　县长刘鹏深入城区学校检查秋季开学准备工作。他强调，要进一步树牢底线思维，慎终如始抓好常态化疫情防控，做实做细开学各项准备工作，坚决筑牢校园安全网，切实保障师生的身体健康。副县长王茂荣一同检查。

同日　柞水县召开木耳产业发展9月份调度会，会议通报了全县木耳产业发展情况，听取了各镇办工作进展情况汇报，安排部署了当前重点工作。县委副书记支朝奇主持会议并讲话，县委常委、营盘镇党委书记严文军，副县长陈新波参加会议。

2日　柞水县召开巩固拓展脱贫攻坚成果同乡村振兴有效衔接领导小组会议，深入学习贯彻习近平总书记关于巩固拓展脱贫攻坚成果同乡村振兴有效衔接系列重要讲话和重要指示批示精神，认真贯彻落实全省巩固衔接工作推进会议精神，通报相关问题，安排部署当前重点工作。市人大常委会副主任、县委书记崔孝栓，县长刘鹏，县委副书记支朝奇，县委常委严文军、胡大志、陈晓琴、王永祥、李浴溱、汪正华，县人大常委会副主任王晓波、史高纯、副县长陈新波、李小军、王茂荣，县政协副主席孙明珠出席会议。

同日　柞水县召开省级法治政府建设评估反馈问题整改工作会议，县委常委、政法委书记汪正华出席并讲话，县人大常委会副主任史高纯，副县长、县公安局局长李小军，县政协副主席孙明珠参加会议。

同日　柞水县召开包茂高速柞水出口疫情防控执勤工作推进会，传达全市疫情防控会议精神，安排部署外防输入重点工作，县委常委、常务副县长胡大志出席会议并讲话，县政协副主席徐光亮、傅强出席会议。

3日　县委副书记、县长刘鹏主持召开疫情防控工作安排部署会，认真贯彻落实省委书记刘国中来商调研检查讲话精神和市委、市政府工作要求，安排部署近期疫情防控重点工作。县委副书记支朝奇，县委常委、副县长李浴溱，县委常委、政法委书记汪正华，县人大常委会副主任吴芳雯、王曾涛，副县长王茂荣出席会议。

同日　全县主城区线缆落地工作推进会议在县党政机关大院1号楼4楼县政府会议室召开，县长刘鹏、副县长王茂荣参加。

4日　全县有效衔接工作领导小组办公会议在县党政机关大院1号楼6楼会议室召开，县委常委、常务副县长胡大志，县委常委、副县长魏巍，副县长蒋维杰、陈新波参加。

5日 市人大常委会副主任、县委书记崔孝栓深入乾佑街道办、下梁镇、杏坪镇、小岭镇督导检查全域核酸检测和疫情防控工作，他强调，要深刻认识疫情防控形势复杂性、艰巨性、严峻性，始终绷紧思想之弦，强化责任担当，从严从紧、从细从实抓好疫情防控各项工作，坚决守住来之不易的疫情防控成果，以实干实绩迎接党的二十大胜利召开，副县长王茂荣一同检查。

同日 县长刘鹏主持召开县政府2022年第12次常务会议，贯彻落实全省巩固拓展脱贫攻坚成果同乡村振兴有效衔接工作推进视频会议精神、全省安全生产视频会议精神、全省农村人居环境整治提升现场推进会议精神，听取木耳产业发展情况的汇报，研究部署相关工作。县政府在家县级领导参加。

6日 柞水县召开应对新冠肺炎疫情工作领导小组会议，深入学习贯彻全市严防输入暨常态化疫情防控工作推进视频会议精神，审议有关文件，安排部署有关工作。市人大常委会副主任、县委书记崔孝栓主持会议并讲话，县长刘鹏，县委常委陈晓琴、杜晓宁、李浴溱、汪正华，县人大常委会副主任吴芳雯、王曾涛，副县长陈新波、李小军、王茂荣，县政协副主席徐光亮、傅强出席会议。

同日 柞水县召开高速卡口管理工作专题会议，听取相关工作汇报，安排部署高速卡口管理工作。县长刘鹏出席会议并讲话，县委副书记支朝奇主持会议，县委常委、常务副县长胡大志，县委常委、副县长李浴溱，县委常委、政法委书记汪正华，副县长李小军、王茂荣出席会议。

同日 柞水县调整疫情防控工作领导小组人员专题讨论会在县党政机关大院1号楼4楼县政府会议室召开，县长刘鹏，县委常委、常务副县长胡大志，县委常委、副县长李浴溱，副县长、县公安局局长李小军，副县长王茂荣参加。

7日 柞水县巩固拓展脱贫攻坚成果同乡村振兴有效衔接领导小组召开第5次会议，听取相关工作机制制定情况，安排部署当前重点工作，以强有力的制度机制推动脱贫基础更加稳固、乡村振兴更显成效。市人大常委会副主任、县委书记崔孝栓，县长刘鹏，县委副书记支朝奇，县委常委严文军、胡大志、陈晓琴、杜晓宁、李浴溱、汪正华等领导出席会议。

同日 市人大常委会副主任、县委书记崔孝栓主持召开全县总林长、河长制工作推进会暨2021年镇级河长述职会，学习贯彻习近平生态文明思想和习近平总书记三次来陕考察重要讲话重要指示，全面落实中央关于林长制、河长制的决策部署和省、市工作要求，安排部署重点工作。县委副书记、县长刘鹏，县委副书记支朝奇，县委常委严文军、胡大志、陈晓琴、杜晓宁、李浴溱、汪正华出席会议。

同日 县政府2022年第十三次常务会议在县党政机关大院1号楼4楼会议室召开，县政府在家县级领导参加。

同日 柞水县召开2021年度目标责任考核总结表彰会议，全面回顾总结全县2021年度目标责任考核工作，表彰先进、鞭策后进，进一步提振全县党员干部干事创业的精气神，为坚定不移推动高质量发展提供坚强保障。市人大常委会副主任、县委书记崔孝栓出席并讲话，县委副书记、县长刘鹏主持会议，支朝奇、胡大志、陈晓琴、杜晓宁、李浴溱、汪正华、吴根等县级领导出席会议。

同日 柞水县召开严防输入暨常态化疫情防控工作推进视频会议，市人大常委会副主任、县委书记崔孝栓出席会议并讲话，县长刘鹏安排部署工作，县委副书记支朝奇，县委常委胡大志、陈晓琴、杜晓宁、汪正华、吴根等县级领导在主会场出席会议。

8日 柞水县召开2022年意识形态工作联席会议暨"扫黄打非"工作会议，安排部署今年全县意识形态和扫黄打非工作，县委常委、宣传部部长、统战部部长陈晓琴出席会议并讲话。

9日 柞水县衡鑫环保建材资源循环综合利用产业项目协调会在县党政机关大院1号楼4楼县政府会议室召开，县委常委、副县长李浴溱，副县长陈新波参加。

同日 柞水县召开庆祝第38个教师节座谈会，县委常委、宣传部部长、统战部部长陈晓琴出席会议并讲话，县人大常委会副主任吴芳雯，副县长王茂荣，县政协副主席傅强出席会议。

同日 柞水县召开巩固拓展脱贫攻坚成果同乡村振兴有效衔接工作视频调度会暨驻村管理推进会，县委常委、组织部部长杜晓宁出席并讲话，县人大常委会副主任史高纯，副县长陈新波，县政协党组成员王治安出席会议。

10日 中秋节当天，县委副书记、县长刘鹏检查疫情防控工作，并看望慰问坚守奋战在疫情防控一线的工作人员，向他们送上节日问候和慰问物资。县委常委、副县长李浴溱，副县长王茂荣一同慰问。

13日 县长刘鹏主持召开县政府第14次常务会议，传达学习全省第二轮中央生态环境保护督查整改工作安排部署会议和市场监管执法检查工作视频会议精神，听取全县教育"双创"、食品安全工作、康复治疗中心项目建设情况的汇报，研究部署有关工作。县政府在家县级领导参加。

14日 中铁建设西北投资建设指挥部来柞考察洽谈项目，副县长陈新波陪同参加；柞水县城区环境卫生整治工作会议在县党政机关大院1号楼4楼县政府会议室召开，县委常委、副县长李浴溱，副县长、县公安局局长李小军参加。

同日 市人大常委会副主任、县委书记崔孝栓主持召开第26次县委常委会会议，传达学习习近平总书记有关重要讲话精神及省委有关文件、省委主要领导在商洛调研检查疫情防控工作时的讲话、市委五届二次全会精神，听取相关工作汇报，研究我县贯彻落实意见。县政府在家县级领导参加。

同日 县委副书记支朝奇，副县长王茂荣一行检查开学工作，并在县实验初级中学开展"讲大思政课"活动。

15日 柞水县召开第二轮中央生态环境保护督察整改工作推进会，贯彻落实全省第二轮中央生态环境保护督察反馈问题整改安排部署会议精神，安排部署我县问题整改工作，市人大常委会副主任、县委书记崔孝栓出席会议并讲话，县级领导熊德海、刘鹏、支朝奇、胡大志、陈晓琴、杜晓宁、蒋维杰、王茂荣出席会议。

同日 柞水县召开2022年度文明县城成果巩固重点工作推进会。市人大常委会副主任、县委书记崔孝栓出席会议并讲话，县级领导熊德海、刘鹏、支朝奇、胡大志、陈晓琴、杜晓宁、蒋维杰、王茂荣出席会议。

16日 柞水县召开2022年苏陕协作重点工作推进会，分析当前工作进度，明确下一步工作重点，全面推进苏陕协作各项考核重点任务落地落实，县委常委、副县长魏巍出席会议并讲话。

同日 柞水县召开疫情防控领导小组工作调度会议，听取近期工作汇报，分析当前形势，安排部署疫情防控有关工作。市人大常委会副主任、县委书记崔孝栓出席会议并讲话，县长刘鹏主持会议，县委副书记支朝奇，县委常委杜晓宁、李浴溱、汪正华，副县长蒋维杰、陈新波、李小军、王茂荣出席会议。

同日 柞水县人民政府与中创联控有限公司关于四方山森林自然公园项目框架协议签约仪式在县党政机关大院1号楼4楼县政府会议室举行,县长刘鹏,副县长蒋维杰、陈新波参加。

同日 中国共产党柞水县第十九届委员会第三次全体会议在县党政机关大院2号楼10楼会议室召开,县政府在家县级领导参加。

17日 省委第十一巡视组交办事项安排部署会议在县党政机关大院1号楼6楼会议室召开,县政府在家县级领导参加。

18日 柞水县重大调研课题安排部署会在县党政机关大院1号楼4楼县政府会议室召开,县委常委、常务副县长胡大志,县委常委、副县长吴根,副县长蒋维杰参加。

19日 县人大视察调研城市建设管理工作,县委常委、常务副县长胡大志,县委常委、副县长李浴溱,副县长陈新波参加。

同日 市委政法委主要领导来柞督导党的二十大安保维稳暨信访保障工作汇报会在县党政机关大院1号楼4楼会议室召开,县长刘鹏,副县长、县公安局局长李小军参加。

20日 柞水县召开党的二十大安保维稳暨信访保障工作推进会议,深入学习贯彻省、市关于安保维稳和信访工作相关会议精神,安排部署相关工作。市人大常委会副主任、县委书记崔孝栓出席会议并讲话,县长刘鹏主持会议,县委副书记支朝奇,县委常委、营盘镇党委书记严文军,县委常委、政法委书记汪正华,副县长、县公安局局长李小军出席会议。

同日 省委第十一巡视组交办事项整改落实推进会议在县党政机关大院1号楼6楼会议室召开,县政府在家县级领导参加。

同日 柞水县七彩健康营地项目建设协调会在县党政机关大院1号楼4楼县政府会议室召开,县委常委、常务副县长胡大志,副县长蒋维杰参加。

21日 省财政厅调研组来柞调研进一步加强和改进村级组织运转经费保障工作,副县长蒋维杰陪同参加。

同日 科技助力柞水可持续发展咨询专家组工作会议在县党政机关大院1号楼4楼县政府会议室召开,县长刘鹏,县委常委、副县长吴根参加。

22日 省人大常委会环资工委副主任张凯盈带领执法检查组在我县开展长江保护法和省秦岭生态环境保护条例执法检查。市人大常委会副主任冯永清,市人大常委会副主任、县委书记崔孝栓,市政府一级巡视员周秀成,县人大常委会党组书记熊德海,县委常委、常务副县长胡大志一同检查。

同日 省发改委来柞开展价格专项工作督导检查,县委常委、常务副县长胡大志陪同参加。

同日 全县砂石资源开采运营管理问题整改工作推进会在县党政机关大院1号楼6楼会议室召开,县委常委、常务副县长胡大志,县委常委、副县长李浴溱,副县长蒋维杰、陈新波,副县长、县公安局局长李小军参加。

23日 省委、省政府督查组来柞督查安全生产百日行动工作汇报会在县党政机关大院1号楼4楼县政府会议室召开,县委常委、副县长李浴溱参加。

同日 柞水县巩固拓展脱贫攻坚成果同乡村振兴有效衔接工作视频调度会在县党政机关大院2号楼10楼会议室召开,县委常委、常务副县长胡大志,副县长陈新波参加。

24日 省专项督查组来柞督查未成年人保护工作,并在县党政机关大院1号楼4楼县政府会议室召开汇报反馈会,县委常委、副县长李浴溱,副县长鲁永红陪同参加。

25日 柞水县巩固拓展脱贫攻坚成果同乡村振兴有效衔接领导小组会在县党政机关大院1号楼6楼会议室召开，县政府在家县级领导参加。

26日 市人大常委会副主任、县委书记崔孝栓主持召开第27次县委常委会会议，传达学习习近平总书记有关重要讲话精神、省委主要领导在人才工作会议上的讲话及省委有关文件、全市意识形态领域风险防范化解工作会议精神，研究柞水县贯彻落实意见。县政府在家县级领导参加。

同日 省督查组来柞开展2022年高尔夫球场清理整治"回头看"工作，并在县党政机关大院1号楼4楼县政府会议室召开座谈会，副县长蒋维杰、鲁永红陪同参加。

同日 县委常委会（扩大）会议在县党政机关大院1号楼6楼会议室召开，县政府在家县级领导参加。

同日 市人大常委会副主任、县委书记崔孝栓带队检查柞水县康养项目建设情况，县人大常委会党组书记熊德海，县政协主席王博，县委副书记支朝奇，县委常委、营盘镇党委书记严文军，县委常委、常务副县长胡大志，县委常委、宣传部部长陈晓琴，县委常委、统战部部长朱邦发一同检查。

27日 市政府领导踏勘全市打造中国康养之都工作大会观摩路线，副县长王茂荣参加。

同日 2022年全市矛盾纠纷多元化解机制建设工作现场会议在柞水县、镇安县召开，副县长、县公安局局长李小军参加。

28日 市县领导踏勘全市打造中国康养之都工作大会观摩路线，县长刘鹏，县委常委、副县长李浴溱，副县长王茂荣参加。

同日 生态环境部自然生态保护司副司长蔡蕾来柞调研，县长刘鹏陪同参加。

29日 商洛市打造中国康养之都工作推进会在柞水县召开，县长刘鹏，县委常委、副县长李浴溱，副县长王茂荣参加。

30日 柞水县召开巩固拓展脱贫攻坚成果同乡村振兴有效衔接"百日提升""百日督帮"行动动员大会，贯彻落实省、市有关会议精神，通报相关问题，分析当前形势，安排部署工作，市人大常委会副主任、县委书记崔孝栓出席会议并讲话，市派驻柞水县督帮组组长刘永康，县级领导熊德海、刘鹏、王博、支朝奇、胡大志、陈晓琴、杜晓宁、李浴溱、朱邦发等领导参加会议。

同日 柞水县召开国庆节和党的二十大期间全县防汛防滑、森林防火、疫情防控暨安全生产、信访维稳、秦岭"五乱"及省委巡视反馈问题整改工作推进会，县长刘鹏出席会议并讲话，县委常委、常务副县长胡大志主持会议，副县长蒋维杰、陈新波、王茂荣参加会议。

10月

7日 柞水县召开巩固拓展脱贫攻坚成果同乡村振兴有效衔接工作调度会，分析研判当前形势，听取督帮工作汇报，全力推进"百日提升""百日督帮"各项工作落到实处、取得实效。县委副书记支朝奇主持会议并讲话，县委常委、常务副县长胡大志，县委常委、纪委书记、监委主任王永祥，副县长陈新波出席会议。

同日 市人大常委会副主任、县委书记崔孝栓深入下梁镇、凤凰镇督导检查重点项目建设情况，他强调，要提高站位，紧扣目标任务，强化责任担当，推动重点项目建设提速增效，为县域经济社会高质量发展注入强大动能。县委副书记支朝奇一同检查。

8日 县长刘鹏深入乾佑街道办、下梁镇调研社区疫情防控"人盯房、房管人"工作。县委常委、组织部部长杜晓宁，副县长陈新波，副县长、县公安局局长李小军一同调研。

同日 柞水县召开2022年国庆期间及党的二十大前后安全生产隐患问题整改情况汇报会，县委常委、常务副县长胡大志主持会议并讲话。

9日 柞水县矿石砂石资源运输管理工作会在县党政机关大院1号楼4楼会议室召开，县委常委、副县长李浴溱，副县长蒋维杰，副县长、县公安局局长李小军参加。

10日 柞水县召开全县应对新冠肺炎疫情工作领导小组会议，听取各组、各专班逢阳预案制定、应急演练及近期工作开展情况，对当前疫情防控工作再安排、再部署。县长刘鹏主持会议并讲话，县委副书记支朝奇，县委常委严文军、胡大志、王永祥、李浴溱，副县长蒋维杰、李小军出席会议。

同日 省委第十一巡视组巡视柞水县工作专题会在禹龙晨昇酒店会议中心2楼B会议室召开，县政府在家县级领导参加。

11日 十九届县委第二轮巡察动员部署会议召开，深入学习贯彻习近平总书记关于巡视工作的重要论述，全面落实中央和省委巡视巡察工作会议精神，安排部署十九届县委第二轮巡察工作。市人大常委会副主任、县委书记、县委巡察工作领导小组组长崔孝栓出席会议并讲话，县委常委、纪委书记、监委主任、县委巡察工作领导小组常务副组长王永祥主持会议，县委常委、组织部部长、县委巡察工作领导小组副组长杜晓宁出席会议。

同日 柞水县召开作风建设专项行动督导检查工作安排部署会，县委常委、组织部部长杜晓宁出席并讲话。

12日 柞水县召开争取国家设备购置贴息和中长期贷款政银企对接暨防范化解金融风险推进会，县长刘鹏出席会议并讲话，副县长蒋维杰主持会议，副县长、县公安局局长李小军出席会议。

同日 县长刘鹏调研县政务服务大厅建设运行情况，县委常委、常务副县长胡大志一同调研。

13日 县长刘鹏主持召开县政府党组第十四次（扩大）会议，集中学习有关重要讲话和重要文件精神，研究柞水县贯彻落实意见。

同日 县长刘鹏主持召开县政府第15次常务会议，贯彻落实全省加强耕地保护推进督察发现问题整改工作视频会议暨全市耕地保护督察发现问题整改工作视频会议、省市自建房安全专项整治有关会议精神，听取全县安全生产、森林防灭火、行政许可事项清单管理等工作情况，研究部署相关工作。县政府在家县级领导参加。

同日 柞水县复员退役军人安置工作领导小组会议在县党政机关大院1号楼4楼会议室召开，县长刘鹏，县委常委、常务副县长胡大志，副县长鲁永红参加。

14日 市委统战工作会议和市委民族工作会议暨全市宗教工作会议召开，县长刘鹏在县级分会场县党政机关大院2号楼10楼会议室参加。

同日 省委巡视组交办柞水县信访件办理工作推进会议在县党政机关大院1号楼4楼会议室召开，县委常委、常务副县长胡大志，副县长、县公安局局长李小军参加。

同日 柞水县马耳峡水库工程建设征地实物指标调查动员会在曹坪镇马房湾村委会2楼会议室召开，副县长陈新波参加。

同日 柞水县巩固拓展脱贫攻坚成果同乡村振兴有效衔接工作调度会在县党政机关大院2号楼10楼会议室召开，县委常委、常务副县长胡大志，副县长陈新波参加。

15日 市人大常委会副主任、县委书记崔孝栓主持召开第28次县委常委会会议，集中学习《中国共产党第十九届中央委员会第七次全体会议公报》，习近平总书记有关重要序言和讲话精神及《习近平谈治国理政》（第四卷）重要节选，听取全县安全生产、常态化疫情防控和意识形态工作情况的汇报，安排部署下一步工作。省委第十一巡视组派员到会指导。县政府在家县级领导参加。

同日　全县党的二十大安保维稳视频调度会议在县公安局8楼会议室召开，县委常委、常务副县长胡大志，副县长、县公安局局长李小军参加。

17日　市人大常委会副主任、县委书记崔孝栓主持召开第29次县委常委会会议，传达学习习近平总书记代表第十九届中央委员会向中国共产党第二十次全国代表大会作的《报告》精神，以及《习近平谈治国理政》（第四卷）重要节选和省委有关文件精神，全省县（区）纪委监委工作规范运行视频会等会议精神，并研究柞水县贯彻落实意见。

同日　柞水县召开巩固拓展脱贫攻坚成果同乡村振兴有效衔接"百日提升""百日督帮"行动工作推进会，听取相关工作汇报，安排部署近期重点工作。市人大常委会副主任、县委书记崔孝栓出席会议并讲话，县长刘鹏主持会议。县委副书记支朝奇，县委常委严文军、胡大志、王永祥、杜晓宁、李浴溙、朱邦发，县人大常委会副主任王晓波、史高纯，副县长蒋维杰、陈新波，县政协副主席孙明珠，县政协党组成员王治安出席会议。

同日　牛背梁孝义厅文化体验园建设、县医院建设、县中医医院建设三个项目贷款融资相关事项协调会在县党政机关大院1号楼4楼会议室召开，县长刘鹏，县委常委、常务副县长胡大志，副县长蒋维杰、王茂荣参加。

同日　柞水县2022年度县域生态环境质量监测评价与考核工作安排部署会议在县党政机关大院1号楼5楼总值班室会议室召开，副县长蒋维杰参加。

18日　柞水县生态环境保护重点工作推进会议在县党政机关大院1号楼4楼会议室召开，副县长蒋维杰参加。

19日　柞水县召开柞水县禹龙晨昇酒店以北红石岩红绿灯以南临时占道停车泊位收费标准定价会，县委常委、常务副县长胡大志主持会议并讲话，县委常委、副县长李浴溙出席会议。

同日　职中迁建和欧珂药业公司迁建项目建设调度会在县党政机关大院1号楼4楼会议室召开，县委常委、常务副县长胡大志，副县长王茂荣参加。

20日　柞水县全员核酸检测应检尽检系统投运演练活动在县卫健局3楼会议室召开，副县长陈新波、王茂荣参加。

同日　柞水县组织开展2022年城市提升项目建设现场总结会，市人大常委会副主任、县委书记崔孝栓，县人大常委会党组书记熊德海，县委副书记、县长刘鹏，县政协主席王博，县委副书记支朝奇，县委常委胡大志、王永祥、杜晓宁、李浴溙等在家县级领导一同参加现场会。

同日　全县木耳线下销售工作推进会议在县党政机关大院1号楼4楼会议室召开，县委常委、副县长魏巍参加。

21日　柞水县自建房安全专项整治工作推进会议在县党政机关大院1号楼4楼会议室召开，县长刘鹏，县委常委、常务副县长胡大志，县委常委、副县长李浴溙，副县长、县公安局局长李小军参加。

同日　柞水县城供暖工作专题会在县党政机关大院1号楼4楼会议室召开，县委常委、副县长李浴溙参加。

24日　柞水召开县委统战工作会议和县委民族

工作会议暨全县宗教工作会议，深入学习贯彻习近平总书记关于统战工作、民族工作的重要思想和关于宗教工作的重要论述，全面落实党中央和省委、市委会议精神，安排部署相关工作。市人大常委会副主任、县委书记崔孝栓出席会议并讲话，县委副书记、县长刘鹏主持会议。熊德海、王博、支朝奇、严文军、胡大志、王永祥、杜晓宁、李浴溱、魏巍、朱邦发、张新峰等在家县级领导出席会议。

同日　柞水召开县委人大工作会议，认真学习贯彻习近平总书记关于坚持和完善人民代表大会制度的重要思想，全面贯彻落实中央、省委、市委人大工作会议精神，安排部署当前和今后一个时期全县人大工作。市人大常委会副主任、县委书记崔孝栓出席会议并讲话，县委副书记、县长刘鹏主持会议，熊德海、王博、支朝奇、严文军、胡大志、王永祥、杜晓宁、李浴溱、魏巍、朱邦发、张新峰等在家县级领导出席会议。

同日　柞水县召开县委检察工作会议，深入学习贯彻习近平法治思想和习近平总书记对检察工作的重要指示，全面贯彻落实党中央决策部署和省委、市委关于加强新时代检察工作的工作要求，统筹安排部署我县检察工作重点任务。市人大常委会副主任、县委书记崔孝栓出席会议并讲话，县委副书记、县长刘鹏主持会议。熊德海、王博、支朝奇、严文军、胡大志、王永祥、杜晓宁、李浴溱、魏巍、朱邦发、张新峰等在家县级领导出席会议。

同日　柞水县召开巩固拓展脱贫攻坚成果同乡村振兴有效衔接"百日提升""百日督帮"行动工作视频调度会，听取相关工作汇报，安排部署当前工作。市人大常委会副主任、县委书记崔孝栓出席会议并讲话，县委副书记、县长刘鹏主持会议。熊德海、王博、支朝奇、胡大志、王永祥、杜晓宁、李浴溱、魏巍、朱邦发、张新峰等在家县级领导出席会议。

同日　柞水县第十九届人民代表大会常务委员会第四次会议在县党政机关大院1号楼3楼会议室召开，县委常委、常务副县长胡大志参加。

25日　全县"组团式"帮扶工作推进会在县政府4楼会议室召开，县委常委、副县长魏巍参加。

同日　柞水饭店棚户区改造遗留问题协调会在县政府4楼会议室召开，县委常委、副县长李浴溱参加。

26日　县长刘鹏带领县发改局、县交通局、县两路办等部门负责人，深入乾佑街办、营盘镇、凤凰镇、小岭镇检查西康高铁柞水段及重点项目建设情况，县委常委、营盘镇党委书记严文军，县委常委、常务副县长胡大志，县委常委、副县长李浴溱，副县长蒋维杰、陈新波，县政协副主席徐光亮一同检查。

同日　市委副书记、市长王青峰来柞水县调研工业稳增长相关工作。市政协主席王宁岗，市人大常委会副主任、县委书记崔孝栓，副市长刘伟，县长刘鹏，县委常委、营盘镇党委书记严文军，副县长蒋维杰参加调研。

27日　市委书记赵璟深入柞水县调研西康高铁柞水段项目建设情况。她强调，要认真学习贯彻党的二十大精神，积极抢抓交通强国建设机遇，强化项目建设保障服务，加快西十、西康高铁建设步伐，为打造"一都四区"、推动商洛高质量发展提供有力支撑。市人大常委会副主任、县委书记崔孝栓，县长刘鹏参加调研。

28日　县委常委会召开第30次（扩大）会议，专题传达学习党的二十大和党的二十届一中全会精神，以及省委常委会（扩大）会议精神和第24次市委常委会扩大会议精神，研究柞水县贯彻落实意见。市人大常委会副主任、县委书记崔孝栓主持会议。

30日 全县疫情防控工作部署会议在县党政机关大院1号楼6楼县委常委会议室召开,县政府在家县级领导参加。

31日 陕西曹坪抽水蓄能电站建设征地实物指标调查细则技术审查会议召开,副县长鲁永红在县级分会场县党政机关大院1号楼2楼县政协会议室参加。

11月

1日 柞水县疫情防控工作研判会议在县疫情防控指挥部会议室召开,县长刘鹏,县委常委、常务副县长胡大志,县委常委、副县长李浴溱,副县长蒋维杰、陈新波,副县长、县公安局局长李小军,副县长王茂荣参加。

2日 市委常委、政法委书记李华来柞检查调研疫情防控、高质量发展、"双百"行动、平安建设等工作,现场查看市场门店落实常态化疫情防控措施情况,并深入下梁镇老庵寺村与镇村干部、老党员座谈,宣讲党的二十大精神,调研村集体经济发展,帮助解决困难问题,县委副书记支朝奇,县委常委、常务副县长胡大志,县委常委、政法委书记汪正华,副县长王茂荣先后参加调研。

同日 市人大常委会副主任、县委书记崔孝栓深入营盘镇调研孝义文化体验园项目建设情况。他强调,要认真贯彻落实党中央"疫情要防住、经济要稳住、发展要安全"和省委"全力以赴拼经济搞建设"部署要求,以实际行动和成效把各项重点工作落到实处。县委常委、营盘镇党委书记严文军,县委常委、常务副县长胡大志一同调研。

同日 柞水县疫情防控工作调度会议在县党政机关大院1号楼县政府4楼会议室召开,县长刘鹏,县委常委、副县长李浴溱,副县长蒋维杰、陈新波,副县长、县公安局局长李小军,副县长王茂荣参加。

4日 柞水县召开安全生产工作会议,县委常委、常务副县长胡大志出席会议并讲话。

同日 全县专项债券申报工作推进会在县政府4楼会议室召开,县委常委、常务副县长胡大志参加。

7日 县长刘鹏主持召开县政府2022年第16次常务会议,贯彻落实全省农村宅基地制度改革试点工作推进视频会议、全市气象高质量发展暨气象防灾减灾"两个能力"提升推进会议精神,听取关于全县近期疫情防控工作开展情况和隔离场所规范化管理、食品安全属地管理责任落地落实工作开展情况的汇报,研究部署相关工作。县政府所有县级领导参加。

同日 柞水县召开政府工作报告、军令状、项目及相关重点工作任务推进会,动员大家抢时间、赶进度、促赶超,大干快上60天,确保圆满完成年度各项任务。县长刘鹏出席会议并讲话,县委常委、常务副县长胡大志主持会议,县委常委、副县长李浴溱、吴根、魏巍,副县长蒋维杰、陈新波、李小军、王茂荣、鲁永红出席会议。

同日 县委副书记、县长刘鹏主持召开巩固拓展脱贫攻坚成果同乡村振兴有效衔接领导小组会议,深入学习贯彻习近平总书记在陕西延安和河南安阳考察时的重要讲话精神,听取情况汇报,安排相关工作。市人大常委会原副主任、市督帮组组长刘永康出席会议并讲话,县人大常委会党组书记熊德海,县政协主席王博,县委副书记支朝奇,市发改委三级调研员李政权,市乡村振兴局办公室副主任王洲,县委常委严文军、胡大志、王永祥、杜晓宁、李浴溱、汪正华、吴根等市县领导出席会议。

8日 柞水县召开疫情防控工作会议,传达省市疫情防控视频调度会议精神,安排西藏新疆内蒙古滞留人员和离校返柞学生接收疏解工作。县长刘鹏主持会议并讲话，县委副书记支朝奇，县委常委、副县长李浴溱，副县长陈新波、王茂荣、鲁永红出席会议。

9日　全县矛盾纠纷"大排查大起底大化解"专项行动工作安排部署会议在县电信公司4楼会议室召开，副县长、县公安局局长李小军参加。

同日　柞水县乾佑河水生态修复综合治理项目可行性研究报告评审会在县政府5楼总值班室会议室召开，副县长陈新波参加。

10日　国家数字乡村试点县终期评估上报材料讨论会在县政府4楼会议室召开，县委常委、副县长吴根参加。

同日　柞水县2023年重大项目谋划研判会在县政府4楼会议室召开，县委常委、常务副县长胡大志参加。

11日　市人大常委会副主任、县委书记崔孝栓主持召开第31次县委常委会（扩大）会议，传达学习习近平总书记带领中央政治局常委瞻仰延安革命纪念地时的重要讲话精神、习近平总书记在10月25日中央政治局会议和中央政治局第一次集体学习时的重要讲话精神，以及省委常委会扩大会议和市委常委会第25次扩大会议有关要求，研究部署学习宣传贯彻党的二十大精神、全县经济运行等工作。县政府在家县级领导参加。

同日　县委理论学习中心组举行第15次学习会议，集体学习贯彻党的二十大精神，开展研讨交流。市人大常委会副主任、县委书记崔孝栓主持会议并讲话。县政府在家县级领导参加。

12日　全市疫情防控视频调度会议召开，县长刘鹏，县委常委、副县长吴根在县级分会场县党政机关大院1号楼5楼县政府总值班室会议室参加。

14日　县政府县长碰头会议在县政府4楼会议室召开，县政府在家县级领导参加。

同日　柞水县召开巩固拓展脱贫攻坚成果同乡村振兴有效衔接暨疫情防控调度会议，对当前重点工作进行再安排、再部署、再推进。县委副书记、县长刘鹏出席会议并讲话，县委副书记支朝奇主持会议，县委常委杜晓宁、李浴溱、魏巍，县人大常委会副主任史高纯，副县长陈新波、王茂荣，县政协党组成员王治安出席会议。

同日　2022年全市重大项目建设现场观摩会柞水县观摩活动筹备工作会议在县政府4楼会议室召开，县委常委、常务副县长胡大志，县委常委、副县长李浴溱，副县长陈新波，副县长、县公安局局长李小军，副县长王茂荣参加。

15日　市政协提案委来柞考核提案办理工作座谈会在县政府4楼会议室召开，县委常委、常务副县长胡大志参加。

同日　柞水县巩固拓展脱贫攻坚成果同乡村振兴有效衔接考核评估工作筹备会在县委6楼常委会议室召开，县委常委、常务副县长胡大志，县委常委、副县长李浴溱，副县长陈新波参加。

16日　市县（区）政协第一次联席会议在柞水县召开，市政协主席王宁岗出席会议并讲话，他强调，要认真学习贯彻党的二十大精神，全面加强市县（区）政协"两支队伍"建设，有效发挥政协委员主体作用和政协干部基础作用，全面提高政协履职规范化、科学化水平。市政协副主席夏启宗主持会议，副主席赵绪春、杨建军、李继武、殷延青参加会议，县长刘鹏致辞，县政协主席王博作交流发言，县委副书记支朝奇，县委常委、营盘镇党委书记严文军，县政协副主席徐光亮、傅强、孙明珠，县政协党组成员王治安一同参加。

同日　柞水县召开迎接省第三方评估工作推进会议，安排部署近期重点工作，县委副书记、县长刘鹏主持会议并讲话，县政协主席王博，县委常委胡大志、陈晓琴、杜晓宁、汪正华，县人武部政委张德玉，县人大常委会副主任吴芳雯、王晓波，副县长陈新波，县政协党组成员王治安出席会议。

17日 柞水县乾佑河（营盘至县城段）水生态修复及堤岸综合治理项目推进会在县政府4楼会议室召开，副县长陈新波参加。

17—18日 市人大常委会副主任赵军率调研组深入柞水县调研2017年以来市级观摩产业项目建设运营情况，县人大常委会党组书记熊德海，县委常委、常务副县长胡大志，县委常委、副县长魏巍，县人大常委会副主任王曾涛一同调研。

18日 市纪委常委、市委巡察办主任段晓芳，市委巡察组组长王军一行来柞水县调研督导巡察工作并召开座谈会。

19日 柞水县召开疫情防控调度会议，安排部署近期疫情防控有关工作，市人大常委会副主任、县委书记崔孝栓出席会议并讲话，县人大常委会党组书记熊德海，县政协主席王博，县委副书记支朝奇，县委常委严文军、陈晓琴、杜晓宁、李浴溱、汪正华、吴根、魏巍、朱邦发等在家县级领导出席会议，县长刘鹏主持会议。

同日 柞水县巩固拓展脱贫攻坚成果同乡村振兴有效衔接工作调度会暨疫情防控调度会议在县党政机关大院2号楼10楼会议室召开，县政府在家县级领导参加。

22日 柞水县召开省级驻柞水县帮扶团联席会，省财政厅一级巡视员刘红春出席会议并讲话，县委副书记、县长刘鹏汇报我县脱贫攻坚成果巩固与乡村振兴有效衔接工作情况，副县长鲁永红出席会议。

同日 市纪委督查组来柞督查疫情防控工作反馈会在县政府4楼会议室召开，县长刘鹏，县委常委、常务副县长胡大志，副县长王茂荣参加。

23日 柞水县召开应对新冠肺炎疫情工作领导小组会议，安排部署近期疫情防控有关工作，市人大常委会副主任、县委书记崔孝栓主持会议并讲话，县长刘鹏，县委副书记支朝奇，县委常委严文军、陈晓琴、杜晓宁、李浴溱、汪正华，副县长李小军、王茂荣出席会议。

同日 陕西曹坪抽水蓄能电站项目规划选址报告专家评审会召开，县委常委、副县长魏巍在县级分会场禹龙晨昇大酒店会议中心1楼C会议室参加。

24日 柞水县召开市纪委督察组来柞督查疫情防控工作反馈涉及管控组具体问题整改工作安排部署会，县委常委、宣传部部长陈晓琴主持会议，县委常委、政法委书记汪正华安排整改工作。

同日 全县富硒木耳生产基地现场观摩会召开，县委常委、副县长吴根参加。

同日 县长刘鹏主持召开县政府第17次常务会议，听取全县重点项目建设、学前教育普及普惠县创建有关情况汇报，研究部署相关工作。县政府在家县级领导参加。

同日 市人大常委会副主任、县委书记崔孝栓，县人大常委会党组书记熊德海，县委副书记、县长刘鹏等县四套班子领导督导检查重点项目建设工作，县委副书记支朝奇，县委常委严文军、胡大志、陈晓琴等一同检查。县四套班子领导一行先后深入云山湖森林康养度假区配套基础设施、孝义文化旅游体验园和黑木耳精深加工项目建设现场，详细了解项目建设进展情况，现场协调解决项目建设推进过程中存在的困难和问题，并就项目建设提出明确要求。

27日 柞水县疫情防控工作分析研判会议在县政府4楼会议室召开，县长刘鹏，县委常委、常务副县长胡大志，县委常委、副县长李浴溱，副县长蒋维杰、王茂荣参加。

28日 柞水县高速路口值勤人员闭环管理第三期安排部署会议在县委党校4楼会议室召开，县委常委、副县长李浴溙参加。

同日 柞水县居家隔离人员管控工作安排会在县政府4楼会议室召开，副县长王茂荣参加。

29日 柞水县方舱医院建设暨西康高速柞水服务区相关事宜协调会在县政府四楼会议室召开，县长刘鹏，县委常委、副县长李浴溙，副县长蒋维杰、王茂荣参加。

同日 中共柞水县委原书记陈璇同志、柞水县人民政府原县长崔孝栓同志任期经济责任审计进点会议在县党政机关大院1号楼9楼会议室召开，县政府在家县级领导参加。

12月

1日 迎接国家绩效评价考核交账会在县财政局5楼会议室召开，县委常委、常务副县长胡大志，副县长陈新波参加。

2日 县人大常委会党组书记熊德海深入小岭镇金米村宣讲党的二十大精神，作了题为《始终坚持利民为本不断增进民生福祉》的报告，金米村"两委"干部、驻村工作队成员和部分党员群众等50余人聆听宣讲报告。

同日 全县矛盾纠纷排查化解工作和"析案明理尽责实干"主题教育活动会议在县党政机关大院2号楼10楼会议室召开，副县长、县公安局局长李小军参加。

同日 县城中心片区棚户区改造工作推进会议在县政府4楼会议室召开，县长刘鹏，县委常委、常务副县长胡大志，县委常委、副县长李浴溙参加。

3日 全市疫情防控工作视频调度会议召开，县委常委、副县长李浴溙，副县长陈新波在县级分会场县政府总值班室会议室参加。

4—5日 在柞选出的市五届人大代表及部分县人大代表开展视察调研活动举行，并于5日在县党政机关大院1号楼9楼会议室召开座谈会，县长刘鹏，县委常委、常务副县长胡大志，县委常委、副县长魏巍分别参加。

5日 柞水县召开2023年重大项目谋划汇报会，听取2023年项目谋划情况，研究部署相关工作。县委副书记、县长刘鹏主持会议，副县长胡大志、李浴溙、吴根、蒋维杰、陈新波、王茂荣出席会议。

6日 全县疫情防控工作视频调度会议召开，副县长陈新波、王茂荣在县级分会场县党政机关大院1号楼5楼县政府总值班室会议室参加。

同日 县政府在家县级领导在县委6楼常委会议室集中收听收看江泽民同志追悼大会。

7日 柞水县召开市河长办暗访反馈问题整改工作推进会，对相关工作进行安排部署。县委常委、常务副县长胡大志主持会议并讲话，县委常委、副县长李浴溙，副县长陈新波出席会议。

同日 县政府县长碰头会议在县政府4楼会议室召开，县政府在家县级领导参加。

同日 全县镇办人大主席（主任）暨优秀人大代表座谈会召开。县人大常委会党组书记熊德海出席会议并讲话，县人大常委会副主任吴芳雯、王晓波、王曾涛、史高纯参加会议。

7—11日 2022年全市重点项目观摩活动举行，县长刘鹏参加。

8日 柞水县矿石资源管理相关工作安排会议在县政府4楼会议室召开，副县长蒋维杰参加。

8—9日 全市重点项目观摩活动走进柞水县，观摩了3个重点项目建设情况，大家边走边看、边听边思、边学边议，实地感受柞水县经济高质量发展的强劲动能。市委书记赵璟，市人大常委会主任陈宁，市委副书记、市长王青峰，市政协主席王宁岗，市委副书记赵晓宁，市委常委雷西明、陈璇、赵鹏、权雅宁、李华、张国瑜、贾永安、孙举恒，市人大常委会副主任、县委书记崔孝栓，县长刘鹏等参加观摩。与会人员在柞水县观摩了云山湖康养产业园配套基础设施项目、孝义文化旅游体验园和柞水木耳全产业链项目。

同日 市第三督察组来柞督察县党政主要负责人履行推进法治建设第一责任人职责及法治建设工作，副县长、县公安局局长李小军参加。

9日 省乡村振兴局领导来柞检查迎接国家财政衔接资金绩效评价及第三方评估准备工作汇报会在县政府4楼会议室召开，县长刘鹏，县委常委、常务副县长胡大志，副县长陈新波参加。

同日 省委审计委员会办公室审计反馈乡村振兴和耕地保护问题整改工作推进会在县政府4楼会议室召开，县委常委、常务副县长胡大志，副县长陈新波参加。

12日 省级验收组来柞开展2022年县域节水型社会达标建设省级验收工作，并在禹龙晨昇酒店会议中心1楼C会议室召开汇报会，县委常委、常务副县长胡大志，副县长陈新波参加。

同日 市委（政府）督查办来柞督查西康高铁柞水段征地拆迁工作，县委常委、副县长李浴溱参加。

同日 柞水县领导干部外出考察学习项目建设工作总结座谈会在县政府4楼会议室召开，县委常委、常务副县长胡大志，副县长陈新波参加。

同日 商州区人大常委会主任周建政，商州区政协主席闫争民带领考察团来我县考察学习重点项目建设工作。县人大常委会党组书记熊德海，县委常委、常务副县长胡大志，县政协副主席孙明珠等一同考察。

13日 县长刘鹏主持召开县政府第18次常务会议，贯彻落实全省安全生产工作视频会议、全省发展新型农村集体经济视频推进会议、全市"河长制"工作视频会议精神，听取"国家生态文明建设示范区"和"绿水青山就是金山银山"实践创新基地"双创"工作、2023年全县重点项目谋划等工作情况汇报，研究部署相关工作。县政府所有县级领导参加。

14日 市委第二指导督导组指导督导柞水县巡察工作培训会在县委6楼常委会议室召开，县长刘鹏参加。

同日 县委常委、常务副县长胡大志带队现场踏勘柞水竹溪山谷生态康养基地和职中迁建项目，副县长王茂荣参加。

14—15日 市考核组来柞开展林长制考核工作，并于14日上午在县政府4楼会议室召开汇报会，县长刘鹏、副县长陈新波参加。

15日 市人大常委会副主任、县委书记崔孝栓主持召开第32次县委常委会会议，集体学习习近平总书记在江泽民同志追悼大会上所致悼词以及有关重要讲话和指示精神，传达学习省委十四届三次全会、2022年全市重点项目观摩总结暨工业发展大会精神，研究部署项目建设、作风建设等工作。县政府在家县级领导参加。

同日 柞水县涉及保护区矿业权退出补偿工作领导小组第四次会议在县政府4楼会议室召开，县长刘鹏，县委常委、常务副县长胡大志，副县长陈新波参加。

同日 柞水县矿产资源管理工作领导小组2022年度第五次会议在县政府4楼会议室召开，县长刘鹏，县委常委、常务副县长胡大志，副县长陈新波参加。

16 日 柞水县突出生态环境问题整改推进会在县政府 4 楼会议室召开，副县长蒋维杰参加。

同日 柞水县召开森林防灭火暨基层消防力量建设工作视频会议，学习贯彻省、市相关会议精神，安排部署重点工作，县委常委、常务副县长胡大志主持会议并讲话，副县长陈新波出席会议。

同日 柞水县召开加快解决因历史遗留问题导致不动产"登记难"工作会议，贯彻落实省市相关会议精神，安排部署重点工作，县委常委、常务副县长胡大志主持会议并讲话，副县长陈新波出席会议。

20 日 柞水县人民医院新住院楼落成启用仪式在县人民医院新住院大楼 1 楼大厅举行，副县长王茂荣参加。

23 日 市委书记点评法治工作会议召开，县长刘鹏，副县长、县公安局局长李小军在县级分会场县党政机关大院 2 号楼 10 楼会议室参加。

26 日 县政府主要领导带队调研医疗机构医疗救治及医疗物资储备情况，县委常委、常务副县长胡大志参加，并在县政府 4 楼会议室召开会议。

同日 2023 年县域经济高质量发展专项资金申报推进会在县政府 4 楼会议室召开，县委常委、常务副县长胡大志，县委常委、副县长李浴溱参加。

29 日 县委主要领导带队赴曹坪镇检查曹坪抽水蓄能电站建设项目，县委常委、常务副县长胡大志参加。

30 日 国家乡村振兴局领导来柞调研工作，县委常委、常务副县长胡大志参加。

中国共产党柞水县委员会

县委领导成员

县委书记
崔孝栓（2022年1月—12月）
副书记
刘　鹏（2022年1月—12月）
支朝奇（2022年1月—12月）
常　委
严文军（2022年1月—12月）
胡大志（2022年1月—12月）
陈晓琴（2022年1月—12月）
王永祥（2022年1月—12月）
闫云辉（2022年1月—9月）
张新峰（2022年10月—12月）
杜晓宁（2022年1月—12月）
李浴溱（2022年1月—12月）
汪正华（2022年1月—12月）
吴　根（2022年1月—12月）
魏　巍（2022年1月—12月）
朱邦发（2022年9月—12月）

县委工作

【概况】实现生产总值113.45亿元，增长4%；固定资产投资135.5亿元，增长17.9%；实际完成财政总收入、地方财政收入5.01亿元、2.21亿元，分别增长16.2%、10.4%；城乡居民人均可支配收入32146元、12613元，分别增长8.6%、10.2%。

【理论学习】坚持"4·23学习日""讲考"等制度，把党的二十大精神和总书记历次来陕考察重要讲话重要指示作为县委理论学习中心组重要学习内容，组织县委理论学习中心组集体学习17次，研讨交流9次，"讲考"测试6次，对总书记最新指示批示组织县委常委会会前学习32次。确定"绿水青山就是金山银山"创新实践、对接秦创原加快创新发展、持续不断提高人民群众获得感幸福感安全感等调研课题，县委班子成员深入基层一线"解剖麻雀"，精心撰写高质量调研报告10个。

【项目建设】坚持一季度抓开工、二季度抓观摩、三季度抓推进、四季度论成效，全年131个重点项目全部开工，完成投资137.6亿元，占年度任务的106.8%，其中22个市级项目完成投资58.4亿元，占年度任务的112%。云山湖森林康养度假区项目入选全省20个万亿级重点旅游建设项目。在全市重大项目观摩会上取得了第三的好名次。

【招商引资】深化"争资夺旗抱奖牌"活动，参加第六届丝博会等重大招商活动，举办第六届木耳文化节和首届乡党回乡发展大会，签约项目82个426.08亿元，落地项目57个，到位资金194亿元，争取专项资金10.7亿元、债券资金3.3亿元，引进总部经济2家，与北京蓝城集团、香港汇景集团等20余家"头部"企业达成投资意向。

【产业发展】建立服务企业家"早餐会"制度，开展"百名局长行长联企业纾难解困"行动，全年新增"五上"企业23家、个体户34家，"陕西盘龙""柞水木耳"荣获"陕西好商标"，柞水飞地孵化器成为全省首家在秦创原立体联动孵化器总基地建成运营的县级飞地孵化器，陕西盘龙药业入选国家第四批服务型制造示范名单。杏坪镇荣获全国"一村一品"示范镇，2000亩无性系茶园正式开采。巩固国家全域旅游示范县创建成果，3条线路、5个景点纳入国省乡村旅游精品线路，接待游客、旅游综合收入平稳增长，入围"2022健康中国·康养旅游百强县"名单，入选2022年国家级全域森林康养试点建设县，牛背梁旅游度假区被认定为国家级旅游度假区，营盘镇入选全国乡村旅游重点镇名单。

【乡村振兴】落实"四个不摘"要求，开展"两不愁三保障"和安全饮水排查整改，开展巩固衔接"双百行动"，建立"人盯人"动态监测网络，加强防返贫动态监测和"三色预警"帮扶，加大易地扶贫搬迁后续帮扶力度，未出现一例返贫致贫现象。新建木耳产业园区1个、木耳大棚559个、木耳栽植基地800亩，发展木耳1亿余袋，产出干木耳5500吨，培育木耳精深加工企业2家，开发木耳食品、木耳饮品等精深加工产品22类98种，产业链总产值超50亿元，柞水木耳连续四年在上海进博会亮相展销，入选全国农业生产"三品一标"典型案例和全省首批乡村振兴典型案例。实施秦岭山水乡村建设，开展"两边一补齐"行动，实施农村改厕5132座，完成通组路硬化108千米，路基整修144千米，新建乡村振兴示范镇2个、示范村12个，巩固提升示范镇2个、示范村16个，营盘镇、凤凰镇确定为省级乡村振兴示范镇，金米村荣获全省"美丽乡村 文明家园"建设示范点，秦丰村、金凤村、新合村入选全省美丽宜居示范村，柞水入选全省"十百千"乡村振兴示范县。

【生态保护】落实秦岭生态环境保护《条例》和《总体规划》，修编秦岭生态环境保护《实施方案》，成立县秦岭生态保护局，深化"当卫士·我先行"等品牌活动，县级四套班子领导带头开展巡山巡河，示范带动8000余名志愿者、8.2万名群众广泛参与巡河、护山、护林等实践活动，持续营造全社会关心秦岭、爱护秦岭的浓厚氛围，成功创建国家第六批生态文明建设示范区。深入打好蓝天、碧水、净土"三大保卫战"，出境河流断面水质稳定达到Ⅱ类标准，全年空气优良天数达到357天，全省秦岭"五乱"整治经验交流会在我县召开，入选全国水土保持示范县、全省森林旅游示范县，牛背梁国家森林公园入选国家生态环境科普基地，柞水上榜2022年"美丽中国·深呼吸小城"名单。推动矿业"五化"转型，24座尾矿库实现有效管控。推进生态产品价值实现机制试点，创新案例通过中科院认定，三个"双九"项目均取得重大进展，获得全省秦岭生态环境保护纵向综合补偿700万元，柞水通过国家级节水型社会审核，荣获全省经济高质量发展生态强县，迎春社区等9个社区入选全省绿色社区名单。

【民生保障】 人大代表票决10件民生实事项目和"十大城建工程"接近完工,"双减"政策有效落实,城区休闲健身步道建成投入使用,城区立面改造提升全面完成,新改建跨河大桥13座,县医院住院楼、18个民转公村卫生室建成投用,县中医院迁入新址开诊,城区第四小学等重大民生工程加快推进,公共服务水平不断提升。落实"稳就业"政策,新增城镇就业1950人,组织化转移农村劳动力3.55万人,"三带"促就业经验在全国脱贫人口稳岗就业工作会上交流经验。抓好新冠病毒感染"乙类乙管"及疫情防控各项优化措施落实,加快推进疫苗接种,累计接种疫苗325937剂次,完成省市下达任务指标。

【基层治理】 推行"人盯人+八抓八防"基层社会治理,排查各类信访矛盾纠纷119件,调处办结115件,排查调处率达100%,化解率达96.64%,连续四年荣获全省信访工作先进县,连续三年荣获全省平安建设工作先进县,被省委授予全省"平安铜鼎"。印发《柞水县法制政府建设实施方案》《柞水县法治政府工作要点》,开展"八五"普法、"法治示范户""法治带头人"评选活动,建成首个公共法律服务中心,县委依法治县办荣获全国普法先进单位,县司法局荣获全国司法行政系统先进集体,营盘镇龙潭村、小岭镇金米村通过全国民主法治示范村复核验收。开展安全生产领域"1598"行动,推进城镇燃气、非煤矿山、危化品等重点领域大检查大整改,遏制重特大事故发生,小岭镇荣获全国119消防先进集体。

【党的建设】 结成村级"发展联盟"15个,打造党建示范点13个,新成立镇办卫生院党支部4个、民办医院党支部1个,升级非公企业党委1个,申报五星级党组织1家、四星级党组织2家,县科教局党委获得全市教育系统党建工作先进集体称号。组建党的二十大精神"1+5""同心向党"宣讲团,开展"五进"宣讲活动260场次,柞水"小喇叭""板凳会"宣讲等工作做法在"学习强国"等媒体刊发,"1+1乡村院落汇"志愿服务项目被评为陕西省首届志愿服务项目大赛三等奖。落实"三项机制",选拔重用乡村振兴、项目建设等一线干部161名,落实职务职级并行527名,不断激发干部队伍干事创业激情。运用监督执纪"四种形态"349人次,受理信访投诉举报132件,处置问题线索251件,立案118件,结案114件,给予党纪政务处分111人,组织处理6人,移送检察机关1人。

(刘超撰稿 张书国编辑)

县委办公室工作

中共柞水县委办公室

主　任

朱邦发（2022年1月—9月）

吴启辉（2022年10月—12月）

副主任

苏乃坤（2022年1月—12月）

陈行宝（2022年1月—12月）

徐　铭（2022年1月—12月）

支部书记

沈清芳（2022年1月—12月）

支部副书记

鲁家友（2022年1月—12月）

派驻县委办纪检监察组

组　长　赵世芹（2022年1月—12月）

关工办

主　任　伍晓刚（2022年1月—12月）

副主任　鲁家友（2022年1月—12月）

网信办

主　任　沈清芳（2022年1月—12月）

政研中心

主　任　王　杭（2022年1月—12月）

【概况】内设综合一股、二股、秘书、信息、政工、事财、文书处理、政策法规、机要保密、档案股、外事股等11个股室。下辖县关工办、网信办、政策研究中心3个事业单位，加挂国安办牌子，作为县委议事机构的协调部门。现有干部职工37人，其中主任1人，副主任3人，党员32人。

【以文辅政】将文稿服务作为主抓手、主载体，累计高质量、高效率组织起草各类讲话230余件、会议材料120余件、工作汇报90余件，处理上级来文828件，审核制发各类文件169份，向市委办政策法规科报备文件19份；撰写上报政务信息1000余篇，采用354篇。撰写理论文章和调研报告12篇，其中6篇在省市主流刊物发表，荣获全省党委系统信息工作先进集体。

【综合协调】落实前置审核、方案引导、统筹联动等工作机制，承办县委十九届二次、三次全会等各类重大会议60场次，完成中省市领导来柞考察视察等大型活动31场次，得到各级领导的充分认可。

【后勤保障】统筹协调县四套班子重要工作和重大活动，严格执行差旅费开支标准，定期公开"三公"经费开支自查自纠，持续加强节约型机关建设，"三公"经费同比下降3%。

【深化改革】印发改革工作要点和任务清单，明确重点改革任务29项，落实重大改革事项13项，做到人事对应、事责统一。改革案例《木耳铺就柞水人的致富路》入选陕西省首批乡村振兴典型案例，全省农村宅基地制度改革现场会在我县成功举办。

【网信工作】监测负面网络舆情信息170条，编发舆情快报76期，组织网评员撰写网评文章3.4万余条，调查登记备案网站8家、政务新媒体54个，微博10个，约谈网络平台8家，纠正、删除涉固定词语表述错误信息83条；通报修复网络安全漏洞4起，查处传播网络谣言和虚假信息案件2起，开展各类网络举报43次。

【外事工作】做好赴塔吉克斯坦、非洲等境外务工人员返乡和来柞境外人员信息摸排等工作，排查管控外籍来返柞人员34名。

【机要保密】召开保密工作会议2次，开展保密检查20余次，签订保密责任书92份，征订《保密工作》杂志98份，确定法定定密责任人52人，上报工作秘密事项49条，处理密码电报144件，收传率和准确率均达到100%，荣获全省《保密工作》杂志通联工作先进集体。

【基层减负】制定印发《持续解决困扰基层的形式主义问题工作任务清单》，明确9个方面53项具体措施，退回不发或改由部门印发的文件17份，压缩各类会议20余场次，精文减会同期分别减少20.2%、30%。

【档案管理】县档案馆新馆建成并投入使用，接收、归档脱贫攻坚各类档案资料87.9万余卷，重点检查疫情防控档案资料710余卷。

【国家安全】紧盯敏感节点和重大活动，健全情报信息搜集与风险研判机制，搜集国保情报信息160条、撰写研判报告21篇，开展重大风险大排查大化解大整治专项行动30余次，排查矛盾纠纷154个、化解132条。

【关心下一代】发挥"五老"优势，广泛凝聚各方力量，组织开展相关主题活动60余场次，召开贯彻落实中办国办《关于加强新时代关心下一代工作委员会工作的意见》暨关心下一代工作会议。累计筹措资金35万余元，资助应届大学新生及边远地区贫困学生300余人，资助营盘镇丰北河小学1.3万元。

【队伍建设】推行"全员大学习、素质大提升"活动，强化"三项机制"运用，向组织推荐6名干部，将5名一般干部调整到股长位置上。扎实开展"我为群众办实事"、党史学习教育暨"七一"主题党日现场教学、全国卫生县城复验"集中整治日"活动，及时成立疫情防控临时党支部，35名党员主动应战。

【乡村振兴】围绕"五大振兴"，争取各类投资437.8万元，修缮蓄水池3座24立方米，修复道路987米，新建标准化木耳钢架大棚14个2700平方米、种植木耳68万袋，产业奖补25户4.1万元，开展"两拆一提升""两边一补齐"行动40余场次，拆除违建13处、广告牌30余处，整治河道沟渠1650米，完成房屋立面改造1.3万平方米、人居环境提升30余户。

(刘超撰稿 张书国编辑)

组织工作

中共柞水县委组织部
部　长
杜晓宁（2022年1月—12月）
副部长
周建波（2022年1月—12月）
韩甲文（2022年1月—12月）
熊云山（2022年1月—12月）
张希林（2022年1月—12月）
电教中心
主　任
张　虎（2022年1月—12月）

【概况】全县有科级领导干部605人，党员8369人，基层党组织384个，党委25个，党总支26个，党支部333个。组织部有干部33人，下设办公室、组织一股、组织二股、组织三股、干部股、公务员股、干部监督股、干教股、人才股、考核股、老干部工作股、信息研究室12个股室和柞水县党员电化教育中心、柞水县干部信息中心、柞水县老干部活动中心（柞水县老年大学）3个下属事业单位。

【政治建设】通过创设初心课堂、沉浸课堂、培训课堂、指尖课堂、一线课堂"五个课堂"学习平台，推行"固定大集中"与"流动小分散"相结合、"菜单式"与"点单式"相结合的方式，推动政治理论学习走深走实，做法在"陕西党建网"报道。在"柞水先锋""微柞水"等开辟《柞水县党员干部群众热议党的二十大》等专栏32期。"全国先进基层党组织"金米村党支部书记李正森在"陕西先锋"交流感悟，组织拍摄的全国离退休干部先进个人傅根生"奋进新征程"二十大专题访谈短视频,在全省"老干部网"展播。执行《新形势下党内政治生活若干准则》,35名县级领导带头执行党员领导干部双重组织生活制度,深入联系点讲党课、宣讲党的二十大精神63场次。结合"主题党日"组织党员干部开展"喜迎二十大""党课开讲啦""学习身边榜样"等活动1180余期。高质量完成29名省市党代会代表推选工作。组建6个专项治理工作专班,推进作风建设专项行动,查找作风建设重点问题70个,制定措施145条。

【基层党建】促进组织振兴、产业振兴、人才振兴同频共振,分别对7个省级、7个市级和28个县级标准化示范村进行动态管理评估,结合村"两委"换届"回头看"工作,开展软弱涣散党组织和重点村整顿。开展以"组织联建、产业联带、制度联管、队伍联培和活动联谊"为主题的"强村带弱村"活动,结成帮扶对子9个,带动产业项目3大类,带动群众就业1065户,柞水县在全省抓党建促乡村振兴视频会议上交流发言。党建引领"人盯人"+基层社会治理,"1+2+N"的责任、工作和服务体系,"吹哨报到"等6个工作机制,打造镇级示范点4个、村级示范点13个。探索党建引领夯实责任、落实措施、建实机制、搭实平台、评定实绩的"五实"模式,实行一套方案做引领、六支队伍抓治理、四色分类管居民、一条公约强自治、三务公开促和谐的"16413"工作机制、解决"三无"小区治理难题等经验、做法被"共产党员网"报道。

【干部队伍】制订年轻干部队伍建设规划,分类别、分年龄段建立年轻干部信息库。组织县级领导挂帅、部门科级干部轮流排班、优秀年轻干部全员参与,"课表式"厘清包抓责任,抽调55个单位720名党员骨干和优秀年轻干部下沉防控一线,筑牢全县疫情防控"门户"防线。运用"三项机制",坚持"五个优先",激励干部成长,全年共晋升职级291人。制定印发《关于结对帮带年轻干部的通知》,采取"一对一、不重复"方式对年轻干部进行"传帮带"。联合县人社局印发《关于进一步做好事业单位岗位聘用工作的通知》《事业单位管理岗位首次晋升实施方案》等文件,提前研判不同身份人员聘用问题解决办法,首次事业单位管理岗位职员等级顺利完成。

【人才工作】全县事业单位引进具有高级职称或硕士研究生学位的高层次、急需紧缺人才21名。实施"千名人才创新创业工程",依托12个人才创新创业团队和14个重点创新项目,升级木耳产业"一站两平台三中心"功能,推进产学研用一体化。陕西三八妇乐特医食品有限公司刘健康教授团队,入选2022年陕西省"三秦学者"创新团队支持计划全省一流团队。实施"乡土人才工匠工程",建立了乡土人才数字库,培育"土专家""田秀才"517人,打造9个乡土人才工作室,举办全县乡土人才工作室建设观摩会,做法在中省市媒体刊发。开展"组团式"帮扶,通过导师帮带行动,实施木耳技术集中攻关5项,引进培育宜栽新优品种4个,开展食用菌、中药材技术指导84次,李玉院士团队成员李长田教授来柞调研,撰写的《柞水调研木耳产业发展情况》成为全县木耳种植技术操作指南。柞水县中学、职业中专分别建立孟拥军、赵新华等3个名师工作室,教学帮扶结对90个、教学团队16个。与南京市高淳区的人才交流合作,互派党政干部和专家人才31名,赴南京鼓楼医院集团进修学习15人。举办苏陕扶贫协作暨人才振兴培训班2期,高淳专家指导示范种植龙井43号等优质品种茶苗2390亩。

(陈兴宁撰稿 张书国编辑)

宣传工作

中共柞水县委宣传部
部　　长
陈晓琴（2022年1月—12月）
常务副部长
王成斌（2022年1月—12月）
副部长
徐　升（2022年1月—12月）
张　珊（2022年1月—12月）
中共柞水县委精神文明建设指导委员会办公室
主　　任
陈晓琴（2022年1月—12月）
柞水县政府新闻办公室
主　　任
张　珊（2022年1月—12月）

【概况】县委宣传部是隶属县委的正科级工作部门，设部长1名，副部长3名，内设办公室、文明股、出版股3个股室，现有行政编制9人，公务员7人，工勤2人。

下辖新时代文明实践指导中心、融媒体中心、电影放映中心、影剧院4个事业单位。其中新时代文明实践指导中心为副科级事业单位，编制19名，现有主任1人，干部16人；融媒体中心为正科级事业单位，编制33名，设一正三副一总编，现有主任1名、副主任2名、总编辑1名、干部24人；电影放映中心和影剧院均为自收自支的事业单位，司站级规格，现有人员4人。

【意识形态】召开县委常委会、意识形态工作领导小组会、意识形态工作联席会议8次，研究制定《2022年全县宣传思想工作要点》《关于切实做好意识形态领域风险防范化解工作迎接党的二十大胜利召开的实施方案》等文件，形成党委统一领导、党政齐抓共管、宣传部门组织协调、有关部门分工负责的工作格局。

【理论武装】开展县委理论学习中心组学习16次，研讨交流9次，理论测试6次，进行专题辅导3次。开展党委（党组）理论学习中心组巡听旁听工作，推进理论学习制度化、规范化、常态化。"4·23"学习日活动暨"沉浸式"打卡现场实景教学和"1+5"学习宣讲模式得到省市县领导肯定，被中省市媒体刊发。组建"同心向党"理论宣讲团，通过领导干部带头讲、专家学者示范讲、县直部门深入讲、镇（办）党员广泛讲、志愿者生动讲等形式，开展对象化、分众化、互动化宣讲1200余场次，受众达到2.9万余人。"小喇叭"宣讲、"板凳会"宣讲的创新做法得到肯定，宣讲视频《牢记"国之大者"，主动担当作为》被推送至省委宣传部。11月18日，由省委宣传部、省委文明办、省文联主办，商洛市委宣传部、市委文明办承办的陕西省"文明实践宣讲团"示范宣讲活动，在营盘镇营镇社区的孝义文化体验园成功举行。

【正面宣传】围绕党的二十大、省十四次党代会和市委五届二次全会精神，聚焦全县重点工作，在中、省、市各级主流媒体发稿共计1300余篇。4月30日，中央电视台走进金米村开展大型直播活动。策划推出"爱我商洛·点赞柞水""三百四千工程"等系列重大网络主题活动，组织全县网评队伍在各大网媒开展网络评论3.4万余条，转发文章1.8万余篇。开展"网络中国节"系列网上宣传活动，累计刊登稿件580余篇、视频610余个，点击量113万人次。实施"好网民""网络公益"工程，我县2名好网民、2个网络公益工程活动项目获市级命名，"青春心向党 建功新时代 柞水身边好青年事迹展播"好网民项目被评为省级重点项目。利用爱柞水官方抖音号、今日头条号、官方视频号等，打造"两台、一网、两微、三号"的融媒体宣传矩阵，累计在"学习强国"平台投稿360余条，上稿140余条，爱柞水App发布稿件2.3万条，抖音、视频号制作发布短视频2400余条，刊发各类信息2.5万余条。

【阵地建设】建设"扫黄打非"基层站点85个，省级示范点3个。强化论坛、讲坛、报告会、研讨会等宣传思想阵地管理，压实主管主办和属地管理责任。开展"护苗""净网""清源""秋风""固边"等系列专项行动，及时监管、搜集、研判可能引发群体性事件和社会动荡的舆情，出动执法人员2478人次，检查文化市场1306家次，检查网吧228家次，出版物市场98家次。发现负面网络舆情信息170条，编发舆情快报76期，向相关单位和行业通报舆情信息94期，全县未发生重大舆情事件。7月13日，柞水县新时代文明实践工作观摩会成功举行，先后观摩了乾佑街办实践所、下梁镇嘉安社区实践站、红岩寺镇实践所等9个观摩点。

【文化建设】开展"文化进万家"系列文化惠民活动、"畅读经典 欢度新年"春节主题线上活动、"品味端午 传承文明"经典诵读、"奋进新征程 阅读再出发"4·23世界读书日主题系列活动120余场次。开展农村电影展映活动，超额完成农村公益数字电影放映1003场次，观影人数达7万余人次。提升"两馆一站"和农家书屋服务水平，开展线上图片展览、书目荐读、故事会150余次，服务群众19万人次，形成"线上+线下"一体化发展。围绕《非物质文化遗产保护法》、柞水渔鼓传承等举办各类培训班14期，培训各类群众文化骨干1400余人次。启动"人民的非遗 人民共享"非遗进校园系列活动，推出具有柞水特色的文创产品60余种。创作编排文艺节目6个，防疫抗疫文艺作品5个，大型渔鼓山歌剧《红色谷子沟》进入排练阶段，首部以"孝廉"为主题的大型情景剧《孝义情》在孝义文化产业园成功上演，受众达2.3万人次。扶持陕西众盛康旅实业有限公司、柞水县朔源漂流有限公司，以及柞水县蝌蚪文化传媒有限责任公司3家企业，培育出规上文化企业8家，营业收入达1.36亿元。

【精神文明】成立巩固文明县城创建成果工作领导小组，印发《柞水县文明县城复验工作实施方案》《2022年柞水县文明创建十大专项行动实施方案的通知》，落实110个单位两复验两创建责任区，组织开展各类文明创建活动350余次，有序推进文明单位、文明村镇、文明校园、文明社区等七大创建活动开展。扎实开展道德模范、身边好人、文明家庭等系列评选活动，陈盛林被评为"感动商洛十大人物"，2个家庭被评为市级文明家庭，4人入选商洛市道德模范，7人荣获"商洛好人"。制定《柞水县新时代文明实践中心（所、站）建设工作测评考核细则》和月报工作制度，7月份对镇办实践所18支志愿服务队志愿项目开展情况进行考核评比，通过以奖代补的形式推进新时代文明实践中心（所、站）建设。动员全县2000余名志愿者服务防疫一线，形成志愿服务项目品牌。策划"柞水e讲堂"视频四期，拓宽线上阵地。

【表彰奖励】柞水县"1+1乡村院落汇"获得陕西省首届志愿服务项目大赛三等奖；柞水 e 讲堂破解理论悬浮难题获全市宣传思想文化工作创新奖一等奖；县委宣传部被评为 2022 年度柞水县纪检监察宣传工作先进单位；2022 年柞水县党建引领"三无"小区治理第一期擂台赛获流动红旗。

（杨鑫撰稿　张书国编辑）

统一战线工作

中共柞水县委统一战线工作部

部　长

陈晓琴（2022 年 1 月—8 月）

朱邦发（2022 年 9 月—12 月）

常务副部长

康　霞（2022 年 1 月—12 月）

副部长

赖　琦（2022 年 1 月—12 月）

副部长、民族宗教和侨务办公室主任

刘会涛（2022 年 1 月—12 月）

县统战事务服务中心主任

侯兴斌（2022 年 1 月—12 月）

【概况】核定行政编制 6 名，领导职数一正三副，县统战事务服务中心为下属二级事业单位，副科级建制，事业编制 4 名。荣获年度考核优秀单位、县级文明标兵称号，获得省、市委统战部评选的信息宣传工作先进单位称号，两篇理论调研文章荣获省委统战部表彰的优秀奖。

【民族宗教事务】举办全县统战系统干部民族宗教工作理论政策专题培训班。开展县宗教界的"爱党爱国爱社会主义"主题活动和"政策法规宣传月"活动。争取资金 70 万元用于支持红岩寺镇兰家湾少数民族群众改善基础设施条件，保障少数民族群众发展产业。依法管理宗教事务，全年召开有关宗教工作会议 4 次，督促、检查宗教场所和民间信仰场所 20 余次，做好宗教场所和民间信仰场所疫情防控工作。印发《柞水县民族宗教工作联席会议制度》，细化工作责任，维护民族宗教领域和谐稳定。

【民营经济统战工作】探索民营经济统战工作实践创新，调研民营企业商（协）会发展现状，形成《关于柞水县民营企业商（协）会发展现状的调研报告》。起草《柞水县政商交往正负面清单（试行）》文件，聚焦解决"民营经济偏弱、民营经济统战工作覆盖面不够、民营经济人士的价值观念和利益诉求引领作用不足"的问题，商（协）会、新联会、工业园区作为统战工作载体，通过党建引领、统战融入，以点带面、分类推进等务实举措，促进民营经济统战工作落实落地。常态化走访县内外民营企业和商会协会组织，先后对接企业 29 家，组织召开政银企座谈会 2 次，引导民营企业入驻金融服务平台，联合县内四大银行开展贷款产品宣传推广活动，帮助企业解决融资难问题。动员 113 家民营企业和千余名非公经济人士，参与"万企兴万村"行动，支持产业发展、基础设施建设、助力消费扶贫、资助贫困学生、促进贫困人口就业等工作。

【政治引领】用习近平新时代中国特色社会主

义思想武装统战干部、引领统战成员、指导统战工作。以开展"喜迎二十大·奋进新时代"系列活动为契机，县统战部部长带队进入镇办、村组（社区）宣讲党的二十大精神、习近平总书记来陕重要讲话重要指示精神，班子成员人均写学习笔记2万多字、心得体会10篇、调研文章5篇。推进县民族宗教界的社会主义核心价值观，开展民营经济领域理想信念教育，弘扬企业家精神，在党外人士和新阶层人士中倡导爱国敬业奉献精神，开展评优树模活动，引导广大统一战线成员增强"四个认同"，树立"四个意识"，坚定"四个自信"，坚决做到"两个维护"。

【党外代表人士队伍建设】选派推荐党外中青年干部和无党派人士参加省、市培训班，提高党外代表人士的政治把握能力、参政议政能力、组织领导能力、合作共事能力和解决自身问题能力。县统战部领导班子成员带头与党外代表人士沟通谈心，加强联系交流。印发县委常委和统战领导小组成员单位党员领导干部同党外代表人士联谊交友活动的通知，促进县委常委和领导干部与党外人士互动，了解掌握党外人士的思想动态、工作学习及生活情况。

【新的社会阶层人士统战工作】在党外知识分子中开展"同心向党""弘扬爱国奋斗精神　建功立业新时代"等主题活动，引导他们与党同心同行。发挥教育、卫生等党外知识分子密集的行业单位党委（党组）政治思想引领作用，搭建党外人士学习交流和成长的平台。按照"充分尊重、广泛联系、加强团结、热情帮助、积极引导"的工作方针，加强新联会实践创新示范点建设，以点带面、突出特色，带领新的社会阶层人士投身县域经济社会发展。开展"大走访"调研摸底，进一步健全和完善相关数据库，建立重点联系人员名单。

【港澳台海外统战工作】加强与港澳台和海外人士联谊交往交流，坚持"争取人心"主题，申报2022年中国华侨国际文化交流基地2个，组织参与港澳台侨创新创业和考察学习等活动3批次25人次。提升中华文化交流基地建设水平，接洽省市台办、侨联和省内外商会组织考察团来柞考察项目5批次120人次。联络争取港澳台胞和海外侨胞参与捐建教育、卫生项目2个，组织侨胞台属5人到山阳县袁家沟村参加爱国主义教育活动，增进统战成员们的国家认同感、民族认同感、文化认同感。

【乡村振兴】协助大河村成立由第一书记任队长、镇联村领导任副队长、县委统战部、县农业银行常驻队员、村"两委"班子为成员的驻村工作队，落实8名干部帮扶26户。争取苏陕协作资金81万元，修建村水毁河堤400米及村养猪场1个；争取村便民服务中心建设项目资金15万元；党建资金5万元；干部职工为村慈善幸福家园捐资5000元。争取村集体经济产业发展资金110万元，发展养猪户70户，养殖生猪2万余头；发展土鸡养殖户1户，年出栏9000多只；中药材种植户20户，种植柴胡210亩、黄芩395亩、连翘600亩。完成春季种植地栽木耳8万袋，收入14万元。

【招商引资】牵头承办柞水县首届"迎老乡回故乡建家乡"乡党回乡暨招商大会，共计签约20个项目，总投资50.05亿元；争取中央财政少数民族基础设施建设项目1个70万元，争取华侨捐赠口罩价值18万元，超额完成县政府下达的争取资金20万元任务。县委统战部牵头，与县委宣传部、工商联组成联合招商小分队，到南京高淳区委统战部对接教育帮扶事宜，签订宣传文化人才交流和3年捐资助学49.5万元意向书。联系对接29家企业，提供有价值招商引资线索3条，落实落地项目1个投资600万元。

【大事简记】 2月23日，招商引资暨首届乡党回乡发展大会在县禹龙晨昇酒店举办。会议由县委副书记、县长刘鹏主持，县委书记崔孝栓出席会议并致辞。现场签约县城区供热项目、曹坪镇银碗村200兆瓦光伏电站建设项目、柞水县金米木耳产业投资开发项目等20个项目，其中合同项目16个，资金达45.57亿元，协议项目4个，总投资4.48亿元。

（朱米霞撰稿　张梅玲编辑）

机构编制工作

中共柞水县委机构编制委员会
县委编委主任
崔孝栓（2022年1月—12月）
县委编委副主任
刘　鹏（2022年1月—12月）
杜晓宁（2022年1月—12月）
县委编委委员
朱邦发（2022年1月—9月）
吴启辉（2022年9月—12月）
白明树（2022年1月—12月）
周建波（2022年1月—12月）
王怀斌（2022年1月—12月）
崔福生（2022年1月—12月）
李邦余（2022年1月—12月）
中共柞水县委机构编制委员会办公室
主　任
王怀斌（2022年1月—12月）
副主任
杨啟霞（2022年1月—8月）
任培骥（2022年1月—12月）
事登局局长
党淑云（2022年1月—12月）
副科级督查专员
孟祥瑞（2022年1月—12月）

【概况】 属县委工作机关，归口县委组织部管理。核定机关行政编制6名，实有11名，其中公务员10名，工勤1名。领导职数设置主任1名，副主任2名，正科级督查专员1名（兼职），副科级督查专员1名，内设综合办公室、编制业务股、调研督查股3个股室。下属事业单位1个即县事业单位登记管理局，属省批参公管理事业单位，编制10名，实有7名。

【重点领域改革】 完成县行政复议体制改革、林业执法改革、粮食执法改革、开发区规范清理等工作，完成2019年机构改革以来重新制定"三定"规定和职责调整较大的机关单位的调研评估。规范设置信访机构、设立县医疗保障基金中心、新组建秦岭生态保护中心等机构7个，提升单位规格2个，增核5个单位领导职数5名，加挂2个部门和8个镇相关职能牌子，优化营商环境等重点工作的机制体制。严格按照"基层管理迫切需要"和"能够有效承接"原则，梳理县农业农村、林业、交通、环保、应急等重点行业执法部门赋权建议清单32条，下放镇办行政执法事项提供规范参考。

【编制资源】 坚持盘活存量、上争总量、保障重点的原则，充分调查研究论证后，增加重点领域、行业编制362名，其中向上级争取256名。坚持"严控总量、统筹使用、科学增减"的编制原则，审核公务员招录、招聘、遴选、特殊人才引进等计划9批次421名。围绕打造"一都四区"、推进"三百四千"工程、教育及公立医院、六大领域执法验收自查等开展专项调研4次，完成调研报告4篇，其中《关于县级公立医院编制使用问题研究》的调研报告荣获全市编办系统报告评比三等奖。增加公立医院编制45名，解决编制、机构设置等实际问题22个。

【编制管理】落实控编通知单制度，全面实行机构编制管理实名制精细化、动态化管理机制，实行多部门联动管理机制、督促检查机制，实行机构编制同巡察巡视、组织人事、审计等部门的协作联动机制，全面提升机构编制管理标准化、规范化、法定化。严格执行《事业单位登记管理暂行条例》，简化工作流程，压缩办理时间，实现现场业务"最多跑一次"目标。对照"三定"厘清各部门机构编制和人员信息，完成机构编制大核查后续工作。建立组织、人社、财政、教育、司法等部门协同管理机制，协商干部任免、人事调配等与机构编制联系紧密的事项12次，实名制信息动态精准。

【事业单位登记管理】实行事业单位简易注销办法，推行"不见面、网上办"工作模式和"零上门""来一次"的工作目标。完成全县214个事业单位年度报告工作，党政群机关统一社会信用代码年度报告74个，报告率、公示率均为100%。完成党政群机关变更登记11个，事业单位设立登记4个，变更登记48个。完成换领证书业务53个。

【乡村振兴】严格落实"四个不摘"要求，单位选派第一书记和驻村工作队员，协助帮扶村新建木耳大棚12个3000平方米，种植大棚木耳20.5万袋，蜜蜂养殖150箱，养猪大户1户养殖育肥猪15头。争取投资15万元，对120亩杏园开展修剪、施肥等科管项目，实施便民桥、旅游休闲道路、农业休闲花卉种植等项目，实现巩固拓展脱贫攻坚成果同乡村振兴有效衔接。

（陈丹撰稿　张梅玲编辑）

机关党建工作

中共柞水县委直属机关工作委员会
负责人
康魁锋（2022年1月—7月）
书　记
康魁锋（2022年8月—12月）
副书记
张延宏（2022年1月—12月）
吴　群（2022年1月—12月）
崔　丽（2022年11月—12月挂职）

【概况】属于县委的工作机关，正科级建制的行政单位。核定行政编制5名，实有干部6人。下辖5个党委、11个党总支、115个党支部（其中直属党支部40个），共有党员1620名。承担着制订县直单位党的建设规划，保证和监督党的路线、方针、政策和县委、县政府的重大决策、决议和指示在县直机关得以全面正确地贯彻落实；负责县直单位党员教育管理、发展和处置不合格党员工作；领导县直机关党组织抓好党的思想、组织、作风、精神文明和党风廉政建设；负责党务干部、入党积极分子和一般党员干部的政治理论培训工作等。

【思想建设】组织党员干部认真学习党的二十大精神、习近平总书记来陕考察重要讲话重要指示精神532场次。投资7.6万元购买《习近平谈治国理政》等书籍800余套免费发放县直机关党组织，党史学习教育资料做到全覆盖。各级党组织在本系统本部门、包扶村（社区）、联系企业、事业单位通过书记讲党课、专题学习、研讨交流、组织生活会、党性分析等形式开展各类专题教育活动100余场次。1月13日，组织县直机关56个党组织书记开展述职述效民主评议工作，综合点评机关党建中存在的问题。

【组织建设】推行"党员活动室+职工活动室+会议室+职工书屋"共建的大党建理念，完成机关党组织标准化规范化建设全覆盖，实现党建阵地共建共享、共同开展活动的政企（区）共建工作。全面开展县直机关"做好三个表率、建设模范机关"创建活动，推进党支部标准化与模范机关建设，命名政协办、行政审批局、两路办等30个党支部模范机关。按照《陕西省发展党员工作规程》，严把政治关、程序关，发展党员16人。按规定改选机关基层党组织书记18名、调整专兼职党务干部24名，转接党组织关系315人，收缴党费70余万元。建成县市监局的深化"市场卫士先锋舰队"党建品牌、县税务局的党建领航税美下梁等党建项目。

【专题培训】12月14日，县直机关工委联合县组织部、县委党校举办为期三天的入党积极分子暨发展对象培训班，培训采取专题辅导与实务讲解、集中授课与现场测评相结合的方式对《中国共产党章程》等10个方面的内容进行专题培训，共计50余人参加培训。

【党建督查】2名副书记带队，抽调4名干部组成党建工作督查组，通过查阅资料、实地查看、听取汇报、座谈交流等形式对县直机关直属党组织工作开展督查检查，重点围绕是否制订党建工作计划、每月安排部署党建工作情况，是否按照要求建设或提升本支部及下属党组织标准化规范化建设，是否达到示范点要求，本支部及下属党组织是否按时足额收缴党费并及时上缴，党委、总支及下属支部是否按时换届并配备专兼职党务干部，是否制定五个责任清单，党支部活动是否经常，党组织书记及党务干部是否在岗尽责，党建宣传报道等方面开展督查和检查。发现党组织换届不及时、党费交纳不规范、标准化和"模范机关"创建不达标等6大类90余件问题，限定各级党组织整改时限和整改标准。根据督导检查情况下发《关于做好县直机关基层党组织换届工作的通知》，书面通知对未按期换届、未及时改选、待换届的党组织，要求按照规定程序开展换届改选工作。

【作风建设】先后开展"以案促改"、干部执行力问题专项治理工作和清廉柞水等作风建设专项整治活动。成立教育整顿活动领导小组，具体负责教育整顿活动。制订作风建设专项整治实施方案，明确指导思想、整治重点、工作措施和工作要求。通过线上学习、网上讨论、交流体会、集体学习、个人自学等方式，学习党章、准则、条例、"以案促改"典型案例等相关内容，打牢作风建设思想和理论基础。开展对照检查，查找出6类16个问题，制定问题清单、建立工作台账、制定整改措施，已全部整改到位。

【"三无"小区治理】党建引领"三无"小区治理活动中，县直机关各党组织动员广大党员干部进入各包抓小区，开展小区卫生环境整治、"人盯人"上门服务群众等工作。县直机关工委联合县总工会、城区一中投资20余万元提升党三小区环境，新修建停车位30余个，硬化地面1000余平方米，新修污水管网100余米，建设标准化党员活动室1间。

（饶锋撰稿　张梅玲编辑）

党校工作

中共柞水县委党校

校　　长

支朝奇（2022年1月—12月）

常务副校长

乐发国（2022年1月—12月）

副校长

王春锋（2022年1月—12月）

张　琳（2022年1月—12月）

【概况】发挥主阵地作用，以党的二十大报告、习近平新时代中国特色社会主义思想理论体系、习近平总书记来陕考察系列讲话精神、党的惠民政策、新形势下的基层组织建设、依法行政、党风廉政建设、新农村建设等作为主要内容，完成党员干部的培训工作。开展实地调查研究，提供有一定参考价值的调研文章，为县域经济发展谋新思路、出好对策，为县委、政府的决策作参考，充分发挥党校的思想库作用。

【干部培训】发挥流动党校的培训职能，先后举办"全县科级领导学习十九届六中全会培训班""全县村（社区）两委干部培训班""全县入党积极分子（发展对象）培训班""苏陕协作乡村振兴能力提升培训班"等，培训各级各类干部2000余人次。先后选派5名优秀教师参与县委宣讲团，深入基层镇（办）、村（社区）、学校、企业开展宣讲达60余场次，培训各级各类干部、职工、群众9000余人次。省委党校4期中青班（包括厅局级）以及南京、商洛、安康、西安航投公司、西安交通大学等分15个批次1000余人来柞现场教学，为期三天的西安交大共青团干部培训班在县党校举办，首次将红岩寺作为红色教育基地进行现场教学，邀请红岩寺镇干部刘勇讲授红二十五在柞历程及其启示，县党校教师就意识形态建设、新时代媒体应对作专题授课。联合县机关工委、纪委、宣传部、乡村振兴局、团县委、交通局等部门举办纪检监察干部培训班、四支队伍培训班、青年干部培训班及有关业务培训等7期，培训各类干部1000余人次。

【科研咨政】确立"科研兴校"的方针，抓住省、市党校系统理论研讨会的契机，每名教研人员撰写高质量科研文章，全省党校系统第36次理论征文活动中上报论文7篇，获三等奖1篇；报送市党校系统第十五次理论研讨会论文8篇，获二等奖3篇；省理研会获奖文章《疫情防控背景下的基层社会治理》被《商洛市委党校学报》刊发并送阅县委县政府作为参考；在各级主流媒体网站上刊登新闻宣传报道60篇，在共产党员网、人民网刊登时事评论20余篇。

【自身建设】按照陕西省党校办学质量评估要求，县委党校通过考核验收，6月，被省委党校授予"2018年—2020年度办学质量优秀等级县级党校"。7月，教师李莎参加全市党校系统优质课赛讲，获三等奖，县委党校获得优秀组织奖；8月，

2021年度目标责任考核获优秀单位；9月，通过县高层次人才引进计划，引进一名马克思主义理论专业硕士研究生。筹措资金20余万元建设1间配备13台电脑、藏书20万册的电子阅览室，筹资15万元改建图书室并购置图书1万余册。全体教师分两期参加学习在本校举办的中央党校讲解党的二十大精神网络直播师资培训班。

【乡村振兴】作为杏坪社区乡村振兴工作的包扶牵头单位，派遣1名副校长担任工作队长，抽调1名干部为队员驻村开展联村工作。制订杏坪社区中长期发展规划，组织全体干部深入包扶村帮助联系户解决实际困难，拨付4万元办公经费到村集体经济开展资金帮扶。11月，杏坪社区作为第三方督导评估对象接受检查，高质量通过评估验收。

【疫情防控及"三无"小区治理】疫情期间组织多名职工参与疫情防控工作，参加县城高速路卡点执勤达6个月。11月份，1名职工被抽调到凤凰西闭环管理执勤一个月。县党校职工参加迎春广场核酸检测点志愿服务活动30余次。全体职工在党北小区的"三无"小区治理工作中捐款1800元，参与小区疫情防控，单位投入1万多元整治环境脏乱差，改善小区环境面貌。

（魏金水撰稿　张梅玲编辑）

党史研究地方志编纂工作

中共柞水县委史志办

主　任

张书国（2022年1月—12月）

副主任

陈　刚（2022年1月—12月）

【概况】内设办公室、党史股、方志股，编制9人，实有干部9人。

【学习教育】开展春节后纪律作风教育整顿、巩固党史学习教育成果和推动"一都四区""三百四千"建设等活动，组织干部职工学习贯彻习近平新时代中国特色社会主义思想、习近平总书记两次来陕考察重要讲话精神，学习《党章》《准则》《条例》、典型案例、党的十九届历次全会精神和党的二十大精神等，省委、市委全会、县委十九次党代会精神。开展了贯彻市委五届二次全会精神开展作风建设专项行动推进清廉柞水建设工作，按照聚焦"八个方面"开展"八个查一查"、开展干部执行力问题专项治理和开展机关效能问题专项治理工作要求，查摆领导班子和党员干部存在的问题，查摆领导班子问题6个，落实整改措施和整改责任6项；党员干部查摆21个，制定整改措施21项。

【业务工作】完成《柞水年鉴》（2016—2018）排版审核校对、内部印刷出版手续办理；完成《柞水年鉴》（2021）三审三校、公开出版任务；完成《柞水年鉴》（2022）资料征集编纂工作任务；参观长安区村史馆建设取得成功经验的村（社区），并组织各镇（办）分管领导、业务人员及相关村负责人20多人考察学习村史馆建设，指导本地湾村等村（社区）制订村史馆建设或提升工作规划；总结二轮修志工作，形成2篇有一定深度的理论文章，并参与市上组织的三轮修志试点研讨交流；完成《中共柞水历史（1949—1978）》公开出版发行工作任务；总结整理柞水党史工作二十年（2002—2021）成果相关资料，上报上级主管部门；组织编纂柞水红色遗址地标地情，已完成初稿；普查现存的重点革命遗址和爱国教育基地，按要求上报市委党史研究室；配合郑州大学到红岩寺红色遗址、场馆调研，了解红二十五军等红军在柞水活动情况；配合县委宣传部对全县红色场馆展陈物品、解说词等进行检查规范，提出书面整改或修改意见；组织党员干部到山阳袁家沟口等地开展学习教育，利用清明节开展爱国主义教育；组织党员干部收看党的二十大，集中学习和到帮扶村宣讲党的二十大精神，用党的二十大精神指导工作实际。

【队伍建设】按照党建、党风廉政建设、意识形态等工作要求，紧扣纪律作风整顿、巩固党史学习教育成果和推动"一都四区""三百四千"建设，贯彻市委五届二次全会精神开展作风建设专项行动推进清廉柞水建设工作等，抓好班子队伍建设，全年1名干部由一级主任科员晋升为四级调研员，2名干部由四级主任科员晋升为3级主任科员，激发了干部队伍干事创业的激情，增强了干部队伍活力。

【帮扶工作】召开三家包扶单位和村"三委会"联席会议，总结上年工作，讨论制订年度规划，组织开展实用技术培训。投入资金3万元，帮助联系帮扶村凤凰镇桃园村发展木耳产业，配合村组开展环境整治和美丽乡村建设工作，做好脱贫成果巩固和乡村振兴对接各方面的工作。

【中心工作】参与疫情防控等项工作，按照县上要求参与凤凰西高速卡口值勤、盘龙小区全员核酸扫码和组织工作、"三无"值守等工作，较好完成了任务。投入1万余元帮助包抓的"三无"小区修建护栏、公卫设施、公益广告等，优化小区环境，推动"三无"小区建设。为县上重点项目建设、重点企业发展提供地情资料服务，提供和发放《柞水县志（1988—2008）》《柞水年鉴》《柞水苏区》《中共柞水历史（1927—1949）》等史志书籍资料1000多册。

（余锡政撰稿）

巡察工作

中共柞水县委巡察工作领导小组办公室

主　任

雷　鸿（2022年1月—12月）

副主任

王　宏（2022年1月—12月）

巡察组长

谢长波（2022年1月—8月）

廖传水（2022年1月—12月）

侯卫峰（2022年1月—12月）

肖海坤（2022年11月—12月）

副组长

王成云（2022年1月—12月）

周金花（2022年1月—12月）

史高洁（2022年1月—12月）

【概况】县委巡察办和3个县委巡察组统称为

县委巡察机构，共有行政编制13名，其中县委巡察办编制4名，领导职数1正1副，干事2名，实有人员4名；3个县委巡察组行政编制9名，设组长、副组长、联络员各1名，实有人员9人。县委巡察办是县委巡察工作领导小组的日常办事机构，主要职能是统筹协调、指导督导、服务保障全县的各项巡察工作，县委巡察组负责实施巡察。

【工作部署】2次召开县委常委会议听取巡察工作汇报，研究部署巡察工作。起草印发《县委巡察工作规划（2022—2026年）》和《2022年度县委巡察工作计划》。县委巡察工作领导小组制订十九届县委第一轮、第二轮常规巡察工作方案，抽调巡察人员，召开动员部署会，安排部署2022年巡察重点工作。

【巡察任务】依据县委巡察工作计划，结合省、市巡视巡察工作部署，全年组织开展常规巡察2轮次，成立13个县委巡察组，巡察瓦房口镇、下梁镇、县委编办、县机关工委等2个镇22个县直部门单位，发现问题705个，查找问题线索41件，延伸巡察村（社区）18个，发现问题217个。

【巡察整改】制订《十八届县委第十三轮、十四轮巡察反馈问题整改情况监督检查工作实施方案》和《十九届县委涉粮领域及作风建设专项巡察反馈问题整改情况监督检查工作实施方案》，配合县纪委监委、县委组织部对十八届县委第十三、十四轮巡察的16个单位和十九届县委涉粮领域和作风建设专项巡察的18个单位反馈问题整改情况进行监督检查，并予以通报。

【联络保障】做好巡视巡察上下联络对接工作，配合省委、市委巡察工作指导督导组来县下沉调研及指导督导工作。配合市委巡察组开展市、县联动巡察县人社局、林业局、水利局、交通局等单位工作，完成市委巡察机构提级交叉巡察镇办的工作任务。

【阵地建设】坚持把政治建设摆在首位，强化全体巡察干部理想信念教育，开展县委巡察机构作风建设和"清廉柞水"建设。丰富党建活动载体，开展"学习党的二十大精神助力党建引领乡村振兴"主题党日活动。规范巡察机构内部管理，推动巡察办、巡察组融合管理，明确组、办人员职责，统一管理，统一使用。加强信息化建设，全面推广运用巡视巡察信息系统。

【大事简记】2022年8月20日至10月20日，十四届省委第一轮巡视，由崔景文任组长、郑清春任副组长的省委第十一巡视组对柞水县开展常规巡视。

2022年12月12日至18日，市委巡察组组长王军等一行4人对柞水县巡察工作开展为期一周的指导督导。

（李军撰稿　张梅玲编辑）

督查工作

中共柞水县委督查办公室

主　任

胡　鸿（2022年1月—12月）

副主任

党　强（2022年1月—12月）

张　强（2022年1月—12月）

【概况】正科级建制、财政全额拨款，公务员编制6名，设领导职数一正两副，内设综合股、督查股等2个股室。县委督查办主要负责督查县委、县政府重大决策及重要工作部署的贯彻落实及县委常委会、县政府常务会等重要会议决定事项贯彻落实情况的督查检查。

【督查工作】落实重点工作周汇报、月通报制度，全年开展各类实地督查200余次，电话督查80余次，累计下发《交办通知》15期，督查通报19期。参入执行力办公室各类督查120余次，对91个下发黄色预警单位进行了跟踪督办。

【党建工作】坚持党建工作与业务工作同安排、同部署，做到"两手抓、两不误"，全年召开党支部会议16次，领导干部讲党课4次，开展各种主题活动12次，组织党员干部赴牛背梁、金米村等地开展"重走领袖足迹·当好秦岭卫士"主题党日活动。

【留言督办】对市委书记、县委书记在人民网反映的问题，加大办理督办力度，全年共督办人民网网民留言市委书记信箱信件2件、县委书记信箱信件22件，一名同志荣获全市人民网网民留言办理先进个人。

【党风廉政】制定全面从严治党主体责任清单，对党风廉政建设主要任务进行细化分解，明确责任，同时签订了党风廉政建设责任书5份，形成了一级抓一级的廉政建设责任机制，未发生违反廉洁自律有关规定的行为。

（党强撰稿　张书国编辑）

档案工作

柞水县档案馆

馆　长

汪屿（2022年1月—12月）

副馆长

李彩霞（2022年1月—12月）

【概况】成立于1958年7月，隶属县委直属事业单位，正科级建制，编制11人，设领导职数1正2副。实有干部职工10人，其中馆长、副馆长各1人，干事8人。研究生学历2人，本科学历3

人，大专学历3人，高中学历2人。内设一室三股，分别是办公室、保管利用股、宣传编研股、信息技术股。截至12月底，县馆共保存158个全宗、7.31万卷29.1万件档案资料，照片档案3022张，实物档案1203件，县馆被陕西省档案局认定为门类齐全、结构合理、综合性强的AAA级档案馆。

【馆库建设】 县综合档案馆建设项目是"十二五"期间批准的规划项目，核准面积为2590平方米，工程设计为一栋南北向布局的5层框架结构档案大楼。2018年开工建设，历时5年，2022年11月底项目全面完成，正式投入使用。

【档案资源】 新购置档案装具和设备120组，加装防护设施20套，建成标准化档案室5间，档案库容得到改善。全年共接收各单位荣誉、文书档案242件。

【档案安全】 建立完善馆内各项规章制度，落实安全保护设施。配备防火灭火等设备，档案馆楼体外围配备10个监控摄像头，重点区域实现监控全覆盖。定期对档案保管情况开展全面检查，不定期开展安全检查，发现问题及时整改处理。定期采取循环通风、放置防虫药品等措施实施档案保护，档案库房达到"十防"要求。

【开发利用】 开展档案开发利用、开发划控工作，成立档案划控工作领导小组，鉴定和审核馆藏档案158个全宗，划分出开放和不开放档案并建立档案目录，方便日常查档。设立查档室，专人负责查档接待，提高查档效率。全年共接待查档利用2100人次，调卷8504卷（件），拍照3200张，复印2993张，出具证明930余份。

【信息化建设】 投资3万多元购置安装科怡档案管理软件，馆藏的158个全宗74340案卷目录、362040件文件级目录完成数据录入，实现全馆文件目录数字化率100%。筹资10余万元，采取全文扫描、数字化挂接等方式，实现馆藏人社档案数字化。

【乡村振兴】 县馆调整驻村力量，持续巩固脱贫攻坚成果，开展产业扶持和企业带动，增强村集体造血功能。确定花椒、光伏两个主导产业，稳定发展3000亩板栗传统产业，包扶的红岩寺镇张家坪村177户贫困户实现产业覆盖率100%。

【县委巡察】 5月10日至6月11日，十九届县委第一轮第五巡察组常规巡察县馆，8月9日反馈巡察意见，共提出6个方面11个问题，已按要求全部整改到位。

（赵绪芝撰稿　张梅玲编辑）

柞水县人民代表大会常务委员会

柞水县人民代表大会常务委员会领导成员

主　任
谢建民（2022年1月—8月）

副主任
张芳忠（2022年1月—3月）
王海燕（2022年1月—3月）
吴芳雯（2022年3月—12月）
王晓波（2022年1月—12月）
王曾涛（2022年1月—12月）
史高纯（2022年3月—12月）

党组书记
谢建民（2022年1月—8月）
熊德海（2022年8月—12月）

副书记
王海燕（2022年1月—5月）
王晓波（2022年5月—12月）

党组成员
王曾涛（2022年1月—12月）
史高纯（2022年1月—12月）
陈邦顺（2022年1月—12月）

专职委员
金小伟（2022年1月—12月）
党文冠（2022年1月—12月）
李先坤（2022年1月—12月）

人大机关党组书记
陈邦顺（2022年1月—12月）

人大机关党组成员
王　涛（2022年1月—12月）
吴泽印（2022年1月—12月）
谈世根（2022年1月—12月）
黄　华（2022年1月—12月）
汪　洋（2022年1月—12月）
王　健（2022年1月—12月）

支部书记
陈邦顺（2022年1月—12月）

人大常委会工作机构及领导成员

办公室
主　任
陈邦顺（2022年1月—12月）
副主任
王　健（2022年1月—3月）
樊　敏（2022年3月—12月）
财经预算工作委员会
主　任
吴泽印（2022年1月—12月）
副主任
李　平（2022年1月—12月）
人事代表联络工作委员会
主　任
王　涛（2021年1月—12月）
副主任
李　阳（2022年1月—9月）
夏宗波（2022年9月—12月）
监察司法工作委员会
主　任
谈世根（2022年1月—3月）
王　健（2022年3月—12月）
副主任
沈　芳（2022年1月—12月）
社会事业工作委员会
主　任
黄　华（2022年1月—12月）
副主任
伍红梅（2022年1月—12月）
农村城镇建设与环境资源保护委员会
主　任
汪　洋（2022年1月—12月）
副主任
樊　荣（2022年1月—12月）
县人大常委会预算联网监督中心
主　任
徐启东（2022年1月—12月）
乾佑街道工作委员会
主　任
田　艳（2022年1月—12月）

人大常委会工作

【概况】召开县人民代表大会1次、常委会会议6次、主任会议16次，听取和审议"一府一委两院"专项工作报告42项，开展视察、调研、执法检查活动34次，任免国家机关工作人员41人次，作出决议决定5项，受理人民群众来信来访25件（次）。

【人民代表大会】县十九届人民代表大会第一次会议于3月16日至3月18日在柞水县影剧院隆重召开。157名县人大代表出席本次会议。听取和审议了县长刘鹏所作的柞水县人民政府工作报告、县人大常委会主任谢建民所作的柞水县人大常委会工作报告、县人民法院代院长支社旗所作的柞水县人民法院工作报告、县人民检察院代检察长蒋燕所作的柞水县人民检察院工作报告，审查了柞水县2021年国民经济和社会发展计划执行情况与2022年国民经济和社会发展计划草案的报告、柞水县2021年财政预算执行情况和2022年财政预算草案的报告，并分别作出决议，批准了各项报告。听取和审议了柞水县人民政府2022年度提请县人大代表票决民生实事候选项目的说明，票决了2022年度民生实事项目，本次大会依法选举产生了柞水县第十九届人大常委会主任、副主任、委员，县人民政府县长、副县长，县监察委员会主任、县人民法院院长、县人大检察院检察长，出席商洛市第五届人民代表大会代表。

【常委会议】3月11日，召开柞水县第十八届人大常委会第35次会议，听取和审议了关于召开柞水县第十九届人民代表大会第一次会议有关事项的报告，审议通过了关于召开柞水县第十九届人民代表大会第一次会议的决定（草案）；听取和审议了县人大常委会工作报告（草案）；听取和审议了县人民政府工作报告起草情况的说明及县人大常委会办公室的审查报告；听取和审议了柞水县2021年度国民经济和社会发展计划执行情况与2022年国民经济和社会发展计划（草案）报告起草情况的说明及县人大常委会财政经济工委的审查报告；听取和审议了柞水县2021年财政预算执行情况和2022年财政预算（草案）报告起草情况的说明及县人大常委会财政经济工委的审查报告；听取和审议了县人民法院工作报告及县人大常委会监察司法工委的审查报告；听取和审议了县人民检察院工作报告及县人大常委会监察司法工委的审查报告；审议通过了县人大常委会关于表彰2021年度优秀县人大代表和代表建议办理先进单位的决定（草案）；听取和审议了县人民政府关于柞水县"七五"普法决议贯彻执行情况及《柞水县关于在公民中开展法治宣传教育的第八个五年规划（2021—2025年）》制定情况的报告及县人大常委会关于开展第八个五年法治宣传教育的决议（草案）；听取和审议了县人民政府关于2021年度柞水县环境状况和环境保护目标完成情况的报告及县人大常委会调查组关于柞水县环境状况和环境保护目标完成情况的调查报告；审议了人事议案。

5月27日，召开柞水县第十九届人大会常委会第1次会议，集体学习习近平总书记在中央人大工作会议上的重要讲话；审议了县十九届人大常委会2022年工作要点；听取了县政府关于柞水县2020年审计查出问题整改情况的报告及县人大常委会调查组的调研报告；听取和审议了关于修订柞水县公民旁听县人大常委会会议办法（草案）；审议了柞水县第十九届人大常委会代表资格审查委员会组成人员的议案；审议了人事议案。

7月29日，召开柞水县第十九届人大常委会第2次会议，集体学习省委人大工作会议精神；听取和审议了县政府关于柞水县2021年国有资产管理情况的综合报告及全县国有企业资产管理情况的报告和县人大常委会关于全县国有企业资产管理情况的调研报告；听取和审议了县政府关于2022年上半年国民经济和社会发展计划执行情况的报告及县人大常委会关于2022年上半年国民经济和社会发展计划执行情况的调研报告；听取和审议了县政府关于2022年上半年财政预算执行情况的报告及县人大常委会关于2022年上半年财政预算执行情况的调查报告；听取和审议了县政府关于《陕西省秦岭生态环境保护条例》"回头望"情况的报告及县人大常委会关于开展《陕西省秦岭生态环境保护条例》执法检查"回头望"情况的报告；听取和审议了县政府关于《中华人民共和国传染病防治法》实施情况的报告及县人大常委会关于《中华人民共和国传染病防治法》实施情况的执法检查报告；听取和审议了县政府关于《中华人民共和国治安管理处罚法》实施情况的报告及县人大常委会关于《中华人民共和国治安管理处罚法》实施情况的执法检查报告；听取和审议了县人大常委会监察司法工委关于2021年规范性文件备案审查工作情况的报告；听取和审议了县政府关于县人大代表票决民生实事项目实施情况的报告及县人大常委会关于县人大代表票决民生实事项目实施情况的检查报告；审议通过了关于柞水县民生实事项目监督暂行办法（草案）的起草说明；审议通过了县人大常委会关于人大代表旁听庭审暂行办法（草案）的起草说明；审议通过了县人大常委会关于员额法官员额检察官履职评议暂行办法（草案）的起草说明。

9月28日，召开柞水县第十九届人大常委会第3次会议，听取和审议了县政府关于2021年财政决算（草案）报告和2021年县本级预算执行及其他财政收支情况的审计工作报告及县人大常委会财政经济工委的审查报告；听取和审议了县政府关于2022年新增政府债券收支安排和财政预算调整方案（草案）的报告及县人大常委会财政经济工委的审查报告；听取了县监察委员会关于开展廉政教育工作的报告；听取和审议了县人大常委会调研组关于开展建立人大代表防返贫动态监测机制助推乡村振兴工作的调研报告，审议通过了关于建立防返贫动态监测工作监督办法（草案）；县政府部分直属事业单位工作评议；审议了人事议案。

10月24日，召开柞水县第十九届人大常委会第4次会议，听取和审议了柞水县人大常委会代表资格审查委员会关于个别代表的代表资格的报告；听取和审议了关于召开柞水县第十九届人民代表大会第二次会议有关事项的报告。

12月29日，召开柞水县第十九届人大常委会第5次会议，听取和审议了县人民政府关于县十九届人大一次会议代表议案建议办理情况的报告及县人大常委会人事代表联络工委的调查报告；听取了县人民检察院关于"四大检察"的专项报告；审议通过关于加强未成年人检察工作的决议（草案）；审议通过了关于表彰2022年度优秀县人大代表的决定（草案）。

【代表工作】通过微信群、公众号常态化向人大代表发送人大工作相关知识，为人大代表订阅业务报刊、购买书籍，采取"请进来"与"走出去"相结合，加强"一制度（人民代表大会制度）+四部法（宪法和地方组织法、代表法、监督法）+两技能（审议各项报告能力、撰写议案建议能力）"培训，提高代表履职能力。全年开展集中培训6次、外出考察学习5次，按专业抽调代表180人次参与专题调研、执法检查、集中视察等活动，30多名基层代表应邀列席人大常委会会议，在实践中不断提高履职能力，22名县人大代表被评为优秀代表。印发《关于规范提升人大代表联络站管理运行工作办法》，建成9个中心联络站、28个村（社区）级联络站和农业农村、卫生健康2个专业联络站，全县590名各级代表就地就近编入代表联络站，共接待选民873人，为民办实事93件。开展常委会组成人员走访代表、代表走访群众的"双走访"活动，全县各级代表共走访群众3000多人次，收集意见建议300多条。制定《县人大代表专业小组组建和活动办法》，组建4个代表专业小组、30个混合代表小组，定期开展活动。

【执法检查】开展《陕西省秦岭生态环境保护条例》执法检查"回头望"，听取和审议县政府2021年度全县环境状况和环境目标完成情况的报告，提出意见建议8条。出台《人大代表旁听庭审暂行办法》《法官检察官履职评议暂行办法》，开展人民陪审员履职情况调研，组织开展《关于加强检察公益诉讼及诉前检察建议工作的决议》贯彻执行情况调研，完善对法检两院监督网格；首次听取县监委关于廉政教育的专项工作报告，实现"一府一委两院"的全面监督；开展《传染病防治法》《治安管理处罚法》《慈善法》等执法检查，提出意见建议13条，督促政府部门履行法定职责，落实法律责任；对《柞水县县级储备粮轮换管理办法》等3个规范性文件进行了备案审查。

【专题调研】开展人大代表防返贫监测体制机制助推乡村振兴调研，制定《柞水县人大常委会关于建立人大代表防返贫动态监测工作监督办法》，及时研判预警、监测帮扶，全面巩固脱贫成果，强力推动乡村振兴。对义务教育"双减"政策落实情况和职业技术教育发展情况、医疗卫生服务质量、县城规划建设管理情况开展专题调研，对县中医院搬迁运营、"三无"小区治理进行集中视察，推进教育、公共卫生、城市建设等工作顺应新形势、满足新要求；组织人大代表对民生实事项目分阶段开展专题调研和专项视察，督促切实把好事办实、把实事办好。

【亮点工作】出台《人大代表旁听庭审暂行办法》《法官检察官履职评议暂行办法》，听取了县监委关于廉政教育的专项工作报告、县人民检察院"四大检察"专项工作报告及未成年人检察工作专项报告，全过程人民民主的柞水实践在《民声报》头版头条刊登、被《法治与社会》重点推介，柞水人大特色亮点工作在省市主流媒体刊登30余条，荣获全省人大2022年度新闻宣传工作一等奖，机关14名干部荣获省市县表彰奖励。

(孟苗撰稿　张书国编辑)

柞水县人民政府

县政府领导成员

县　长
刘　鹏（2022年1月—12月）

副县长
胡大志（2022年1月—12月）
李浴溱（2022年1月—12月）
吴　根（2022年1月—12月挂职）
魏　巍（2022年1月—12月挂职）
蒋维杰（2022年1月—12月）
陈新波（2022年1月—12月）
李小军（2022年1月—12月）
王茂荣（2022年1月—12月）
鲁永红（2022年1月—12月挂职）

县政府工作

【概况】聚焦建设"三高三区"新柞水目标，学习贯彻党的二十大精神及习近平总书记来陕考察重要讲话重要指示精神，抓好"疫情要防住、经济要稳住、发展要安全"三件大事，县域经济保持了平稳运行、趋势向好、质效提升的发展态势，较好地完成各项目标任务。完成生产总值101.31亿元；固定资产投资135.49亿元，增速排名全市第三；社会消费品零售总额11.62亿元，增速排名全市第二；财政总收入5.01亿元，地方财政收入2.22亿元；城乡居民人均可支配收入分别达到30974元、12219元，经济运行呈现出稳中趋优的良好态势。

【项目建设】开展"高质量项目建设推进年"活动，云山湖森林康养度假区入选全省20个万亿级重点旅游项目，曹坪抽水蓄能电站开工建设，西康高铁扎实推进。131个重点项目完成投资137.6亿元，占年任务的106.8%，其中，22个市级项目完成投资58.4亿元，占年任务的112%，在商洛市重大项目观摩中位居第一方阵。坚持招大项目与引大企业并举，累计签约项目67个，招商到位资金194亿元，占年任务的123.5%，其中省际到位资金居全市第一。落实稳增长系列措施，争取上级专项资金11.5亿元、债券资金3.3亿元，争资引资，落实招商到位资金165亿元，占年计划的105%。

【乡村振兴】坚持"四个不摘"和"三个转向"

要求，推进"两边一补齐"行动，开展"百日提升督帮"，持续推进"三落实一巩固"工作，全力兴产业、促就业、抓兜底，村集体经济持续壮大，联农带农作用凸显，脱贫人口人均纯收入增长13.5%，守住不发生规模性返贫底线，"三带"促就业经验在全国脱贫人口稳岗就业工作会上交流。投入乡村振兴衔接资金1.88亿元，整合财政资金2.87亿元，实施涉农项目235个，扎实推进木耳产业"六大行动"，新建大棚559个，种植木耳1.01亿袋，柞水木耳入选全国农业产业"三品一标"典型案例，荣获全省食用菌产业链典型县、杏坪镇被认定为全国"一村一品"示范镇，下梁镇产业强镇经验在全省"三农"重点工作推进会上交流。提升农村人居环境，打造"五美庭院"3100户，建成秦岭山水乡村示范村21个，金米村被确定为陕西省"美丽乡村文明家园"建设示范点。持续深化科技部定点帮扶、省级驻柞包联、苏陕扶贫协作，易地搬迁后续帮扶等措施全面落实，建成扶贫产业园、社区工厂、扶贫车间20个，打造消费扶贫专馆专区专柜12个，发放小额脱贫贷款4100余万元，实现脱贫成果全面巩固、乡村振兴良好开局。

【工业经济】开展"百名局长行长联企业纾难解困"活动，组建"助工保产"专班52个，认真落实工业稳增长促投资21条措施，出台《"五上"企业奖励办法》，落实37名县级领导联系包抓重点企业，落实运行监测、援企稳岗、服务保障等政策措施，在融资信贷等方面疏堵点、补断点、解难点，协调金融机构向企业发放信贷资金7.8亿元，为企业争取上级奖补资金1.2亿元，落实减税降费6535万元，新增市场主体1232户，培育"五上"企业29家。按照"一区两园、集群发展"思路，推进矿业发展"五化"建设，推动骨干企业扩大产能，增强工业经济发展后劲，建设标准化厂房7.7万平方米，盘龙药业入选全国第四批服务型制造示范企业，三八妇乐科技公司被授予第九批省级工业品牌培育示范企业，宝华矿业被认定为全省高新技术企业，规上工业完成产值235.59亿元。培育高新技术企业2家、科技型中小企业44家，在秦创原设立飞地孵化器，荣获全国首批、全省唯一的国家创新型县。

【农业经济】坚持把农业增效、农村发展、农民增收作为工作抓手，扛牢粮食安全责任，建成高标准农田733公顷，完成粮食播种13066.67公顷，总产4.26万吨，粮食播种面积和产量实现"双增长"。统筹推进特色农业发展，肉类总产量1.4万吨，禽蛋产量达到0.721万吨，发展中药材2533公顷、烤烟133公顷、蔬菜3400公顷、水面养殖32公顷，新建标准化茶园33公顷，成功举办首届云蒙山茶园开采节，实现农业总产值17.5亿元，农村居民人均可支配收入12590元，同比分别增长6.5%、10%。农村"三变"改革纵深推进，村集体经济持续壮大，培育高素质农民254人，新增家庭农场14家，集体经济收益超10万元村28个。全省农村宅基地制度改革试点工作现场会在柞水县召开。

【全域旅游】巩固国家全域旅游示范区创建成果，孝义厅文化体验园、飞跃终南极限运动公园等涉游项目建成运营，秦楚古道、终南山寨国家4A级景区创建稳步推进。特色民宿、户外拓展、研学旅行等康养业态蓬勃发展，建成民宿303院，接待游客、旅游综合收入平稳增长，全市打造"中国康养之都"现场会在柞水召开。"秦岭闺秀·康养柞水"品牌持续唱响，牛背梁旅游度假区被评为国家级旅游度假区，柞水入选2022健康中国·康养旅游百强县，营盘镇获批第二批全国乡村旅游重点镇，荣获全省森林旅游示范县，梨园村被命名为全省乡村旅游示范村，金米村、朱家湾村、洞天福地等5

个景点入选全国乡村旅游精品线路。完善电商物流配送体系，线上交易额突破3亿元，荣获全省首家"832"平台产业帮扶示范县、国家电子商务进农村综合示范县。

【城镇建设】深化"两拆一提升"和自建房、阳光房整治行动，实施城区立面改造、线缆落地等九大环境提升工程，拆除违建1.3万平方米，整治有安全隐患经营性自建房109栋，新建游园14个、绿地5.05万平方米、停车位2429个，改造老旧小区330户、跨河大桥13座，县城中心片区棚户区改造一期项目建成回迁，县城群众文化广场、休闲健身步道等投入使用。营盘、凤凰两个省级重点镇建设步伐加快，G211大坪至营盘、窑镇社区至李家砭、曹坪至瓦房口等公路改建项目稳步推进，建成村组道路77条91.28千米，修复水毁公路75条234.66千米。农村改厕稳妥推进，提升城市公厕18座，完成2457卫生厕改造，占任务的100.02%，凤镇街社区、金凤村、秦丰村、新合村被评为全省美丽宜居示范村，群众生产生活条件不断改善。

【生态环保】始终牢记"国之大者"，查处涉秦岭违法案件49起，问题图斑在全市率先清零，建成全市首个秦岭智慧监管中心，全省秦岭生态"五乱"问题整治现场会在柞水县召开。从严落实河长制、林长制、田长制，完成造林绿化4900公顷，建成堤防16.5千米，治理水土流失面积85平方千米，入选国家水土保持示范县。打好"三大保卫战"，削减化学需氧量60.4吨、氮氧化物10.34吨、挥发性有机物18.36吨，出境断面水质稳定达标，空气质量优良天数357天，居全市第一，全省低碳日主题宣传活动启动仪式在柞水县举办。首批生态产品价值实现创新案例通过中科院认定，全市生态产品价值实现机制成果发布会在柞水县召开，迎春社区等9个社区被评为全省绿色社区，朱家湾村入选第六批中国传统村落名录，成功创建为国家生态文明建设示范区。

【民生保障】坚持以人民为中心的发展思想，大力推进"稳就业"，城镇新增就业1950人，农村劳动力转移就业3.5万人。改扩建学校5所，增加学前及义务教育学位1470个，高考二本上线率保持全市前列，中考质量稳居全市第一，教育"双减"政策全面落实。县医院住院楼建成投入使用，县中医医院整体搬迁开诊，新建公有制产权村卫生室18个，实现所有村（社区）全覆盖。开展文化惠民演出120余场次，《柞水渔鼓》等3个案例被评为全省"一县一品"特色文化艺术典型案例，手工编草碗等2个项目入选全省第七批非物质文化遗产名录。建成日间照料中心和农村幸福院13个，发放城乡低保、五保供养、特困供养、临时救助等各类民生保障资金1.56亿元。人民群众的幸福感、获得感、安全感持续增强。

【综合治理】统筹推进常态化疫情防控，科学高效应对了多轮疫情冲击，集中医学隔离观察点建成投用，以实际行动推动疫情平稳有序调整转段，守护了人民群众的生命健康。"放管服"改革下放行政职权22项，政务服务事项网办率95%，高频事项"一件事一次办"202项，探索推行的"5个+"审批服务模式被《全国优化营商环境简报》刊发推广。深入开展安全生产"1598"行动，严格落实"党政同责、一岗双责"，强化重点领域安全生产监管，完善县政府领导干部安全生产"职责清单"，创新建立防汛救灾"4+4"工作法，安全生产事故和死亡人数"双下降"。稳步推进法治柞水建设，"八五"普法全面推进，开展法律宣传210余场次，发放资料3000余份，常态化推进扫黑除恶斗争，严厉打击非法集资、电信诈骗、黄赌毒等违法犯罪活动，扎实抓好信访积案化解和平安柞水建设，连续五年被评为全省信访工作先进县，全县大局和谐稳定，荣获全省平安县区及"平安铜鼎"。

(梅林海撰稿　陈刚编辑)

县政府办公室工作

柞水县人民政府办公室

主　任

白明树（2022年1月—12月）

副主任

周成全（2022年1月—12月）

张志勇（2022年1月—12月）

陈敦山（2022年1月—12月）

黄家瑞（2022年1月—12月）

党组书记

白明树（2022年1月—12月）

纪检组长

孟　磊（2022年1月—12月）

党组成员

张大雷（2022年1月—5月）

李德林（2022年1月—12月）

黄桂珍（2022年1月—12月）

支部书记

张大雷（2022年1月—5月）

白明树（2022年5月—12月）

电子政务中心主任

井绍君（2022年1月—12月）

金融服务中心主任

党　梁（2022年1月—12月）

【文秘服务】建立文件审核签发和差错责任倒查制度，严把综合文稿政策关、文字关、格式关，全年审核制发各类文件460余件，组织撰写政府工作报告、讲话、汇报、总结等综合性材料600余篇。全面提升会务活动服务水平，对重大活动实行事前编制精细化方案、事中全程跟踪服务、事后及时总结复盘，精心组织各级领导来柞调研活动80余场次，牵头承办了国、省、市三级现场会18场次，会议活动组织规范有序。

【综合调研】围绕全县中心工作和重点、难点、热点问题，深入研究新时期新阶段工作中出现的新情况、新问题，先后组织开展项目建设、产业发展、乡村振兴、生态保护、风险防范等专题调研50余次，完成调研报告40余篇，并先后在《陕西工作交流》《陕西经济工作研究》《商洛政府研究》等刊物发表，有效发挥了"参谋部"和"智囊团"的作用。

【信息宣传】实行"全员办信息"制度，建立信息"周通报、季点评、年奖惩"机制，干部每周撰写政务信息不少于2篇，排名末位的在周例会检讨、连续三次末位进行约谈，全年累计编报政务信息2251期，先后被《省政务信息》采用4篇、《市政务信息》采用52篇，编发、上报和采用总量均创历史新高，综合排名全市第一，被评为全市政务信息先进集体。

【督查督办】建立健全"抓督办、促落实"的闭环责任机制，创新探索"政务督查+"新机制。汇聚督查办、执行力办和行业部门力量，采取定期跟进、明察暗访、全程问效等形式，全面聚焦"军令状"、《政府工作报告》、政府全体会及县长碰头会等明确的重点任务，实行台账清单管理、常态跟踪督办，按时办结率98%以上。同时，开展"下基层解难题办实事"活动，加大对镇办村组、行业部门、一线单位督促问效，协调解决难题390余件。

【建议提案办理】建立健全完善建议提案办理工作督促督办工作机制，狠抓建议议案的督办落实。2022年办理县人大代表议案123件，县政协委员提案115件，均按照办理要求全部办理完毕，建议、提案的办结率、回访率达100%，满意率达99%以上。

【值班值守】按照"职责明晰、管理规范、效率优先"的原则，建立健全各项值班工作规章制度，保障值班工作高质、高效运行。实行领导带班、全员值班制度，牢固树立"值班工作无小事"的责任意识，接听每一个电话、收发每一份文件都快速反应、认真对待、谨慎处置，做到上传下达、信息报告、协调联络等工作"全天候""无缝隙""不间断"。同时，加强值班人员的业务水平能力培训，不断提高值班人员的综合素质；采取实地检查与电话抽查相结合、明察与暗访相结合的督导检查制度，不定期对值班情况进行检查，促进值班工作的科学化、规范化。编报《值班要情》33期，处置应急突发事件2起。

【信访接待】严格按照"五个一"工作要求，明确"接访就是服务"的思路，进一步规范处理群众来信来访工作，解决群众合理诉求。认真办理群众的每一封来信，热情接待群众。对群众的来信，认真拆阅、登记、转办；对来访群众热情细致，不厌其烦地做好宣传解释工作，做到访必接、接必办、办必果。接待群众来访60件300余人次，处理来信145件，无群体性事件发生。信访工作总量持续下降，维护社会大局稳定。

【后勤服务】严格执行中央八项规定和财务管理制度要求。将厉行节约、反对浪费落实到具体工作之中。严格控制办公用品采购程序，减少一次性办公用品购置，加大节水、节电、节油力度，全力降低运行成本，节约使用办公设备，对办公室所有电脑、打印机等办公设备定期进行检查维修，保障了日常办公的需要。按照"保证重点、统筹兼顾、机动灵活、厉行节约"的原则，统一调度公务用车，保障县政府领导及办公室各类公务活动的正常开展。加强预算编制、预算执行，"三公经费"及其他各项费用的支出大幅减少。

【队伍建设】以"建一流队伍、创一流业绩、树一流形象"为方向，以培养全能型干部为目标，着力打造一支政治过硬、工作一流、素养优良、团结奋进的工作团队。积极搭建学习交流平台，充分发挥班子成员的模范引领作用，坚持集体学习和个人自学相结合，组织集体学习40次，个人自学100小时以上，人均摘抄学习笔记1.5万余字，撰写心得体会在2篇以上，提升干部政治理论素养和干事创业本领。6名政治素养高、工作能力强、业绩突出的干部被任命股室长，5名干部晋升八级职员，享受事业单位职级并行待遇，新任命下属事业单位副职领导4名，凭实绩推荐提拔副科级领导1名，正科级领导1名，进一步充实年轻干部力量，优化干部成长路径。

【乡村振兴】落实驻村兴农，助推乡村振兴。坚持调优配强驻村帮扶工作队，选派5名工作队员长期驻村，持续夯实帮扶工作责任，围绕防止返贫监测和帮扶"两个环节"，对标"两不愁三保障"，常态化开展监测预警和动态管理，全村所有脱贫户两不愁三保障和收入稳定达标，无返贫风险，顺利通过"后评估"和"回头看"。先后协调争取资金

400余万元，成立老庵寺村股份经济合作社，引进龙头企业8家，改扩建香菇大棚187座，发展木耳80万袋、中药材270余亩，户均增收5000元以上。同时，狠抓环境美化，建设观光绿道12千米、生态河堤6千米、"最美农村路"5千米，开辟木耳采摘体验园10亩，实现了村庄干净、庭院整洁、田园美丽。

（汪阳撰稿　陈刚编辑）

人力资源和社会保障

柞水县人力资源和社会保障局
党组书记局长
崔福生（2022年1月—12月）
党组成员副局长
高应锋（2022年1月—12月）
郝振武（2022年1月—12月）
县就业服务中心主任
杨秦湘（2022年1月—6月）
吴春巧（2022年6月—12月）
县机关养老经办中心主任
魏长明（2022年1月—12月）
县人才交流中心主任
丁　韬（2022年1月—12月）
县劳动监察大队队长
代　飞（2022年1月—12月）
县劳动人事争议仲裁院院长
汪晓梅（2022年1月—12月）
县城乡居民社会养老保险经办中心主任
张　沛（2022年1月—12月）
县工伤失业保险经办中心主任
张　艳（2022年1月—12月）

【概述】深入学习贯彻习近平总书记来陕考察重要讲话重要指示精神，坚持以迎接学习宣传贯彻党的二十大精神为主线，坚决贯彻落实"疫情要防住、经济要稳住、发展要安全"的重要要求，主动担当作为，服务发展大局，统筹推进疫情防控和经济社会发展，在就业创业、社会保障、人事人才、劳动关系等方面取得显著成效。先后荣获"全国行政执法先进集体"、全市"六稳六保"工作先进集体、全市乡村振兴工作先进集体、全市文明单位和全市信访工作业绩突出单位等荣誉。

【稳扩就业】落实支持社区工厂、就业帮扶基地各项政策，稳定和扩大就业容量，通过19家就业帮扶基地、12家社区工厂，带动就业2078人，其中脱贫人口829人，发放奖补性岗位补贴14.8万元。机关事业单位招聘高校毕业生182人，高校毕业生就业见习134人。通过城镇公益性岗位新安置就业困难94人，通过特设公益性岗位安置脱贫（监测）劳动力1077人。以"就业援助月""春风行动"和"民营企业招聘月"等系列公共就业服务活动为载体，征集发布就业岗位1.8万余个。疫情防控期间，"点对点"专车集中输送农民工929人。

【社会保障】坚持"线上+线下"齐发力，线下入镇村、进企业举办"人社政策大讲堂""领导干部走流程"和"送政策上门"等宣传活动，走访企业180余户，开展集中宣传培训16场次，发放"人社政策口袋书"等宣传资料1万余份。线上以"陕西养老保险App""人社微信公众号"为抓手，推送社会保险政策8期。城镇职工、机关事业、城乡居民养老保险分别参保9739人、7421人、82998人。失业保险、工伤保险分别参保10500人、14895人，社会保障卡持卡人数13.68万人。发放60周岁以上被征地农民生活补贴500人52.4万元；为低保、特困、残疾困难群众代缴保费5806人36.65万元；提高城乡居民基本养老保障水平，累计发放4353.4万元，城乡居民养老保险人均领取达151.16元。享受降费政策企业435家，缓缴养老保险企业6户174人16.4万元，缓缴失业、工伤保险费1户44人2.95万元。核查疑点数据22条，追回违规基金10.2万元。实现养老、工伤失业保险待遇领取"一次不用跑"。在全市首创设立职业年金单位缴费部分预备金，实行按季度结算，参保单位对新增退休"中人"和调出人员当月完成相关业务办理。巩固脱贫人口基本养老保险全覆盖成果，对参加城乡居民养老保险的低保、特困、致贫返贫人员等农村困难群体继续实施政府代缴保费政策。

【人事人才】推动事业单位管理岗位职员等级晋升工作，规范事业单位工作人员聘用管理，累计签订合同3800余份；积极落实人才引进招聘政策，累计招聘研究生学历人才两批次23名，事业单位工作人员109名，三支一扶人员18名，医学定向生招聘37人，共187人；深化苏陕交流合作，选派20名专业技术人员赴高淳交流学习；优化职称评审制度，审核续聘、初定职、晋升等级人员807人。强化三支一扶人员资金保障，发放生活补贴142万元。

【执法监察】通过强化机制、源头治理、高压惩治、执法检查等硬核措施，推动根治欠薪工作提速增效。充实劳动监察大队7名执法力量，出台《柞水县根治拖欠农民工工资工作实施方案》《柞水县保障农民工工资支付工作十二项措施》等文件，将全县划分为23个网格。受理国办系统、12345热线平台和现场投诉举报295起，调解处理到位295起，办结率和满意率100%。推动联合惩戒机制落实，纳入黑名单管理企业2家，公布重大劳动保障违法行为1家。46个工程建设领域项目"八项制度"落实实现全覆盖，开展劳动保障专项检查18次，日常巡查61次，检查各类用工单位173户，发出各类执法文书181份，为1400余名农民工追回欠薪2500余万元。对36个在建项目欠薪隐患和风险防控实行"红、黄、绿"三色防控预警，累计发布预警27次。

（叶章忠撰稿　陈刚编辑）

信访工作

柞水县信访局

局　　长

周成全（2022年1月—12月）

副局长

周长博（2022年1月—12月）

王东稳（2022年1月—12月）

副科级信访督查专员

徐龙潇（2022年10月—12月）

县信访接待中心主任

陈　炜（2022年8月—12月）

【概况】接待群众来县访345件899人次，其中个访276件452人次，集体访69批447人次；赴省访3件3人次；无到市访，无进京赴省集体访和非接待场所上访，无群体性事件发生。柞水县被省信访工作联席会议办公室、省信访局评为2022年度信访工作先进县，被市信访工作联席会议评为党的二十大期间信访工作先进县，被市信访工作联席会议办公室评为信访工作业绩突出单位；柞水县信访局被中共商洛市委平安商洛建设领导小组办公室评为全市党的二十大维稳安保工作先进集体，被市信访工作联席会议办公室评为信访工作业绩突出单位，被县委、县政府评为2022年度全县信访工作先进集体、夺旗抱奖牌工作先进集体。

【落实责任】先后召开4次县委常委会、5次县政府常务会、18次县信访联席会和信访工作专题会议研究部署信访工作。建立镇办信访工作联席会议制度和政府部门主要负责人到镇办公开接访制度，层层签订信访工作目标责任书，进一步明确镇办和部门信访工作责任。将学习宣传贯彻《信访工作条例》作为重要政治任务，县委常委会、县政府常务会带头组织学习《信访工作条例》，县委书记、县长带头撰写发表学习《信访工作条例》署名文章，县委副书记电视讲话宣传《信访工作条例》，采取"三个到位""四轮驱动""八个结合"，推进《条例》进机关、进乡村、进社区、进学校、进企业、进单位，制作的《扬信访利剑　护人民利益》宣传片得到各级肯定。同时，将《条例》的贯彻体现在落实各级各部门信访工作责任上，严格落实"党政同责、一岗双责、属地管理、分级负责、谁主管、谁负责"要求，努力构建党委统一领导、政府组织落实、信访工作联席会议协调、信访部门推动、各方齐抓共管的信访格局。

【积案化解】扎实开展"积案大清理，迎接二十大"活动，成立领导小组和工作专班，制订活动实施方案，保障活动扎实开展。推行"县委书记安排部署，县级领导包抓跟进，信访联席会议研判，公检法司集中会商，县委督查办督办落实，镇办部门联动化解，及时上报推进情况"的工作机制，形成"全县上下一盘棋、贯通联动抓落实、齐抓共管促化解"的工作格局，得到市委、市政府领导通报表扬，上级交办的17件信访积案全部按期办结上报，省委巡视组巡视柞水期间交办信访件9批次141件，均交办至相关责任单位进行核查办理上报。成功化解陈某、杨某、何某等一批多年信访积案，陈某重复信访事项办理情况的典型案例被推荐上报到国家信访局。

【纠纷排查】 坚持和发展新时代"枫桥经验"，坚持源头治理，完善信访制度，健全社会矛盾纠纷预防调处化解综合机制，提升基层解决信访问题、化解矛盾纠纷的能力和水平，从源头上预防和减少信访问题发生，开展"信访矛盾源头治理多元化解创新年"活动，全市矛盾纠纷多元化解机制建设工作现场会在柞水观摩。发挥人盯人+基层社会治理的作用，持续加强信访矛盾纠纷排查调处工作，排查各类信访矛盾纠纷262件，调处办结259件，排查调处率达100%，化解率达98.85%，最大限度地把问题解决在基层、消除在萌芽状态。

【创先评优】 县进京走访登记0人，没有超过总人口十万分之一的标准；到国家信访局来信访14人次，没有超过总人口万分之一的标准；到国家信访局网上信访65件，没有超过总人口二千分之一标准；没有发生到市以上集体访，没有发生群体性事件，各项指标均在国家信访工作示范县创建考核的范围之内。创新党建+基层社会治理的工作模式，抓好标准化机关支部创建活动，建起标准化的党员活动室，联合开展"五联五共"党建主题活动，《学深悟透信访工作条例，做实做优新时代信访工作》《柞水推进党建+信访深度融合》《做好"五访"当好"五员"用心用情解决好人民群众急难愁盼》等7篇稿件在《民情与信访》刊发，在县政府网站、柞水先锋等县级媒体发稿72篇，商洛日报采用6篇，信息宣传报道工作得到市县的通报表彰。开展创先争优活动，2名干部被市信联办评为信访工作先进个人，3名干部被市信联办评为全国"两会"接劝返工作先进个人，2名干部被县委评为信访工作先进个人，2名干部年度考核获得优秀格次，信访局机关被县委授予"争资夺旗抱奖牌"工作先进单位，局长周成全同志被省人社厅、省信访局评为全省信访工作先进个人，被县委、县政府评为"全县信访工作先进个人""争资夺旗抱奖牌工作先进个人"。

【法治信访】 加大法治信访宣传教育力度，聘请法律顾问在信访大厅常年参与接访，引导群众依法逐级上访，制定信访工作三色预警管理办法，印发了《关于依法严厉打击缠访闹访越级信访等违法信访行为的通告》，查处涉访违法案件7起，无到市以上集体上访，无进京非接待场所上访，无群体性事件发生，实现党的二十大信访人北京不去、省上不聚、外省不窜、网上不炒的目标。

(汪芳林撰稿 陈刚编辑)

城镇企业养老保险

柞水县养老保险经办中心
主　任
　　王　伟（2022年1月—12月）
副主任
　　郭　敏（2022年1月—12月）

【养老金发放】 发放养老保险待遇7191.13万元，对离休人员、军转干部、独生子女父母、劳模等特殊群体的补助、补贴发放稳定有序，发放率均达到100%。

【申报征缴】扩面征缴工作成效显著，征缴基本养老金4939.27万元，参保人数达9724人，其中在职7551人，退休2173人，新增扩面445人。

【资格认证】启用陕西养老保险手机App，开展养老金领取资格认证工作，完成2055名离退休人员的资格认证工作，认证率达100%，当年新退休人员指纹采集率达100%。

【落实惠民政策】落实养老保险费缓缴政策，缓缴备案企业15家，享受缓缴企业11家，人数562人，享受缓缴金额44.36万元。

（寇文萍撰稿　余锡政编辑）

机关事务管理

柞水县机关事务服务中心
党组书记
石　波（2022年1月—5月）
朱其停（2022年5月—12月）
主　任
石　波（2022年1月—5月）
韩　琳（2022年5月—12月）
副主任
韩　琳（2022年1月—5月）
汤　婷（2022年8月—12月）

【概况】2003年12月，由县委县人大、县政府、县政协机关事务所整合组建县机关事务管理局，2019年2月事业单位机构改革更名为机关事务服务中心。主要负责县委、县人大、县政府、县政协班子及集中办公各部门事务管理工作，主要职责：负责管理机关大院所有固定资产的分配、管理和维修；负责机关大院的后勤管理；负责机关安全保卫、精神文明建设等；负责大院规划与基本建设；承担全县会议服务保障；负责全县"四公"（县公共机构节能、县公车管理、县办公用房清理与停建、县公务接待）及县委、县政府交办的其他工作。中心内设二室三股三组（办公室、财务室、车改股、后勤股、接待股、保卫组、保洁组和餐厅组），现有编制19人，正科级2人，副科级1人。

【班子建设】强化理论武装。采取集中学、专家讲、个人悟等形式，深入学习中、汇报省、市、县的重大决策、重大工作部署和重要会议精神。加强班子思想、作风和能力素质提升建设，执行民主集中制，健全完善重大决策程序，实行重大决策会议研究决定和相互通报制度，增强决策的透明度，形成科学民主的决策机制。制订全年党风廉政建设工作计划，层层签订目标责任书分解任务，及时传达、部署上级党风廉政建设和反腐败工作要求。落实党风廉政建设"两个责任"，坚持将工作落实和党风廉政责任落实同安排、同要求、同检查，没有发生违法、违纪现象。通过学习原著、全员研讨、讲实党课、多次交流、改进工作等方法和路径，组织开展"学楷模强化自身素质，敢担当争做服务先锋""话廉洁守初心研讨交流"、新时代中国特色社会主义思想、十九届六中全会等专题研讨交流4次，组织收看红色影片1次、主题教育专题片3次；赴杏坪镇严坪村开展主题党日活动，较好落实了"三会一课""主题党日"和民主评议党员制度。

【公务用车】落实《陕西省党政机关公务用车管理办法》，建立完善柞水县公务用车管理办法等相关制度。对全县公务用车安装OBM车载终端的安装使用进行监管；完成购置车辆审批、划转，对县级事业单位党政机关车补的公务交通补贴进行审核备案。为定向保障车辆配备定位系统，对车辆运行轨迹、车速、行驶公里数全程监管，有效遏制公车私用、违规行车等行为。公务用车统一规范喷涂标识，接受社会公众监督。实行平台车辆管理"六统一"制度，即统一产权登记、统一调派使用、统一定点加油、统一定点维修、统一定点保险、统一喷涂标识。完善《公务用车保障平台使用办法》《公务用车安全责任书》《公务用车台账登记》等相关制度，同时严格落实国家法定节假日公车封存制度，节假日期间对公务用车统一封存，集中停放、专人监管。本地区、本部门公务用车总编制数110、实有数102、账面净值354.67万元，20个行政部门，其中19个一级部门、1个下属单位，按照使用性质划分：机要通信车4辆，应急保障车23辆，执法执勤车73辆，实物保障用车2辆，没有新能源公务用车。车辆配备更新4辆，相比2021年多购置1辆，购置费用66.52万元、购置经费多15万元，处置4辆，比2021年少处置1辆，账面净值354.67万元、账面净值共少20万元，出车次数18580次、行驶里程166.61万千米、运行费用302.34万元，较2021年高23万元，不存在未核编或超编制车辆。

【办公用房】贯彻落实《党政机关办公用房管理办法》《机关事务管理条例》《陕西省机关事务管理办法》等文件精神，严格执行政策标准，做到坚决清理、合理处置、科学管理。定期对各部门（单位）办公用房使用情况进行督导检查，杜绝超标准使用办公用房和随意改变办公用房使用功能等违规行为。根据县委、县政府关于《柞水县机构改革方案》要求，按照人随事走、房随事走、相对集中便于工作的原则，结合涉改单位现状分析，充分考虑各部门特点研究制订调整方案，对涉改单位进行详细安排。采取主动登门协调解决搬迁中遇到的各种困难和问题，将县信访局调整到县审计局一、二楼办公，共23间626.6平方米；将县两路办调整到县林业局四楼办公，共1间123平方米；将县体育运动学校调整到县卫健局一楼办公，共两间28平方米；将县卫健局剩余6间1143.8平方米办公用房作为县疫情防控领导小组临时办公办公室，待阶段性工作结束后，调剂安排其他单位办公；将县委巡察办腾退的7间144.4平方米办公用房用于县委巡察组每轮巡察抽调人员办公；将县资源局下属单位县不动产登记中心（外租）调整到县资源局一楼、四楼办公，共5间252平方米。根据《关于做好全国党政机关办公用房信息统计报告工作的通知》要求，制定下发《关于做好全县党政机关办公用房信息统计报告工作的通知》，组织全县81个行政单位和9个乡镇对办公用房面积、数量、权属登记、建设年代逐项统计。

【公共机构节能】根据《商洛市公共机构能源资源统计实施方案》《柞水县公共机构节能工作实施细则》要求，日常宣传引导与集中培训相结合，依托节能宣传周、低碳体验日等活动，制作宣传展板，示范单位引领，增强干部职工的节能意识。完善公共机构名录库系统，形成横向倒边、纵向到底、全面覆盖、不留缝隙的公共机构节能工作网络，通过QQ群发送节能信息及业务知识，提高节能统计人员业务技能，通过网络直报制度，使数据报送更加准确和快捷。53个单位入选创建商洛市公共机构节能示范单位名列。

【公务接待】贯彻落实中央八项规定和《党政

机关国内公务接待管理规定》，按照简约简单、勤俭务实的原则做好公务接待工作，严格执行接待审批程序，把是否有接待方案、有主要领导和分管领导签字作为承担接待任务的前提，接待结束后严格执行按文报账制度，确保接待严谨有序。严格执行省市规定和《柞水县公务用餐暂行规定》，用餐安排以机关灶为主，住宿安排以协议酒店为主。负责的县委、县人大、县政府、县政协公务接待36批次共280人，会议接待3批次共566人（除"两会"和省巡视组来柞接待）；均得到了接待对象的好评。

【争取项目资金】向省财政厅申报县政府机关大院节能燃气供暖改造100万元，政府大院1、2号楼供暖系统老旧，使用超过20年，破损严重，热能损耗大，不符合节能环保要求。通过县发改局向省财政厅申报改造项目，所有资料全部上报。

【招商引资】提供有价值招商线索4条，分别是中药材种植项目、高山茶园建设项目、特色民宿旅游项目、皮纸手工作坊项目。

【政协委员提案办理】收到县政协交办提案《关于事业单位专技人员交通补贴的建议》（第23号提案）1件，与上级主管部门对接，明确政策，对政策范围内的事业单位专技人员交通补贴及时核准发文，对不在政策范围内的人员进行解释说明，7月13日办理到位，并向提案人当面进行沟通交办，提案人非常满意。

【依法行政】落实部门主要负责人推进法治建设第一责任人职责，加强对本单位法治建设工作的研究部署，健全依法决策机制，依法依规制定规范性文件，提升部门法治建设整体水平。学习《党政机关厉行节约反对浪费条例》《陕西省公共机构节能管理办法》《陕西省机关事务管理办法》等法律法规，提高依法行政意识。

【平安大院建设】设备做到定期检查、定期维护、定期保养，邀请专业技术人员对电梯困人如何施救进行了专业培训和现场演练；冬季采暖期间，对设备进行定期维护保养，及时处理渗漏现象，降低能源消耗。设备维护都通过图片和简要文字记录在案，实行清单制管理。坚持水电报修登记、节假日例行检修制度，维修用水系统故障230余次，供电系统故障170余次，做到随报随修、分秒不误。实行灭火器常规充粉加压和消防联动控制系统检查相结合的管理模式，发现问题及时整改，堵塞火灾漏洞。实行人防、技防、物防"三防"结合的工作方式，每天坚持定人定岗对公共县域卫生间、垃圾台、车库进行消杀灭蚊蝇工作，每月进行一次全面消杀工作，确保绝对安全。严格执行《安全保卫管理制度》，强化24小时值班和夜间巡逻检查，积极协调有关单位妥善配合信访部门劝导上访群众200余起。严格按划定车位停放车辆，对所有出入车辆进行造册登记，无安全事故发生。

【人员培训】科级干部均参加县委党校组织的党的二十大精神、十九届六中全会、习近平总书记来陕考察重要指示批示精神的学习，班子成员通过讲党课的形式分课题给全体干部职工进行培训。对机关大院保洁、安保进行购买第三方服务外包，运行成本、工作质量、工作成效提升。组织公务接待和餐厅工作人员的培训，由班子成员负责根据分工分类型、分批次进行培训。

（李林俸撰稿　余锡政编辑）

民政事务

柞水县民政局

局　　长

夏先平（2022年1月—12月）

副局长

周万品（2022年1月—12月）

赖光亮（2022年5月—12月）

党组书记

夏先平（2022年1月—12月）

党组成员

周万品（2022年1月—12月）

赖光亮（2020年5月—12月）

社会救助中心主任

党思政（2022年1月—12月）

【概述】创新建立养老机构疫情防控"155"工作法，创新开展党建引领"五社联动"工作扎实有效，在全市民政工作会上作经验交流。创新建立了"人盯房、房管人""六个一"机制，引领服务群众新常态。创新开展社会救助工作成效显著，先后在中国社会报、陕西日报、陕西网、商洛日报等省市媒体推广。被评为全市文明单位、全县疫情防控优秀单位。

【疫情防控】指导社区（农村）落实"人盯房、房管人""六个一"机制和居家隔离"五包一"制度，对主城区30个"三无"小区落实了县级部门、镇街道、社区包抓机制，构建了联防联控、群防群治常态化防控网。全面做好民政服务机构疫情防控工作，重点是养老机构、救助管理机构、殡葬服务机构和婚姻登记场所等，确保民政服务机构安全。

【兜底保障】开展社会救助工作专项核查、审计反馈问题专项治理、城乡低收入家庭认定、惠农"一卡通"工作专项治理、巩固脱贫成果与乡村振兴有效衔接和群众反映强烈突出问题专项整治工作，做到"应兜尽兜、应保尽保"。保障困难群众12163户21503人，发放兜底资金7066.8万元。新纳入农村低保108户227人，农村特困35户35人。核查和排查出2方面6个问题，追缴资金1.81万元，将26名特困人员转入低保保障待遇。

【养老服务】立足县老年群体养老服务需求，初步形成以居家养老为基础、以公办养老为主体、以社区养老为依托、以机构养老为补充的立体式、多层次的养老服务体系。建成8个日间照料中心和5个农村幸福院，下梁区域敬老院建设项目开工建设，完成杏坪区域敬老院改造项目。同时，加强安全监管，开展安全知识培训，组织安全应急演练，按期排查安全隐患，下发整改通知书30份。提高护理技能，开展了护理员技能比赛。组建老年协会82个，成立合唱团、广场舞队、秧歌队等文艺团体，常态化开展志愿服务和文体活动，基本实现了老年人老有所养、老有所依、老有所乐、老有所安。

【基层政权】指导村社区修订完善村（居）规民约，强化对"民主管理、村务公开"的指导和督查，推进"五社联动""智慧社区"建设试点工作。下梁镇党建引领"五社联动"工作扎实有效，走在前列。窑镇社区标准化社区建设项目全部完成。建立社区工作者"三岗十八级"报酬待遇自然增长机制，新招录社区专职工作人员16人，开展各类社会工作者线上线下的培训，考取社会工作师（中级）16人，助理社会工作师（初级）17人，及时发放了职业资格津贴。广泛开展志愿服务，注册志愿者37581人、志愿队伍379支，发布服务项目4000余条，服务总时长近30万小时。建成社区志愿服务站42个，实现志愿服务站社区层面全覆盖。

【殡葬改革】开展殡葬治理，拆除大坟头2座，绿化遮挡豪华墓碑6座、绿化遮挡大坟头7座、绿化遮挡活人墓23座。联合相关部门对全县殡葬服务机构价格及安全进行了检查。下发清明环保祭扫倡议书，树立文明新风。

【社会组织】依法登记的社会组织有172家，其中社会团体132家、民办非企业单位40家。健全完善登记管理机关、业务主管单位、党建工作机构，开展社会组织2021年度检查工作，年检合格的社会组织132家，年检不合格的社会组织22家，对10家连续两年未参加年检的社会组织将予以撤销登记的行政处罚。开展非法社会组织专项行动、社会组织领域涉企"四乱"突出问题专项整治、"僵尸型"社会组织专项整治和隐患排查化解整治工作。

【区划地名】完成镇安柞水两县行政区域界线联合检查工作（柞水县牵头镇安县配合）和平安边界建设工作。完成国家地名信息库柞水地名信息校对、修正、完善工作（4000余条）。清理整治不规范地名工作。开展《地名管理条例》（2022年5月修订）、地名文化宣传和地名故事征集工作。

【婚姻登记】实现婚姻登记"省内通办"和"跨省通办"。开展创建全省婚俗改革实验区工作，办理结婚604对，离婚144对，补领123对。持续推进"婚俗改革"试点工作，倡导婚事新办，破除婚俗陋习，形成崇尚勤俭节约，反对奢侈浪费的良好社会风尚。

【乡村振兴】争取上级投资资金150万元，对5个村社区服务中心进行了改造，协调社会组织支持28万元关心关爱困难老人和困境儿童280人，柞水县各界爱心济困协会联结12家企业及相关单位累计为疫情防控捐赠物资价值280万元；向丰北河、正沟小学捐款及物资总价值7万元；向困难大学新生捐赠助学金15万元等。筹措资金40万元为包扶的曹坪镇东沟村修建便民桥1座、安装路灯22盏、发展吊袋木耳82万袋，把东沟村25户低收入群众捆绑到产业链上，村上产业发展，群众得到实惠。

（辛宁侠撰稿　陈刚编辑）

移民搬迁

柞水县移民（脱贫）搬迁工作办公室
主　任
　汪　翔（2022年1月—12月）
副主任
　李　波（2022年1月—12月）

【概况】柞水县移民办成立于2014年12月，为财政全额拨款的正科级事业单位，隶属县自然资源局。2020年度机构改革，将移民办划分为县移民办和县移民（脱贫）搬迁信息服务中心，编制共计

9人（移民办3名，信息中心6名），实有干部职工10名，其中参照公务员管理干部2名、事业编制职工6名、临聘人员2名。

【年度概述】核实更新"十三五"易地搬迁基础数据，建立《柞水县易地扶贫搬迁群众实际入住动态管理清单》和"户分五类"台账，落实"双包"责任制；配合县发改部门为规模较大移民小区增设社区工作人员，协调人社部门配备公益岗3~5名；建成避灾安置项目1个，建设安置房500套，并完成纳规入统项目1个，固定资产投资1亿元；推进剩余房源处置工作，处置剩余房源107套，安置同步避灾搬迁对象107户，盘活移民搬迁资金2000余万元；全市移民搬迁重点工作现场推进暨"访民情解难题促发展"大调研大走访优秀调研成果表彰会在柞水召开；做好168户脱贫户的帮扶工作，提升群众满意度。

【业务工作】加强对易地扶贫搬迁后续扶持工作的调研指导，常态化开展搬迁入住"回头看"，杜绝"两头跑"现象的发生。核实更新"十三五"易地搬迁基础数据，建立《柞水县易地扶贫搬迁群众实际入住动态管理清单》和"户分五类"台账，落实迁出地镇办和迁入地镇办包扶干部的"双包"责任制。配建亿升、浩越、黄金等8个800人以上移民小区的党员活动室、物业服务中心、便民服务中心、卫生室、老年活动室等管理服务机构，配合县发改部门进行综合指导，进行规范提升，做到工作人员到位、社区服务到位、制度建设到位。为全县较大的移民小区增设配备3~5名公益岗，增设社区（小区）工作人员，在黄金移民小区成立红白理事会，让搬迁群众感受到"家的温暖"，提升搬迁群众的社区融入度和幸福指数。按照省市2022年度避灾搬迁对象调查登记工作统一安排，召开专题会议安排部署，由县自然资源局、移民办抽调18名干部，成立联合登记调查组，分三类逐点逐户快速推进登记工作，复核登记全县地质灾害群测群防库中在册的地质灾害隐患点意愿搬迁户，核查地质灾害隐患点83处，涉及农户754户2542人，确定意愿避灾搬迁户43户143人，全面完成避灾搬迁对象调查登记工作。围绕搬迁群众的生产生活、产业就业及后续帮扶等方面，走访移民点19个、搬迁户1490户，发现问题12个，就地解决12个。2022年8月全市移民搬迁重点工作现场推进暨"访民情解难题促发展"大调研大走访优秀调研成果表彰会在柞水召开，移民办荣获全市移民搬迁"访民情解难题促发展"大调研大走访优秀调研成果优秀组织奖，由李波、何欣豪纂写的《强"体系"促"扎根"紧抓"四个三"写好"后半篇文章"——关于做好柞水县易地搬迁后续帮扶工作调研报告》荣获全市一等奖，并在商洛《决策参考》上刊发。省市县巩固拓展脱贫攻坚成果同乡村振兴有效衔接各类检查、督查反馈有关移民搬迁的问题共4个，召开会议研判，制定整改措施，均在规定期限内完成整改任务。

【帮扶工作】组织3家帮扶部门，制订并落实年度帮扶工作计划，定期召开联席会议，解决驻村帮扶工作问题和社区困难。压实每名干部的帮扶责任，定期开展政策宣传、入户走访等；为嘉安移民社区投入专项资金30万元、争取苏陕协作项目资金70万元、争取其他部门帮扶资金25万元，投入社区工厂建设；筹备方便面、面包、牛奶、口罩、酒精等防疫物资，慰问一线疫情防控人员和驻村工作队员。

【机关建设】按照《关于贯彻市委五届二次全会精神开展作风建设专项行动推进清廉柞水建设的实施方案》《深入开展机关效能问题专项治理工作方案》执行力专项整治及"五个到一线"等活动安

排，聚焦八个方面突出问题，深入开展"八个查一查"，全面落实"学、查、改、建、评"，改进机关作风，提高办事效率和服务水平。修订完善《作风建设学习计划》《县移民办干部职工管理办法》等制度，召开专题学习10次、开展研讨2次、撰写心得体会6篇，班子及全体干部职工查摆问题31个，建立问题台账，制定整改措施，如期完成整改。按照《落实"三百四千"工程奋力赶超行动推进工作方案》要求，深入包抓企业柞水县山城美农生态农业科技有限公司和避灾移民搬迁项目亿昇移民小区，现场解决企业发展和项目建设中出现的问题和难题，经过包抓，柞水县山城美农生态农业科技有限公司已于6月对外营业、亿昇移民小区避灾项目已经竣工验收。

【招商引资】提供的招商引资线索4条，引进项目2个，引进的2个项目均已完工并投入生产。

（房蒙蒙撰稿　余锡政编辑）

乡村振兴

柞水县乡村振兴局

党组书记、局长

吴正锋（2022年1月—12月）

副局长

孙庆斌（2022年1月—12月）

徐　梁（2022年1月—12月）

龙少峰（2022年1月—12月）

赵　婷（2022年1月—12月挂职）

【概况】属政府工作部门，由县农业农村局统一领导和管理，主要负责巩固拓展脱贫成果、统筹推进实施乡村振兴战略有关具体工作。局机关编制8人，实有12人，下属单位乡村振兴服务中心编制7个，实有5人，乡村振兴信息监测中心编制20个，实有14人。严格按照"四个不摘"和"三个转向"要求，全力守底线、抓发展、促振兴，推动巩固拓展脱贫攻坚成果同乡村振兴有效衔接工作取得实效。2022年8月防止返贫监测帮扶集中排查工作获全省先进集体；11月顺利通过省第三方评估考核。

【责任落实】制订《聚焦"守底线、抓发展、促振兴"全面推进乡村振兴重点工作实施方案》，明确县、镇、村三级书记乡村振兴第一责任人责任，选优配强驻村工作队，建立重点任务月通报、季点评、年总结机制，持续传导压力，倒逼责任落实。

【风险防范】加强脱贫人口和低收入群体后续帮扶，对所有农户落实"周排查、周研判"制度，累计纳入重点监测户364户1171人，优化落实产业、就业、金融、兜底保障等帮扶措施，发放防返贫保险32户34.19万元，兑付防返贫基金119户56.46万元，累计消除致贫返贫风险145户488人。

【严守底线】开展"两不愁三保障"和饮水安全常态化监测、排查，组建督导组定期暗访督导，确保问题及时发现、及时施策、精准帮扶。全县脱贫户（监测户）4934名适龄儿童少年、35名义务教育残疾学生送教上门全面保障，各阶段困难学生资助14866人次834万元，兑付"雨露计划"481人162万元。82个村（社区）标准化村卫生室实现全覆盖，脱贫人口及监测对象参保率均达100%；

200户危房改造户已全部竣工验收，补助资金兑付到位；建立县镇村三级水源保护、应急供水、饮水管理责任体系。

【筑牢基础】 编制《柞水县国家乡村振兴重点帮扶县巩固拓展脱贫攻坚成果同乡村振兴有效衔接实施方案》，谋划补短板项目251个，已投入资金33.9亿元，开工项目184个。投入衔接资金1.885亿元，同比增长6.7%，实施产业、基础设施等项目131个。坚持以秦岭山水乡村、乡村振兴示范村建设为抓手，紧扣农村"厕所革命"、生活污水治理、生活垃圾治理、村庄清洁行动等重点，坚持以点带面推进乡村建设，巩固了老庵寺村、金米村、梨园村等一批秦岭山水乡村和示范村，新建了药王堂等3个县级示范村和两河村等9个镇级示范村。

【舆论宣传】 稳岗就业、巩固衔接与乡村振兴重点帮扶县等工作在国家层面会议进行了交流发言。以巩固拓展脱贫攻坚成果同乡村振兴有效衔接为主要内容的信息在中央主要媒体发表87篇，省级主要媒体发表364篇，市级媒体、行业媒体和网络媒体发表938篇；向上级部门推送典型案例30余篇，"牢记嘱托创品牌谱写木耳新篇章"案例入选全国农业生产"三品一标"典型案例；《心系"国之大者"牢记"殷殷嘱托"全力抓好巩固脱贫成果同乡村振兴有效衔接》《"三带"促就业增收斩穷根》在全国会议上交流发言，专题纪录片《脱贫之后再出发》在中央电视台播出。

（张长生撰稿　陈刚编辑）

行政审批

柞水县行政审批服务局
党组书记、支部书记、局长
李亚斌（2022年1月—12月）
副局长
郭安荣（2022年1月—12月）
文甲勇（2022年1月—12月）
政务服务中心主任
陆秀赟（2022年1月—12月）
行政审批技术保障中心主任
徐　涛（2022年1月—12月）

【概况】 2019年3月份正式挂牌成立，隶属县政府组成部门，正科级建制，核定行政编制6人，领导职数为一正两副，内设办公室、审批一股、审批二股共3个股室。县政务服务大厅设审批受理窗口6个，招聘临时工作人员12名。2020年5月，设立县行政审批技术保障中心，副科级建制，核定事业编制15人。现配备主任1名，工作人员11名。县政务服务中心，事业性质，事业编制7人，领导职数一正一副，现配备主任1名，工作人员5名。

内部设置综合股、效能监察股、技术服务股和12345便民服务热线中心4个股室。荣获"项目前期工作先进集体"和"服务工业暨民营经济发展工作先进集体"荣誉称号。

【"放管服"改革】 县审批局围绕优化提升营商环境总体目标，持续深化"放管服"改革，用好"一网"提效能、落实"三减"激活力、推行"六办"优服务的"一三六"审批服务模式。全年共办理行政审批类事项3800件，开展"联合踏勘""并联审批"369件，容缺受理事项586件，受理公共服务事项11万余件，办理12345便民服务热线工单4357件，办结率100%。撰写的《柞水县探索推行"5个+"模式提升行政审批服务效能》和《柞水县创新帮办代办举措》两条工作经验交流材料被国务院推进政府职能转变和"放管服"改革优化营商环境简报刊登推广，并在全市"放管服"改革工作会议上作交流发言。

【行政许可】开展行政许可权改革，县局成立全面实行行政许可事项清单管理工作专班，印发《柞水县推进行政许可事项清单管理实施方案》，对标省市清单梳理全县行政许可事项，下发《柞水县行政许可事项清单（2022年版）》共260项。制订下发《柞水县行政许可事项层级审核审批实施方案》，实行层级审核审批，将268项行政许可事项划分为四个层级，由综合窗口工作人员、业务股长、分管副局长、局长（局务会研究）分别对应行使一级49项、二级58项、三级122项、四级39项审批决定权，减少审批层级，加快审批进度，压缩办理时限。

【政务服务】统筹推进"证照分离"改革全覆盖工作，建立"审管联动""容缺受理""层级审批"三项机制。通过"联席会议""联合踏勘""并联审批"做到"四个一次性"：清单一次性告知、情况一次性对接、现场一次性踏勘、结果一次性送达。开展"联合踏勘""并联审批"369件。坚持"审管分离"原则，定期书面函告行业监管部门236份。按照"容缺受理、承诺审批、随到随审"的原则，推行一边准备材料、一边受理初审的"容缺受理"服务模式，制定出台柞水县政务服务容缺受理制度，发布政务服务事项容缺受理清单113项事项。共办理行政审批类事项3800件，容缺受理事项586件。

【审批服务】按照"一次性办好"的审批服务理念，以为企业、群众"办好一件事"为目标，变"一证一流程"为"一事一流程"，制定标准化办事指南，精简审批流程260项，减少申报材料320个。压缩审批环节，按照"一窗综合受理、后台分类审批、统一窗口出件"的工作要求，逐一梳理审批事项，取消没有法定依据的申请材料和不必要的审核环节，市场准入类事项审批资料齐全随到随办、当场出证，需办事企业和群众提供的材料减少60%以上，压缩办理时限50%以上。制订《柞水县优化便民服务专项行动实施方案》《柞水县规范中介服务专项行动实施方案》，梳理全县7个部门涉及25项中介服务在政府网站公布。推进网上办理，编制并发布网上办清单485项、马上办清单185项、一次办清单478项、就近办清单44项，高频事项204项，县级事项网上可办率达到95%以上。

【12345便民热线】制定下发《12345便民热线办理考核办法（试行）》《12345便民热线联席会议制度（试行）》及《12345便民热线工单处办制度（试行）》。商洛市热线平台转办县工单4357件，较上年度增长147%，办结率100%。

【乡村振兴】开展脱贫户（重点监测户）109户298人和一般农户404户1226人的防返贫动态监测帮扶工作，开展集中排查3次。协助社区到县交通局争取资金50万元，硬化产业路1条2.1千米；解决社区2个木耳种植基地生产用电问题，购买安装木耳生产供水设施35亩，联系县木耳特色产业中心制作木耳晾晒架50个。引导群众种植玉米、马铃薯大豆套种20亩，争取木耳产业帮扶资金10万元，发展7户农户种植地栽木耳35亩26万袋，产木耳干品7500公斤，联系保险公司和供销社组织销售，实现收入50万元，组织15户农户养殖中华蜂 1000 箱，产蜂蜜 4000 公斤、收入 32 万元。

【招商引资】县局成立由局长任组长的招商引资工作领导小组，2022 年县政府下达招商引资任务为：提供有价值的招商线索 4 个，引进项目 2 个，争取资金 10 万元；12 月县局提供有价值的招商引资项目线索 4 条，争取资金 20 万元。

（白萌撰稿　张梅玲编辑）

柞水县退役军人事务局

柞水县退役军人事务局
党组书记、局长
侯永亮（2022 年 1 月—12 月）
副局长
冯有波（2022 年 1 月—12 月）
赵小娟（2022 年 1 月—12 月）
县退役军人服务中心主任
石小涛（2022 年 1 月—12 月）

【概况】主要承担落实退役军人优抚优待政策，负责军队转业士官和符合政府安置条件的退役士兵的移交安置，组织开展全县拥军优属工作和烈士褒扬纪念相关工作，组织开展退役军人权益维护和创业就业帮扶援助等工作。

【政策落实】按照"四清楚"闭环工作机制，落实"五个一"政策，制作了退役士兵报到指南，详细讲解了报到流程、高职扩招、考录优惠、伤病残关系的办理、退役后复工复学等方面的政策，并积极对接养老、医保、银行等相关部门，为退役士兵提供"一站式"服务，今年累计接收 47 名自主就业退役士兵（其中带病回乡 1 名，伤残 1 名）。按时足额发放各类优抚资金 1302.6 万元，完成 2400 余人的基础信息采集、建档立卡和优待证办理工作。接收 5 名符合政府安置工作条件的转业士官，于 10 月 15 日前全部安置到位，并发放待安置期间生活费 1.75 万元，实现连续 12 年（2019 年之前业务在民政局）安置率达 100%。

【双拥工作】走访慰问驻柞部队并送去价值 9.5 万元的物资，为荣立三等功的现役军人家庭送喜报 11 份；加强烈士纪念设施的保护与管理工作，大力实施红岩寺烈士陵园改扩建项目；扎实推进光荣牌悬挂工作，新挂与更换光荣牌 300 余个。为 400 余名退役军人发放各类慰问金 20 万余元，为符合条件的 38 名退役军人发放各级关爱基金 23.58 万元，有效防范化解矛盾纠纷 9 起。7 月顺利通过省级"双拥"模范县中期考评，有效巩固了省级"双拥"模范县"四连冠"的创建成果。

【褒扬纪念】积极营造褒扬烈士、弘扬烈士精神和关爱烈属的社会氛围，增强广大烈属的社会荣誉感。利用清明节、抗日战争胜利纪念日、烈士纪念日等重要节日，赴红岩寺烈士陵园开展瞻仰纪念碑、祭扫烈士墓等纪念祭拜活动。积极筹建柞水县红岩寺烈士陵园改基础设施建设项目，9 月 29 日经过公开招投标，入院道路和停车场工程已动工建设，争取将该陵园建造成县级烈士陵园及标准化爱国主义教育基地。新挂光荣牌 174 个，完成 2800 余块光荣牌的悬挂工作，实现应挂尽挂，营造参军光荣的氛围，提高退役军人的荣誉感。

【信访稳定】坚持以稳定为原则，防范化解社会领域涉军群体重大风险，提高风险防控能力，维护社会和谐稳定，按照《全县退役军人事务系统重大风险大排查大化解大整治工作方案》和《柞水县防范化解社会领域退役军人群体集访应急预案》的要求，遵循"分级管理分级负责，谁主管谁负责"的原则，退役军人事务系统共办理信访件8件，其中县信联办转办2件、市局交办3件、12345热线3件，办结率100%，县本级来访接待服务对象150人次，多以政策咨询、待遇落实为主，均做到了事事有回音、件件有着落，为党的二十大等重大活动及重大节假日期间营造了安定和谐的社会环境。

【优抚抚恤】严格按照优抚对象抚恤补助政策和自然增长机制，及时调整抚恤补助标准，按时足额发放抚恤金和生活补助金。为547名重点优抚对象发放抚恤金636.4万元，为181名年满60周岁农村籍退役士兵发放生活补助金共80.8万元，发放108名义务兵家属优待金共计355.3万元，发放2021年秋冬季47名退役士兵一次性经济补助220.1万元，以及向生活困难、看病困难和住房困难的50名退役军人发放"三难"救助金10万元等。省市县三级关爱基金共为38户困难退役军人家庭发放关爱基金23.58万元。

【就业创业】组织23名退役士兵人参加免费汽车驾驶技能培训，有13人取得驾驶证；对接相关单位提供就业岗位630个，并组织退役军人参加市县专场招聘会200余人次，帮助122名退役军人解决了就业问题；为52名参加高职扩招的自主就业退役士兵办理了学费减免，为6名自主就业退役士兵办理了退役入学手续。同时，积极引导57名退役军人参加行政事业单位公开招录考试，其中为14名退役士兵办理加分手续，已有9名退役士兵被招录为国家干部。

（柯蕴倩撰稿　陈刚编辑）

政协柞水县委员会常务委员会

政协柞水县委员会领导成员

政协柞水县第九届委员会
党组书记、主席
王立栋（2022年1月—3月）
党组副书记
王　博（2022年1月—3月）
陈晓琴（2022年1月—3月）
副主席
徐光亮（2022年1月—3月）
叶宜海（2022年1月—3月）
吴芳雯（2022年1月—3月）
王治安（2022年1月—3月）

政协常委 21 人（2022年1月—3月）

王小建　方　艳　朱万平　李永清
吴　履　成陆博　陈敬行　周显华
孟晓琴　项小华　柯长斌　侯永亮
袁柏松　徐于灵　凌　娜　黄礼平
康　霞　韩　琳　傅　强　雷　娜
谭丛琴

政协柞水县第十届委员会
党组书记、主席
王　博（2022年3月—12月）
党组副书记
陈晓琴（2022年3月—9月）
徐光亮（2022年5月—12月）
朱邦发（2022年9月—12月）
副主席
徐光亮（2022年3月—12月）
傅　强（2022年3月—12月）
孙明珠（2022年3月—12月）
秘书长
柯长斌（2022年3月—12月）

政协常委 22 人（2022年3月—12月）

王　丹　王治安　王承德　方　艳
刘安民　祁月越　吴　宁　汪仁宇
张　斌　张淑芳　陆　博　陈圣禅
陈敬行　岳习文　秦付林　夏万淼
凌　娜　康　霞　韩甲文　程章军
谢长波　雷　娜

政协常委会工作机构及领导成员

政协柞水县委员会工作机构

办公室

主　任

柯长斌（2022年1月—8月）

谢长波（2022年8月—12月）

副主任

朱其停（2022年1月—5月）

文化文史和学习委员会

主　任

黄文龙（2022年1月—12月）

副主任

田迎春（2022年1月—12月）

提案委员会

主　任

兰　卫（2022年1月—2月）

吴　宁（2022年2月—12月）

副主任

张晓庆（2022年1月—12月）

经济和农业农村资源环境委员会

主　任

袁柏松（2022年1月—12月）

副主任

吴　宁（2022年1月—2月）

民族宗教社会法制和港澳台侨外事委员会

主　任

陈家玺（2022年1月—2月）

张亚丽（2022年2月—12月）

副主任

熊　超（2022年1月—12月）

教育科技医疗卫生体育委员会

主　任

曾维鹏（2022年1月—12月）

副主任

明　艳（2022年1月—12月）

政协工作

【概况】有政协委员145名，界别18个；常委会组成人员27人，设主席1人，副主席3人，秘书长1人，常委22人；设镇办政协联络组9个。

【会议】政协柞水县第十届委员会第一次会议于2022年3月16日至3月17日在柞水县城召开，到会145人，其中出席委员145人，无列席人员，听取和审议九届县政协主席王立栋代表政协柞水县第九届委员会常务委员会所作的工作报告；听取和审议县政协副主席徐光亮所作的政协柞水县第九届委员会常务委员会关于五年来提案工作情况的报告；列席柞水县第十九届人民代表大会第一次会议，听取和讨论柞水县人民政府工作报告和其他报告；大会选举；委员大会发言；审议通过政协柞水县第十届委员会第一次会议提案审查委员会关于十届一次会议提案审查情况的报告；审议通过政协柞水县第十届委员会第一次会议政治决议和其他各项决议。召开政协党组会10次、主席会7次、常委会4次。

【协商议政】十届政协一次全体会议上，委员聚焦"三百四千"工程等助力建设"三高三区"新柞水，在经济发展、教育科技、医疗卫生、城市管理、重点民生等领域提交建议，提出12类140条建议。开展"优化项目服务环境""以文旅融合推动旅游产业高质量发展""提升医疗服务水平、减少病患资源流失""加强城区停车场建设与管理"等4个专题协商，分析22个方面问题，提出合理化建议135条，其中3篇调研报告推荐参加市政协年度优秀调研成果评选，开展微协商12场次。

【民主监督】十届一次会议大会收到提案140件，经审查，立案提案120件（其中并案提案22件），不予立案2件，转为意见和建议的提案18件。开展3次提案办理集中督办、6次电话督办、实地督办4次，所有提案已全部办结，委员满意率达99%。向县发改局、资源局、住建局3个重点经济部门委派民主评议监督小组，推动受监督部门改进作风、提高效能。

【联谊协作】协办全国政协"六省一市"环秦岭地区生态保护和高质量发展视察活动，受到省政协通报表彰。组织省政协来柞开展破解"两个薄弱问题""夯实乡风文明基础、推动乡村文化振兴"等视察调研3次，与市政协联动开展委员"走进企业·助力发展""疫情常态化防控"等集中视察5次。接待江苏省政协、汉阴县政协等来柞考察交流21批次。承办首次市县政协联席会议，交流柞水政协"建强两支队伍、擦亮政协最美底色"经验。

【文史宣传】编纂《柞水非物质文化遗产》文史资料，制订征编方案、审定编纂大纲、成立专门机构，召开6次座谈会，完成柞水非遗名录、非遗代表性传承人、非遗大事记、待开发非遗项目等内容征编，《柞水非物质文化遗产》一书编排完成，印刷出版3000册。在省《各界导报》刊登履职交流材料12篇、工作专访1篇，向市政协报送协商报告4篇、调研报告2篇，向《各界商洛》投送稿件34篇，向县委、县政府报送民意信息15篇，在柞水政协公众号刊载工作信息215篇，收集社情民意信息220条，2条社情民意信息被市政协评为优秀信息，其中《关于非物质文化遗产保护传承利用的建议》获得市委主要领导批示调研。

【自身建设】修订完善《县政协党组工作规则》《常委会工作规则》《主席会议事规则》，印发《委员管理办法》《委员联系界别群众办法（试行）》《镇办政协联络组工作通则》等制度11项；规范党务、政务、事务、委员管理，优化整合公文处理、材料审核、信息报送程序。开展"爱家庭、爱政协"研讨活动，让机关干部在学中明德。组织机关干部学法用法，获得全市学法先进单位称号。持续改善政协机关办公条件，设置候会室、读书室、会议室等，创造干净整洁、秩序井然的办公环境。

（孟娟撰稿　张书国编辑）

中共柞水县纪律检查委员会 柞水县监察委员会

纪律检查委员会和监察委员会领导成员

纪委书记、监委主任
王永祥（2022年1月—11月）
纪委副书记、监委副主任
蔡克锋（2022年1月—12月）
纪委副书记、监委副主任
张纯瑜（2022年1月—12月）
纪委常委、监委委员
王 立（2022年1月—12月）
卢少平（2022年1月—12月）

纪委常委
曹 军（2022年1月—12月）
赖光亮（2022年1月—2月）
纪委常委、县委巡察办主任
雷 鸿（2022年2月—12月）
监委委员
樊仁平（2022年1月—12月）
吴 杰（2022年1月—12月）

纪律检查和监察工作

【概况】编制50名，其中行政编制31名、事业编制19名，领导班子成员9名。内设办公室，组织部，宣传部，党风政风监督室，信访室（案管室），第一、第二、第三、第四、第五纪检监察室，审理室。

【政治监督】开展监督检查26次，督促整改问题137个。建立"互联网+监督"平台，通过"主体责任督办考评系统"督促完成清单任务12709条，问责科级领导干部29人。协助县委对9个镇办、6个县直部门的政治生态进行综合分析研判，发现问题180余个,传导管党治党压力。

【日常监督】结合春节国庆等重要时间节点开展监督检查和明察暗访6次,检查9个镇办、82个单位和县域各宾馆酒店、土特产品店、农家乐等场所,核查节假日公车通行记录信息80余条,发现问题58个,查处违反中央八项规定精神问题和形式主义、官僚主义问题12件22人,通报曝光4起9人。印发《柞水县百名纪检监察干部联项目访企业活动实施方案》,明确纪检监察干部联项目访企业任务,通过实地走访、面对面交谈、陪同办事等方式,帮助企业解决"急难愁盼"问题。

【惩治腐败】全县纪检监察机关受理信访举报143件,处置问题线索266件,立案124件,结案134件,党纪政务处分130人(科级3人),组织处理6人,留置1人(指定管辖)。精准运用"四种形态"处理376人次,其中:运用"第一种形态"处理246人次,运用"第二种形态"处理122人次,运用"第三种形态"处理4人次,运用"第四种形态"处理4人次。

【作风建设】以"查堵点、破难题、树新风、促发展"作风建设活动为抓手,督促指导各级各部门党员领导干部相继开展"四访"2275人次,共查找10个方面问题3862个,破解堵点难题486个,开展专项监督检查3轮次,发现并督促整改问题81个,处置作风方面问题线索9件,党纪政务处分2人,诫勉和提醒谈话9人,推动干部作风大转变、环境大优化、效能大提升。牵头组织和督促指导"11个领域"专项治理责任单位开展监督检查234次,排查整改问题124个,发现并督促整改问题107个,建立健全制度机制53个,督促主责部门移送问题线索30件,查处生态环保领域9件15人,社保领域3件4人,医疗领域3件3人,教育领域4件6人,安全生产领域3件5人,交通出行领域2件4人,社会稳定领域3件5人,涉水领域1件1人,食品药品安全领域1件1人,粮食购销领域5件5人,惠民惠农补贴资金"一卡通"管理领域5件12人。

【政治巡察】制订《县委巡察工作规划(2022—2026年)》《2022年县委巡察工作计划》。成立13个县委巡察组,组织开展2轮常规,巡察瓦房口镇、下梁镇、县委编办、县委机关工委等2个镇22个县直部门单位,发现问题578个,移送线索41件;对金星村、沙坪社区等18个村(社区)开展了延伸巡察,发现问题217个。对十八届县委第十三、十四轮巡察的16个单位和十九届县委涉粮领域和作风建设专项巡察的18个单位反馈问题整改情况进行监督检查。

【清廉文化】打造提升县级廉政文化示范点3个,组织拟提拔科级领导干部任前廉政考试3批65人,通报曝光典型案例4期8起10人,编写典型案件警示录3篇,组织观看《零容忍》等警示教育片278场次,组织党员干部到县廉政警示教育基地集中观展84场3573人次,组织拍摄的《长沟村里的笑声》《什么意思》分别荣获全省廉洁文化微电影类、微视频类三等奖,开通"清廉柞水"视频号,扩大"廉能量"传播力和辐射面。

【体制改革】组织召开新一届全县反腐败协调小组联席会议,建立科级干部和重点岗位干部个人廉政档案1900余份,县监委依法有序向县人大常委会报告廉政教育工作,聘任第二届特约监察员10人,优化调整5个"室组"联动监督、"室组地"联合办案协作区,进一步规范审查调查文书模板,用好信访检举举报"三大子平台"。将全县9个派驻纪检监察组(派驻县检察院纪检监察组除外)的工资关系、后勤保障、工作经费等全部收归县纪委监委统一管理,对派驻纪检监察组组长实行单列考核，一般干部纳入委机关统一考核，成立涵盖派驻机构、巡察机构全体党员干部的纪委监委机关党委，推动机关党建与业务工作相互融合、同频共振。

【队伍管理】组织机关、派驻纪检监察组60余名党员干部，在牛背梁自然保护区开展了"重温誓词忆初心 锤炼党性担使命"主题党日活动，积极践行"绿水青山就是金山银山"的理念，切实当好秦岭生态卫士。组织派驻机构、镇办纪委及相关室部新入系统纪检监察干部，参加省市纪委组织的视频专项培训106人次，抽调镇办纪委、派驻机构新入系统纪检监察干部10人次在委机关跟班学习，组织开展"纪法微课堂"集中学习15期，提升纪检监察干部综合素养。认真开展雷雨、陆邦柱、刘春茂、崔华峰严重违纪违法案以案促改及米育忠严重违纪违法案警示教育活动，汲取教训、警钟长鸣，教育引导纪检监察干部审慎用权。

（姜辉撰稿 张书国编辑）

社会团体

柞水县总工会

党组书记、主席

王晓波（2022年1月—12月）

副主席

朱万平（2022年1月—12月）

吴学勤（2022年1月—8月）

凌　娜（2022年9月—12月）

兼职副主席

李德鹏（2022年1月—12月）

王　萍（2022年1月—12月）

经审主任

张　勇（2022年1月—12月）

【概况】设主席1名，副主席2名、经审委主任1名，内设综合办、组宣办2个股室，现有干部职工28名，其中正式职工15名、协管员13名。下辖县工人俱乐部（加挂柞水县困难职工援助中心牌子），事业性质单位。全县辖19个系统工会、9个镇（街道）总工会，10个直属单位工会，有基层工会473个，工会会员18047人。2022年度县总工会被中华全国总工会授予全国职工互助保障工作先进集体、陕西省总工会授予互助保障优秀县区工会。

【基层工会组织】发挥陕西工会"互联网+"服务职工平台作用，将全县国有企业、非公企业、村集体经济组织工会建设分配到各镇、园区工会，争取44.4万元为基层工会配备37名社会化工作者，全年组建基层工会组织15个，职工之家1个，指导红岩寺镇创建四星级工会。

【弘扬劳模精神】开展节日慰问、送保险等关爱活动，争取资金6.9万元帮扶救助59名困难劳模。五一前夕县内的盘龙药业有限公司总经理谢晓林被评选为省级劳模，号召全县广大职工学习劳模爱岗敬业、争创一流，艰苦奋斗、勇于创新，甘于奉献的精神，发挥劳模的精神引领作用。企业经济增长缓慢、生产经营困难时期，组织工人开展"我与企业共命运，同舟共济谋发展"教育活动，牢固树立责任意识，发挥主人翁精神，做好复工复产。

【职工互助保障】宣传职工医疗互助保障政策，提高政策知晓率扩大参保面，办理互保职工1.4万人次，参保金102.7万元，理赔514人次，理赔金额56.2万元。县总工会荣获全省职工互助保障工作优秀工会。

【职工帮扶】围绕脱贫攻坚大局，一线职工、农民工、劳务派遣工等作为重点人群，开展"四季帮扶"工作品牌：春送岗位，春季为230名农民工联系岗位送出就业；夏送清凉，筹资3万元对全县一线工作人员进行慰问；金秋助学，筹资0.3万元解决好困难职工和农民工子女的上学难问题；冬送温暖，赠送棉袄给100名环卫工，抵御风寒的同时让其感受到关怀和爱心。筹集资金5000元慰问4个高速路口和2个车站的一线疫情防控工作人员，春节慰问19名在册困难职工。全年发放慰问救助资金25.8万元。

【女职工工作】创新组织体系，夯实基层女工工作，指导规模企业建章建制、配强女工会干部。推进女职工集体合同签订率，签订女职工专项集体合同120份，覆盖职工2020人，女职工专项集体合同签订率达到95%，组织创建6个基层女职工法律维权站（点）。

【普法宣传】利用县职工之家微信公众号开展工会政策及普法宣传。免费发放普法宣传资料给职工群众，摆设宣传展板和现场解答等多种渠道大力宣传法律知识，增强职工群众的法律意识。聘请专业律师向职工群众宣传讲解《工会法》《劳动合同法》《民法典》等法律法规知识，发放宣传资料1万余份，接受咨询800余人次。

【"三无"小区治理】牵头负责党三小区治理工作，选派经审委主任任党三小区第一书记，抽调两名干部协助第一书记组织指导小区综合治理开展工作。建成小区党员活动室1间，制定制度4项，悬挂片长公示牌3个、楼长公示牌41个，先后召开党员代表会议6次，派出党员干部现场解决实际问题20多个。投资38万元修建排洪渠30米、铺设排污管40米、拆除毛石70立方米、浆砌毛石95立方米、硬化路面1200余平方米、检查排洪井2个、检查排污井2个、修建围墙55米、勾院墙55米、划定车位线330米。开展全区域卫生整治10余次、重点区域整治2处，小区人居环境明显提升，全县"三无"小区擂台赛中，党三小区获得第三名。

【乡村振兴】严格落实"四不摘"要求，完善帮扶村凤凰镇双河村村级档案、户档资料，核查贫困户家庭收入情况，落实各项保障措施，建立防止返贫长效机制，宣传各种惠民政策，投资4万元用于村集体经济发展产业。

(张潇撰稿　张梅玲编辑)

共青团柞水县委员会

共青团柞水县委员会
书　记
石国锴（2022年1月—12月）
少先队总辅导员
郭　怡（2022年1月—12月）

【概况】共青团柞水县委员会是全县共青团和少先队组织的领导机关，属群团机关，正科级建制，核定编制6人，领导职数为一正两副，设置办公室、业务股2个股室。

【工作亮点】被团省委、省少工委评为发挥队刊作用开展"党团队史我来讲·争做新时代好队员"主题教育活动"优秀单位"和加强《当代青年》宣传舆论阵地建设工作"先进单位"。有1人获得

"全国优秀共青团干部"荣誉称号，2人获得"全省优秀共青团员和干部"荣誉称号，县税务局团支部获得"全省优秀团支部"荣誉称号；指导"行一·研学"实践教育基地成功创建为"陕西省青少年教育基地"，县法院综合审判庭等2家单位创建为"市级青少年维权岗"，2所学校被命名为市级"红领巾法学院"、3个单位被命名为市级"少先队校外实践教育基地"；团县委所属青年志愿服务队还被团市委表彰为"全市疫情防控先进集体"，微信公众号被市委网信办评选为"全市十佳网络媒体"。

【思想教育】依据时间节点分别开展了党史学习教育、党的青年运动史专题学习教育、"喜迎二十大、永远跟党走、奋进新征程"主题教育实践活动。"线上"，每周动员团员青年参与"青年大学习"网上主题团课学习，并组织少先队员参与"红领巾爱学习"主题队课学习，参学率均达到100%，推送《共青团中央》等主流媒体推送的爱国主义教育、新时代伟大成就、领袖故事等短视频，促使青少年深刻体悟"三个来之不易"，坚定他们听党话、跟党走的思想自觉。

【德法教育】联合县科教局制定《在全县中小学生中贯彻落实〈新时代公民道德建设实施纲要〉和〈爱国主义教育实施纲要〉的措施》，从思想政治、理想信念、社会主义核心价值观、劳动教育等11个方面入手，统筹"线上"和"线下"、"课内"和"课外"、"校内"和"校外"，提升中小学生爱党、爱国、爱社会主义的意识。6月，联合县委政法委、县法院、检察院、司法局、科教局，对全县去年以来11所成功创建为县级红领巾法学院的学校予以命名，推报2所学校分别争创市级和省级的红领巾法学院。组织全县初高中学生在网上学习"青春灯塔"课程，营造青少年知法学法守法用法氛围。联合县委宣传部等11家单位共同命名了"县级少先队校外实践教育基地"，聘请了8位县级少先队校外辅导员。翻印5000册《禁毒防艾进社区、农村、机关、学校教育读本》，分发至各共青团和少先队组织，开展宣传教育。

【活动情况】联合各有关单位开展"牢记嘱托·感恩奋进"主题实践教育、"丝路青缘·缘聚柞水"青年植树护绿和婚恋交友、"弘扬雷锋精神·建设文明柞水"志愿服务月、青少年植树护绿和生态环保实践、"心佑工程"柞水县先天性心脏病患儿免费诊疗、"保护少年的你"青少年法治手绘画廊以及"永远跟党走·筑梦新时代"主题征文活动等大型活动。各共青团和少先队还按照团县委既定工作安排，先后组织开展相应的主题教育活动200余场次。

【乡村振兴】为小岭镇罗庄社区申报《罗庄社区道路提升工程项目》，向省住建厅争取资金120万元；对接市县交通局，申报《罗庄社区洞子沟道路修复工程项目》，争资140万元。对接县农业、财政等部门，为社区修建木耳产业配套设施，争取补助资金10万元。向团省委争取到"幻方1+1"和东润计划两个资助项目，总金额22.1万元，使271名小学生受益；对接南京市高淳区，通过"爱心微心愿"项目，为150名小学生购买学习用品和用具；开展"困境儿童我资助"活动，对接县域民营企业，为6名家庭困难学生每人每年资助3600元。对接南京市高淳区团委和高淳区慈善总会，争资10万元，对全县8所学校的400名学生以"爱心微心愿"的方式进行资助。

【招商引资】年度争取资金305.9987万元，完成争取资金任务（年初确定目标为10万元）。引进柞水县小岭镇罗庄社区道路提升项目1个，提供有价值招商线索2条，完成年度招商引资任务。

（张悦撰稿　张书国编辑）

柞水县妇女联合会

柞水县妇女联合会

主　席

李晓晴（2022年1月—12月）

副主席

王　丹（2022年1月—12月）

【概况】正科级建制人民团体，核定编制6人，实有6人，其中主席、副主席各1人，干部职工4人。以习近平新时代中国特色社会主义思想、习近平总书记来陕考察重要讲话重要指示精神为指导，全面贯彻党的二十大精神，围绕妇女儿童工作重心，服务全县工作大局，不断加强妇女思想政治引领、家庭文明建设和基层妇联改革，团结带领广大妇女为建设"三高三区"新柞水贡献巾帼力量。

【思想引领】聚焦"强国复兴有我"主题贯彻落实党的二十大精神，开展"我奋斗家国美"主题活动，举办各类学习党的二十大精神、纪念"三八"妇女节宣讲、庆祝活动21场次，带领妇女向"三秦楷模"张淑珍同志学习，推荐选举和命名表彰各级各类先进集体和个人分别为13个和25名。

【巾帼建功】深化"争创文明岗、建功新时代"活动，引领妇女投身乡村振兴大局，助力秦岭山水乡村建设，全年开展木耳种植、电商产业及妇女创业就业技能培训16期，培训妇女2200余人，为91名城乡创业妇女发放小额担保贷款720余万元，带动210余名妇女创业就业，扶持巾帼家政、手工艺品产业发展，带动妇女居家就业2000余人增收2400元。

【家庭建设】深化"清廉柞水"建设活动，举办"德润三秦清廉柞水"好家风故事分享会，开展各类巾帼志愿服务活动18场次，创建绿色家庭3000户，推荐三秦最美家庭1户、省级五好家庭1户，李德鹏家庭被评为"全国五好家庭"，全县各级开展"好婆婆""好媳妇"评选活动82场次。推荐省级五美庭院示范户1户、市级五美庭院示范户10户、市级示范村2个、县级五美庭院示范村11个，引领文明生活成为家庭新风尚。

【权益维护】制订颁布新一轮妇女儿童发展规划（2021—2030年），创建省妇女儿童规划实施示范县，开展《民法典》《反家庭暴力法》《家庭教育促进法》宣讲、新时代家庭观宣讲及关爱慰问活动20余场次。妇女儿童维权服务中心和12338服务热线全年接待、办结妇女信访21件，争取中省市各类妇女儿童民生项目8个42万元，2万妇女儿童受益。创新开展的"邱大姐热线"项目被省委文明办评为最佳志愿服务项目。动员爱心企业为74名乡镇基层妇联干部购买妇女健康保险。

【组织建设】深入推进党建带妇建，开展"查堵点、破难题、树新风、促发展"作风建设活动，提升基层妇联工作水平，建立"妇女微家"和"执委工作室"16个，新领域建妇女组织2个，实现"执委工作室"与维权工作深度融合，加强"网上妇联"建设，将微信公众号建设成服务工作联系的网络矩阵。

（田焕撰稿　张梅玲编辑）

柞水县工商业联合会

主　席

孟晓琴（2022年1月—12月）

党组书记

康　霞（2022年1月—12月）

副主席

程　虎（2022年1月—12月）

【概况】县工商联机关核定事业编制6名，领导职数设正、副主席各1名，12月底实有人员6名。内设3个股室：办公室、会员股、经济股。根据《中国共产党统一战线工作条例》规定，县工商联设立党组，县委统战部副部长兼任工商联党组书记。被省、市工商联评为"会务工作先进单位"，被市委、市政府评为"精神文明单位标兵"。

【基层组织建设】召开县工商联十届会员代表大会，组建新一届执委班子。新登记旅游商会和兰草商会团体会员2个，县旅游商会荣获2021—2022年度全省"四好"商会荣誉称号。

【会员队伍建设】制订会员发展年度计划，全年发展会员60个，年递增速度为10%，完成全年任务的196%。疫情防控期间组织会员企业为值守人员送餐和捐物等慰问活动，非公经济人士累计捐资捐物59.12万元。

【参政议政】县工商联提交的《关于支持民营企业改革发展的建议》等3件提案被列入县十大重点提案之中，其中《关于切实巩固提升脱贫攻坚成果的建议》在县九届五次政协会上作议政发言。组织县工商联界企业政协委员开展"民情委员民意"主题协商活动，上报省、市、县工商联社情民意信息3件，上报工作建议和提案30多件，10名县工商界中的民营企业政协委员被县政协评为先进个人。

【政治引领】坚持政治建会、政治引领民营经济人士"听党话、感党恩、跟党走"。集中学习习近平新时代中国特色社会主义思想和重要会议精神10期；举办民营经济代表人士培训班1期；组织42名县上民营经济人士赴红岩寺镇、牛背梁、金米村等地开展党性教育和革命传统教育；组织2批次80余名民营企业家学习宣传贯彻习近平总书记来陕重要讲话重要指示精神；组织集中宣讲党的二十大精神进商协会、进企业2次。推荐上报市工商联表彰优秀民营企业家15名，牛背梁理想信念教育基地被授予省级民营经济人士理想信念教育基地。

【招商引资】筹办乡党回乡发展大会、丝博会、招商会、民营企业家座谈会等活动，提供招商线索9条，争取资金32万元，占任务的100%。开展常委联系执委、执委联系会员、企业助推柞水经济高质量发展活动，百名法官进企业活动，营造良好的营商环境。

【干部队伍建设】修订《柞水县工商联"三项机制"工作方案》等多个制度，严明工作纪律，规范工作程序，转变干部作风。开展"弘扬爱国奋斗精神，建功立业新时代"教育活动，重视人才培养，2名干部分别被评为优秀共产党员、优秀党务工作者。推荐一批先进非公经济人士并受到各级表彰。推荐后备干部3人（次），其中晋升四级调研员1人、三级主任科员1人。

【意识形态】落实意识形态主体责任，意识形态纳入年度考核内容，组织干部学习20余次。在省工商联微信公众号和《中华工商时报》等省级媒体发稿12条，公众号发布宣传会员风采、工作动态和企业典型的讯息48期。12月高标准通过市级文明单位验收，获得"市级精神文明单位标兵"称号。

【万企兴万村】坚持多重带动，实行一村多企结对、多企带动一村，实现民企联村全覆盖，参与民营企业和非公经济组织51家，实施项目71个，投入资金452万元，受益村71个。组织高淳区29家企业援助柞水县41名高中段贫困学生完成学业，援助资金20.5万元。协助包扶的乾佑街办石镇社区争取省工商联帮扶资金4.5万元；争取西安市民政局为社区留守儿童、留守老人捐赠价值15.36万元的生活、防疫物资；争取希格玛会计事务所为石镇社区搬迁困难群众和困难学生发放救助金6.1万元。5家企业被授予县级"万企兴万村实验项目"，其中2家企业被授予省级"万企兴万村实验项目"。

（黄婷婷撰稿　张梅玲编辑）

柞水县科学技术协会

柞水县科学技术协会
主　席
王华岁（2022年1月—12月）
副主席
罗　啸（2022年1月—12月）
王　勇（2022年1月—12月兼职）
陈敬莉（2022年1月—12月兼职）
孟晓涛（2022年1月—12月兼职）

【概况】内设办公室、科普股。编制6人，实有6人，其中领导职数2人，实有2人。荣获省、市科协青少年科技创新大赛优秀组织单位，商洛市全国科普日活动优秀组织单位，创建省级院士工作站1个，市级科普教育基地2个，县级科普教育基地2个。

【科普宣传】开展第三十届"科技之春"宣传月、科技工作者日和全国科普日等大型科普宣传活动，开展重点活动26项，发放各类科普资料18万份，展出科普展板310块，举办科普报告会5场次，更换科普宣传栏宣传挂图360幅，举办培训会议64场次，提供咨询服务达2500人次。

【纲要实施】制订《柞水县贯彻全民科学素质行动规划纲要（2021—2035年）实施方案》，印发《柞水县科普工作"十四五"规划》《柞水县2022年纲要实施工作要点》，组织开展了"科技之春"宣传月"科普社区行""科普校园行""全国科普日""科技教育乡村行"等系列科普宣传活动。

【青少年科普】组织开展了第三十七届青少年科技创新大赛，全县11所中小学校推荐参评作品79件，上报市级参赛作品25件，在城区二中举办科普知识有奖竞答活动；举办陕西省"2022年'乡村振兴，科技赋能'科技教育乡村行"活动，西安交通大学曹晖教授在县中为全校师生作题为《电力机器人应用现状及关键共性技术发展趋势》的科普报告，昆虫收藏专家谭季钊以《多彩的昆虫世界》为题，给三小广大师生上了一堂科普知识课，西安交通大学志愿者在县中举办了"机器人小车"科技实践活动，培养孩子们的科学素养和实践能力。

【社区科普】开展"科普社区行"科普宣传活动，邀请专家进社区开展疫情防控科普讲座2期、开展义诊活动12次；组织全体党员深入什家湾村、仁和社区入户宣传《陕西省秦岭生态环境保护条例》，开展环境整治，清理垃圾，打扫卫生，美化环境。

【科普惠农】新培育柞水县特禽养殖农技协科技小院建设项目、柞水县下梁镇新合村高产优质天麻新品种科普示范基地等7个科普惠农项目，申报商洛市科普惠农项目5个，争取科普惠农专项资金39万元，完成年度任务的195%。

【农民培训】举办实用技术培训42场次，受训农民达2150人次；开展技能比武、技术竞赛10场次；组织全县120名科级以上领导干部参加全市领导干部科普知识讲座；科协系统共举办实用技术培训24场次，培训实用人才1500余人次。

（张道彬撰稿　张书国编辑）

柞水县残疾人联合会

柞水县残疾人联合会
理事长
张　勇（2022年1月—12月）
副理事长
赵昌富（2022年1月—12月）
李　彧（2022年1月—12月）

【概况】属于参公管理的事业单位，设领导职数3名（理事长1名、副理事长2名），干事3名。指导9个镇（办），82个村、社区扎实开展各项残疾人工作。被市残联评为先进单位。

【康复工作】制订下发《柞水县残疾人家庭医生签约服务资工作方案》，实现签约服务3051人，服务率达到100%。制定残疾儿童康复救助制度，完成全县0—14岁残疾儿童筛查，将符合条件的8名脑瘫、智力低下、孤独症、听力残疾儿童转介到西安免费康复训练，为83名残疾儿童实施康复服务。依托柞水精神病医院成立"柞水县残疾人托养服务中心"，为全县精神、智力及肢体残疾人提供针对性的生活照料、护理、自理能力训练等基本服务，为432名精神残疾患者免费发放价值18.23余万元的药品。6月份，在溪水公寓成立柞水县残疾人日间照料中心，采取集中托养、居家托养和日间照料相结合的方式为我县残疾人提供托养服务，累计为145名残疾人提供托养服务。

【教育就业】兑付残疾及残疾家庭大学生资助项目21人4.8万元，贫困残疾儿童入学资助项目20人1.28万元，落实残疾人临时困难救助106人发放救助资金16.5万元。

【社会保障】按照《柞水县困难残疾人生活补贴和重度残疾人护理补贴实施办法》和《柞水县残疾人临时救助实施办法》，严格落实残疾人"两项补贴"、临时救助等底线保障政策，新办残疾证348

人，落实残疾人"两项补贴"6464人559.44万元，对76名符合条件的肢体残疾人发放燃油补贴1.97万元。

【组织建设】按照专委补助每月300元的标准，沟通衔接协调落实省、市、县三级财政配套资金，全县86名专委共计发放工作补贴30.32万元。

【乡村振兴】扶持省级40户残疾人自主创业20万元，落实贫困残疾人"阳光增收"项目，扶持贫困残疾人发展产业56.9万元。与华茂职业技术学校签订协议，委托开展残疾人实用技术培训和职业技能培训，共有517名残疾人接受培训，为包扶明星社区争取困难残疾人帮扶资金5万元。

（刘亚楠撰稿　张书国编辑）

柞水县红十字会

柞水县红十字会
会　长
龙文宏（2021年1月—12月）
副会长
杨前有（2021年1月—12月）

【概况】柞水县红十字会2010年7月单设，科级规格，属县政府管理事业机构，2019年2月县级机构改革调整为群团组织，编制6人，领导职数一正一副，实际在册职工5人。

【博爱周活动】在仁和社区举行"红十字博爱周暨应急救护培训"，实操讲解徒手心肺复苏技术，社区200余名居民参加；"5·8博爱活动周""5·12防灾减灾日"等纪念日，在迎春广场设立宣传点，宣传《红十字法》《防灾减灾》等知识，向群众发放宣传资料1万余份，收到较好的社会效果。

【志愿服务】疫情防控期间动员广大群众、学生等志愿者身着"红十字马甲"深入街头、防控卡点开展志愿服务活动，为疫情防控贡献力量，成为战"疫"路上的一抹"红"；组织志愿者参加"弘扬雷锋精神·建设文明柞水"志愿服务月活动，纪念第59个"学雷锋纪念日"，向群众讲解心肺复苏操作过程、创作包扎、家庭常见创伤救护等基本应急救护知识。

【疫情防控】向县医院转赠了一套爱心人士、爱心企业捐赠的价值45万元的全自动血液细胞分析仪，向社区和防控一线转赠价值18万元大白菜、医用口罩等疫情防控物资；自筹慰问物资2.6万元，对全县"两站一口"和国省干线卡口9个疫情防控卡点进行慰问；争取水灾救助款2万元，对因水灾受灾家庭进行了救助；组织红十字曙光救援队在城区重要区域、镇办重点场所开展消杀活动两次；全体干部按时参加高速柞水出入口疫情防控检查执勤和包扶"三无小区"核酸检测执勤工作。

【项目建设】争取中国红十字基金会项目支持，先后为瓦房口镇老庄村争取50万元博爱家园项目，为红岩寺镇本地湾村争取30万元卫生站建设项目，为杏坪镇联丰村争取15万元博爱E站医疗设置配置项目，目前项目相关申报已完成，博爱家园项目选址工作已完成。

【作风建设】开展以"三学""三查""三建"为主要内容的纪律作风教育整顿活动，通过学习党章党规党纪，查摆班子和个人存在的10个问题，并进行了整改销号；开展"查堵点、破难题、树新风、促发展"作风建设活动，查找出班子和干部个人存在的问题堵点问题6个，并进行了整改销号；开展清廉柞水作风建设活动，围绕"六个专项治理"、对照6个方面问题类型查找会班子存在问题4个、干部个人存在问题10个，并进行整改。

（赖光喜撰稿　张书国编辑）

柞水县慈善协会

柞水县慈善协会

会　　长

汪懿德（2022年1月—12月）

副会长、秘书长

王钧喜（2022年1月—12月）

【三大活动】春节前夕，县慈协领导率员涉足柞水营盘、石瓮、凤镇、蔡玉窑、红岩寺等边远地区镇、村，慰问老劳模、老党员、老村组干部和坚守在高速路口疫情防控卡点值班的工作人员共150人，每人200元，共计发放现金30000元、棉马甲40件。"六一"儿童节前，县慈协共募集善款2.9万元，与县科教体局以"童心筑梦·童心飞扬"为主题，到瓦房口镇木家庄小学举行庆"六一"慈善联合行动启动仪式，为120名同学捐赠床上用品三件套，为凤凰镇凤镇街幼儿园、曹坪镇马房湾小学、杏坪镇肖台村小花蕾幼儿园捐赠学习用品、玩具等节日礼物。重阳节在红岩寺镇盘龙寺村，召开老年人代表慰问座谈会，以村组为单位，为65岁以上老年人发放冬棉被170床，价值2.7万余元。

【便民桥】争取慈安便民桥资金125万元。在全县7镇（办）25个村修建慈安桥35座。经11月下旬现场验收，均符合设计要求，且质量都比往年有较大提高。

【慈善济困】在助医、助学、扶危济困工作中，争取社会各界爱心人士捐资12万元，救助应届大学生和困难中小学生150人；为穆家庄小学争取善款7万元，为学生制作校服和改建厨房宿舍；与镇安爱尔眼科医院联合设立"柞水县慈善爱眼公益行"项目，先后治疗白内障、翼状胬肉等眼疾患者20名；与西安脑病医院联系，在全县普查出全县脑瘫和癫痫儿童68名，分别得到关爱和医治。

【慈善家园】按照省、市关于创建"慈善幸福家园"村（社）互助工程总体部署和《柞水县"慈善幸福家园"工程实施意见》安排，确定2022年创建第一批20个"慈善幸福家园"村（社）。县委、县政府给每个"慈善幸福家园"5000元以奖代补资金；由县政府召开创建"慈善幸福家园"工作视频推进会；县政府办公室先后印发《柞水县"慈善幸福家园"村社互助工程实施方案》、督办件和检查验收情况通报；各镇（办）、县级包扶单位积极配合，除2个村因场地问题延后创建，其他18个村（社区）全部达到创建标准。经省、市领导两次检查督导及验收，肯定柞水的成绩和做法，经检查验收，已建成的18个村（社区）均符合"五个一"创建要求，其中16个村（社区）线下募集资金共651950元，并申办"慈善幸福家园"银行专用账户；2个村（社区）因疫情原因延后开展募捐活动。建立"柞水慈善幸福家园"微信工作群,及时进行工作指导、发送通知、传递各村(社区)创建信息。

【物资争取】 引进西安、河南、南京、安徽、广州等地爱心企业捐赠,先后接收铜锣1300面、衣服91箱、口罩12万元52箱,抗疫检测试剂盒12箱,以及消毒液、防护服、方便面、矿泉水等救灾抗疫等物资,为全县各镇(办)、村(社区)安装净水机200多台(套),为全县9镇(办)和19个"慈善幸福家园"各赠送暖风机1台。所有捐赠物资已于11月底全部发放到9镇(办)82个村(社区)及县医疗防疫单位。

【慈善义工】 市慈善协会表彰2个慈善志愿者先进集体和4个慈善志愿者先进个人,齐昌军慈善服务总队多次组织爱心人士向县境内各疫情防控卡点捐赠口罩、酒精、方便面、水果、饮料等价值23万元疫情防控物资,在营盘镇丰河小学举行"阳光助学"爱心捐赠活动,捐赠价值1.5万元电子琴、饮水机等。瓦房口镇大河村志愿者服务队组织6个服务分队,采取上门入户宣讲、在微信群发倡议书等形式进行募捐动员,取得首次募捐8.12万元资金的好成绩。

【疫情防控】 号召全县慈善志愿者参加防疫防控工作,各慈善志愿者所在地防控工作有序开展,动员社会爱心人士捐款捐物,助力抗疫。

(肖光举撰稿　张青丽编辑)

军事·消防

柞水县人民武装部

柞水县人民武装部
部　长
张新峰（2022年1月—12月）
政　委
闫云辉（2022年1月—7月）
张德玉（2022年8月—12月）
副部长
田德鑫（2022年1月—12月）

【概况】人武部党委高举习近平新时代中国特色社会主义思想伟大旗帜，全面贯彻习近平强军思想，以党在新时代的强军目标为引领，贯彻军委和中部战区、军委国防动员部、省军区和军分区党委决策部署，适应新局面新使命新任务，把握稳中求进工作总基调，着眼有效履行使命任务，聚焦中心抓战备、固强补弱打基础，圆满完成各项工作任务，单位全面建设保持积极向上、稳步推进的良好势头。

【政治建设】把学习贯彻习近平强军思想紧抓不放，采取重要观点集中领学、会议讲话即时快学、经典理论录像辅学等方式，使党的创新理论成为推动工作、解决问题的"金钥匙"。重点学习贯彻党的十九届六中全会精神，高举思想旗帜，培塑政治忠诚；党的二十大召开以来，学习重点迅速向贯彻二十大精神聚焦，采取以上率下学、讨论交流学、营造氛围学、延伸基层学等多种形式掀起学习宣传贯彻党的二十大精神热潮。持续巩固拓展党史学习教育成果，紧紧围绕"忠诚维护核心、矢志奋斗强军"深化主题教育，组织专题授课5次。及时购买配发《习近平谈治国理政》（第四卷）《习近平强军思想学习问答》《党的二十大报告辅导读本》等书目6种30余本，引导官兵在原文研读、干部领学、讨论交流中捍卫"两个确立"，增强"四个意识"，坚定"四个自信"，做到"两个维护"，贯彻军委主席负责制。

【征兵入伍】严密组织征兵工作，把住大学生这个重点，压实各级责任，形成征集合力，积极与县科教局、公安局对接，了解掌握大学生底数和分布情况，利用春节、寒暑假、毕业季等时机，分片包干、走村入户，精准动员，有效激发应征青年报名参军的热情。全县适龄青年登记率为100%，圆满完成全年新兵征集任务。大学生征集比例达到86%；大学毕业生征集比例达到55.5%，较去年增长26.5%，兵员质量再上新台阶。

【军事训练】 深入学习贯彻习主席开训动员令,从严落实战备工作制度,始终保持战备状态,科学合理配置应急值守力量,认真贯彻《战备工作条例》,坚持日交班、周交班制度,重大节日、重要时间节点对值班分队进行抽查检查,与县公安局、应急管理局建立应急联动机制,修订完善应急处突预案,不断提高战备水平。加强实战化训练演练,落实每月3天首长机关训练,充分利用军事职业教育平台开展在线课程学习。完成基干民兵组织整顿和普通民兵编组任务,民兵整组工作全市排名第三。8月上旬,集中民兵应急分队、支援分队在商洛市民兵训练基地集中轮训备勤,按照《民兵军事训练大纲》,分别对军事基础理论、军事基础动作、实弹射击、森林灭火、战场救护等科目进行了训练,民兵队伍国防观念、军事素养、纪律意识大大提升,民兵精神风貌以及训练成效受到军分区检查组充分肯定。

【基础建设】 根据军分区统一部署,党委研究制订建设方案,为"四个秩序"建设工作定好时间、立下标准。对各类房间库室进行了升级改造,配备补齐硬件设施,营造武装工作文化氛围,达到了布局合理、设施齐全、功能完善的预期目标。坚持把工作重心向基层倾斜,开展争先创优活动,召开年度武装工作表彰大会,对4个基层武装部、7名专武干部进行表彰奖励。协调县委新调整2名专武干部,坚持利用每月的专武干部例会搞好业务培训和工作讲评,组织新任职武装部长、干事分3批6人到部机关轮训,帮助提高业务能力。突出"建设、落实、提能"三个方面,巩固提升基层武装部规范化建设成果,指导各镇(办)完善战备库室,按照应急连(排)标准,配套携行物资和专业器材,在重点保障"三室两库"规范化建设的基础上,其他设置采取能合则合、能并则并的原则,实现功能齐全,配套设施完善。

【双拥纪实】 坚持将部队所能与地方所需、群众所盼结合起来,抓好军民共建活动,丰富共建内容,深化共建内涵,促进军地团结。春节、"八一"等节日,对生活困难退役老兵、军烈属进行慰问;联合退役军人事务局及时为11名现役军人家庭送去立功喜报和慰问金;连续第3年在杏坪中学开展"爱心助学"活动,捐款5000元资助5名品学兼优困难生,军民一家亲的氛围不断浓厚。深入贯彻落实上级关于做好参与巩固脱贫攻坚成果同乡村振兴有效衔接的指示精神,接续做好定点帮扶工作,先后4次带队深入杏坪社区检查调研,召开座谈会,掌握社区帮扶产业发展现状,共谋提升对策;为杏坪社区拨付30万元帮扶以及援建经费,帮助社区完善集体产业基础设施建设,督导社区合理使用帮扶资金,提升帮扶质效。

【安全保密】 紧盯政治之年、大事之年的特殊政治要求,贯彻落实"军委国防动员部坚决遏制事故案件问题电视电话会议"精神,将安全管理工作紧抓不放。及时修订各类安全事故应急预案,调整完善安全、保密、密码密钥、疫情防控等工作小组,划分安全管理责任区,营造"人人肩上有担子,人人身上有任务"的安全管理工作氛围。每月按照省军区《"清单式"安全检查及隐患问题整治实施方案》要求,经常性进行安全问题自查整改。全面开展专武干部办公电脑清理整顿、保密专项整治、手机微信清理,严防失泄密问题发生。严格车辆动用审批,定期开展安全行车警示教育。

(胡松撰稿 陈刚编辑)

柞水县消防救援大队

柞水县消防救援大队

大队长

郑　强（2022年1月—12月）

政治教导员

薛燕超（2022年1月—10月）

张兆斌（2022年11月—12月）

【概况】消防工作以全面落实《2022年消防工作目标责任书》为主线，按照政府统一领导、部门依法监管、单位全面负责、公民积极参与的原则，深入开展"除隐患、保平安"、仓储物流场所消防安全专项整治和今冬明春等专项整治活动，完成各项既定目标，被陕西总队表彰为"优秀基层党组织""先进基层党组织"；在全市防火业务比武竞赛中荣获"团体二等奖"；救援站党支部被共青团柞水县委评为"五四红旗团支部"。

【灭火救援】接警166起，其中火灾58起，抢险救援32起，社会救助57起，公务执勤15起，共计出动队伍166队次，出动车辆238辆次，出动人员1333人次，抢救被困人数26人，疏散人员50人，抢救财产价值1023350元，保护财产价值2993550元。成功处置了"1·29"包茂高速终南山隧道交通事故、"6·15"包茂高速终南山隧道货车着火事故、"12·29"凤凰镇博龙社区民房火灾。

【消防执法】共检查单位1032家、下发责令整改通知书317份，对23家单位进行行政处罚，查封单位9家，罚款81310元。未发生较大以上火灾事故和亡人火灾事故。

【实战训练】大队坚持以提高战斗力为标准，将全员岗位大练兵工作贯穿于全年，强化指战员技能及业务素质训练，全面提升队伍抢险救援、灭火攻坚的实战能力。积极组建水域救援先锋队，应急通信保障小组、紧急救援小组等专业班组，全面夯实专业小组的综合能力。省消防救援总队领导带领灭火救援专家深入包茂高速终南山超长隧道开展实地调研工作。

【专项行动】落实国务院安委会"十五条硬措施"，制订了《"防风险、除隐患、保安全、迎盛会"消防安全大检查行动方案》；下发了《全县生产经营租住村（居）民自建房重大火灾风险综合治理工作方案》《关于开展高层建筑重大火灾风险专项整治的通知》《柞水县仓储物流场所消防安全专项整治工作方案》《柞水县"守护三秦"消防安全百日攻坚行动方案》；在"两会"、五一、端午、高考、中秋、国庆等重要节点、重点时段和重要活动期间，联合其他部门开展检查和夜查行动共计40余次；圆满完成"防风险、保平安、迎二十大"消防安全保卫攻坚行动，相继召开"喜迎二十大、除险保平安"动员部署会、消安委联席会、消防安全重点单位约谈培训会，制订《"防风险、保平安、喜迎二十大"消防安全保卫攻坚行动实施方案》，组成由公安、住建、城管、市监、消防等部门的"二十大"联合检查组，对全县高层建筑、"九小"

场所、燃气经营企业、人员密集场所等单位开展消防安全检查。

【思想建设】贯彻落实《陕西省消防安全责任制实施办法》要求，持续推进全民消防知识普学普训计划，深入开展消防宣传"五进"工作；科普教育基地、救援站、卫星消防站坚持定期开放，全年开展队站开放活动40余次，接待来访学习体验群众近万人；以"119"消防宣传月为契机，11月9日在迎春广场隆重举行以"抓消防安全，保高质量发展"为主题的消防宣传月启动仪式；以人员密集场所、"九小"场所为重点，开展消防知识培训，培训万余人次；大力开展消防志愿者活动及消防学习云平台活动，消防志愿者已过万。全年共发放各类消防宣传手册、宣传单万余份，消防礼品1500余件。大队党委、救援站党支部联合柞水县小岭镇党委、金米村党支部扎实开展"双联双带"党建试点工作，通过走进彼此行业内部观摩学习、现场体验、深度交流等方式，形成"党建带队建、队建促发展"的新型党建模式，达到资源共享、优势互补、共同促进的目的。

（袁环撰稿　陈刚编辑）

法 治

政法工作

中共柞水县委政法委员会

书　记

汪正华（2022年1月—12月）

常务副书记

宋登魁（2022年1月—12月）

副书记

王新明（2022年1月—12月）

任根成（2022年1月—12月）

石国锴（2022年12月）

县综治中心主任

张　华（2022年1月—12月）

【概况】属县委工作机关，为正科级单位，内设办公室、综治督导室、维稳指导室3个机构，行政编制7名，设书记1名，常务副书记1名（正科），副书记2名，现有在岗人数13人；下设县社会治安综合治理中心，事业性质，正科级规格，事业编制7名，设主任1名（正科）、副主任1名、管理岗位5名，现有在岗人数4人。

【政法工作】推进"八五"普法工作，开展国家安全日、秦岭生态环境日等系列宣传活动201场次，发放各类宣传资料6万余份。建成下梁《民法典》主题广场、街垣社区法治文化小区、溶洞法治文化景区、锦阳小区法治示范小区等一批乡村法治文化阵地，命名表彰"法治示范户"1600户、"民主法治示范村"20个，培养"法律明白人"3800多人。完成行政执法证考试69人，核实换发执法证件1120人，办结行政复议、行政诉讼案件各8件，完成9个镇（办）、25个政府部门法律顾问聘任备案工作，审核各类协议和文件37件，完成合同审查备案27件，开展2次专项督察。抓好涉法涉诉信访，先后检查案卷120卷，评查重点案件150件，评选推荐优秀典型案例6件，接待处置来信来访问题82件。在全县82个村（社区）建立公共法律服务点、聘请了法律顾问，制作发放"一村（社区）一法律顾问"便民联系卡2万余张，提供法律咨询服务1200余人次、意见建议140余条，协助调处疑难复杂纠纷80余起，办理法律援助案件125件、公证事项95件。完成"两站一口"值带班查控、城区封控、全员核酸检测、西安和山阳重点人员隔离和支援山阳抗疫等任务，累计出动执法人员615人次，督查车站、大型商超、药店、金融网点等重点场所2522处，发现整改问题295个，约谈警告并责令改正268家，勒令关停27家。

【综合治理】 为项目建设、企业提供法律服务130次，帮助化解企地矛盾83件。排查受理涉黑涉恶线索7条，核查上级交办线索13条，开展教育、医疗、金融放贷、市场流通新四大行业领域乱象专项整治。开展治安大清查、安全大检查等专项行动，共破获电信诈骗案件36起，解决执行难案件318件3000多万元，排查侦办涉及养老诈骗相关线索4条，排查整治各类安全隐患258处，查处违停违法车辆13435辆次。县公安机关破刑事案件87起、受理查处治安案件397起，检察机关办理审查逮捕案件28件51人，审查起诉案件76件126人，审判机关审执结各类案件2307件，严厉打击了违法犯罪。完善党建引领"网格化"+基层社会治理创新机制，县指挥中心先后召开防疫、防火等调度会18次，管控重点人员5000余人，排查调解矛盾142件，整治治安、安全隐患86起。开展平安创建大型宣传活动4次，印发宣传资料8万余份，制作发放杯子、雨伞等宣传品10万余件。

【社会维稳】 开展打击邪教破坏渗透、网络违法犯罪、暴力恐怖和反间谍等十大专项行动，收缴一批非法物品，排查监管各类重点人员45人，完成重大项目稳评120个，创新建立"3345"联调机制，排查化解各类矛盾纠纷650件。采取"三线跟踪督办、四关审查结案"方式，化解重点信访案件22件。对485名重点人落实"一人一策一专班"管控措施，制定各类突发事件应急预案30余个，组织开展全省旅游安全、防汛、防疫等各类应急演练6次、应急培训8场次。

【队伍建设】 将党史教育、作风建设和政法队伍教育整顿作为重要政治任务，印制学习资料、集中学习研讨、进行问卷测试等多种措施，开展集中学习152场次，政治轮训、英模教育等31次。执行八项规定、《政法条例》《新时代政法干警"十个严禁"》等规定要求，开展作风纪律教育整顿、"查堵点、破难题、树新风、促发展""以案促改""析案、明理、尽责、实干"等主题教育活动，查找整治作风纪律等问题362个。开展轮值轮训、岗位练兵、技能比武等活动，参加市以上业务培训、技能比武等400余人次，公安机关在全市业务比武中获得团体第一名。

【工作亮点】 被授予省级第一批"平安铜鼎"，连续5年荣获全省信访工作先进县，县委、县政府被评为市全国"两会"期间信访工作先进单位，县委依法治县办被中宣部、司法部、全国普法办命名为全国普法工作先进单位。县委政法委被评为全市党的二十大维稳安保工作先进集体。县公安局连续四年荣获"全省优秀公安局"，被评为全省人民满意政法单位。县检察院被评为全市人民满意政法单位，第二监察部荣立市级"集体三等功"，制作的微电影《诉回的爱》在第三届"陕检·电影节"被评为微电影类二等奖。县法院先后获得"双进专项工作优秀单位""普法工作先进集体"等荣誉。县司法局被司法部、人社部命名为全国司法行政系统先进集体，县调委会"1234"工作法成功经验被《法制日报》等多家媒体刊发，全市矛盾纠纷多元化解机制现场会在我县成功召开。县公安局民警郭淑琴当选十四届全国人大代表，被评为全国公安机关爱民模范。

(王礼鹏撰稿　张书国编辑)

公安工作

柞水县公安局

党委书记、局长

李小军（2022年1月—12月）

政　委

屈亚龙（2022年1月—12月）

党委副书记

屈亚龙（2022年1月—12月）

邓世新（2022年1月—8月）

王海浪（2022年8月—12月）

副局长

王海浪（2022年1月—8月）

郑　洲（2022年1月—12月）

张　乐（2022年1月—8月）

陈　锋（2022年8月—12月）

党委委员、指挥中心（办公室）主任

邓君涛（2022年1月—12月）

党委委员、政工监督室主任

陈　锋（2022年1月—8月）

谭宏伟（2022年8月—12月）

党委委员、乾佑派出所所长

程先波（2022年1月—8月）

刘文超（2022年8月—12月）

党委委员、交通管理大队大队长

胡增魁（2022年1月—8月）

程先波（2022年8月—12月）

交通管理大队副大队长

周　涛（2022年1月—12月）

陈定院（2022年1月—12月）

交通管理大队政委

孟松林（2022年1月—12月）

党委委员、森林警察大队大队长

袁业斌（2022年8月—12月）

森林警察大队教导员

党益民（2022年1月—12月）

【概述】以党的二十大和北京冬残奥会安保维稳为主线，深入贯彻落实中、省、市政法、公安工作会议精神，对照"安宁商洛""安宁柞水"创建工作和"两争一树""四强四优"活动要求，认真履行"捍卫政治安全、维护社会安定、保障人民安宁"职责使命，全力做好战疫情、防风险、护稳定、促发展各项工作，有力维护了全县社会治安大局稳定。内设机构17个，下设派出所9个，现有警力457人，其中民警156人、工勤66人、辅警235人。连续4年被省厅授予"全省优秀公安局"，连续12年目标责任考核获优秀等次。

【政治保卫】查处邪教治安案件8起，治安处罚13人，其中行政拘留3人，批评教育10人。共收缴"十"字架1个，书籍252本（册）、资料157页、手抄报14本、收据2张。查处宗教治安案件5起，批评教育10人，收缴书刊400余件，取缔非法教点1个。调查校园宗教渗透案件1起，收缴书刊等400余件。查处境外非政府组织案件1起，批评教育20人，收缴物品7685件。

【严打整治】纵深推进"云剑-2022"系列严打整治专项行动，扎实开展夏季治安打击整治"百日行动"，全县共立刑事案件125起，破案87起，抓获上网逃犯23人，共抓获犯罪嫌疑人127人，八类严重暴力犯罪案件发13起破13起，破案率达100%；持续开展"扫黑除恶"常态化斗争，对黑恶犯罪打早打小、露头就打，深挖重点线索，核查上级交办线索13条，办结11条，侦办"9类"涉恶案件1起；共破获电信网络诈骗案件32起，抓获犯罪嫌疑人48人，为受害人追回被骗资金50余万元，共止付涉案银行账号270个、涉案资金1551万元，预警劝阻16000余人次，冻结涉案银行账号300个，冻结资金1316.74万元，缅北滞留人员劝返率60%；扎实开展打击整治养老诈骗专项行动，共翻查刑事案件1396起、治安案件3139起、群众报警4760起，发现涉及养老诈骗相关线索4条，立案2起，抓获犯罪嫌疑人3人。

【社会管控】开展党的二十大、春节国庆等重要节假及领导视察等警卫安保任务89次，动用警力3200余人次，安全"万无一失"；全面强化立体布防，开工建设并完成"雪亮工程"二期建设任务，深入推进"1+N"人防体系建设，结合"人盯人"+治安联防工作机制，整体推进城区网络化巡逻防控；整合巡特警、交警、乾佑派出所警力，在城区街面投勤街面巡逻防控、武装屯警巡逻警力2584人次，投勤车辆646台次，城区主街面未发生可防性重大刑事、治安案事件；治安管理部门共办理涉爆案件5起、非法运输烟花爆竹案件2起，收缴枪支7支、子弹80发、雷管64发、导火索100米；交通管理部门处置各类道路交通事故1189起（其中一般事故1126起，人员伤亡事故63起），查处酒驾、"三超一疲劳"等各类交通违法10706起；森林警察大队查破破坏野生动植物资源、森林失火、非法捕捞水产品、破坏生态环境类刑事案件15起24人，涉林治安案件3起，抓捕网上逃犯1人，收缴各类假药、劣药65类490盒（瓶），缴获猎枪2支，收缴电猫、猎夹、猎套32件，收缴捕鱼地笼、自制电鱼机等作案工具9件，缴获野生动物143头（只），救助放生野生动物8只（条）；监管大队依托智慧监管平台，深化监所安全管理，实现看守所连续20年无安全责任事故工作目标。

【服务大局】化解涉疫矛盾纠纷31起，查处涉疫行政案件37起，核查、反馈数据信息16000余条，核查入境有关人员疫情防控信息1203条。成立"三公"流调专班，开展流调溯源3369人，排查涉疫场所暴露人员1073人、配合防肺办核查重点人员信息833条，形成流调报告577份。抽调30名警力支援西安、100名警力支援商州、20名警力支援山阳县开展疫情封控，抽调60余名警力常态化开展两站一口、隔离酒店、地方卡口执行防疫勤务，完成全县各轮次全员核酸、重点群体核酸安保任务；全力开展脱贫攻坚衔接乡村振兴工作，结合帮扶宽坪村实际，制订了五年发展规划，全力配合镇、村开展产业帮扶增收、教育扶贫扶智以及防止返贫监测、乡村治理、办事服务等工作。

【公安改革】全力构建"大协同"格局，以党建引领，实行部门牵头，警种内部挖潜、支部内部协调、局机关内部抽调、基层派出所调用的"1+4"四级协同机制；进一步整合网安、情报、科信、治安、刑侦资源，建立了重大案（事）件会商研判机制，做强做优合成作战中心；创新派出所警务模式，乾佑派出所"一室两队"改革落地，下梁、凤镇、曹坪、红岩寺派出所"公交森三警合一"改革稳步推进，进一步打破了警种壁垒、盘活警力资源；向省市推选立体式网格化大格局防控宗教渗透及邪教违法犯罪活动、流动人口"四清四联动"管理机制、民爆物品"加减乘除"法经验、"1+3+3"执法监督管理模式、"两局四长三所五级"矛盾纠纷调解法等一批有创新成果的亮点项目。

（张晓健撰稿　陈刚编辑）

公安交警

柞水县交通管理大队

大队长

胡增魁（2022年1月—8月）

程先波（2022年9月—12月）

副大队长

周　涛（2022年1月—12月）

陈定院（2022年1月—12月）

政　委

孟松林（2022年1月—12月）

【概况】现有民警21人（政法专项编制22人），工勤16人，辅警92人，内设指挥中心（办公室）、法宣股、秩序股、事故处理股、车辆管理所5个股室，下辖城区、营盘、下梁、凤镇、曹坪、红岩寺6个中队。担负着全县2045.314千米公路、2.5万名驾驶员、2.6万辆机动车的道路交通安全管理任务。2022年受理交通事故1272起，事故四项指数与去年同期相比：事故起数下降81起，下降6%；死亡人数下降4人，下降44.4%；受伤人数下降12人，下降12%；直接经济损失下降18万元，下降9.2%。全县未发生3人以上亡人事故，顺利实现"四稳三无"目标。

【集中整治】围绕"道路攻坚、减量控大专项行动"，持续开展酒驾、涉牌涉证、乱停乱放等重点违法集中整治行动，始终保持严打高压态势。2022年，出动警力16000余人次、查处交通违法行为1.23万余起，查处酒驾158起，办理刑事案件22件，行政拘留案件8件，一般行政案件153件，吊销驾驶证案件17件。

【安全宣传】开展宣传活动125场次、培训会28场次，发放宣传资料5万余份，省市主流媒体采稿205篇，市支队采稿89篇，交通参与者文明出行意识明显提高，安全出行、文明出行新风逐步形成。

【重点工作】围绕党的二十大交通安保，启动高等级勤务和专班运行机制，实施九项硬措施和日报告研判制度，重要会议、重大活动交通安保100余次零失误；深入开展四个季度四大攻坚战；强力推进"1598"专项行动和隐患"大排查大起底大整治"行动，抽调30余名民辅警长期坚守一线，核查过境车辆6万余辆，劝返中高风险区来商车辆1.2万余辆，做实平战一体化疫情防控机制；强化砂石车管理，完善了交通基础设施，在晒裙岭沟口安装了交通分流限行监控，在石镇路段安装了禁止鸣笛和货车靠右行驶的4处交通标识标牌，对砂石运输车辆逢车必查，不符合通行规定的砂石货车一律分流至凤凰西上高速。

（陶秀峰撰稿　陈刚编辑）

检察工作

柞水县人民检察院

党组书记、检察长

蒋　燕（2022年1月—12月）

党组副书记、副检察长

余太平（2022年1月—12月）

副检察长

曹昌选（2022年1月—12月）

温江涛（2022年1月—12月）

检委会专职委员

韩勇波（2022年1月—12月）

蒋　燕（2022年1月—12月）

支部书记

曹昌选（2022年1月—12月）

驻院纪检组组长

王龙群（2022年1月—12月）

【概况】受理审查逮捕案件28件51人，受理审查起诉案件76件126人，办理民事审判和执行监督案件11件，行政公益诉讼案件51件，行政非诉执行监督案件2件，实质性化解行政争议案件4件。被市委平安商洛建设领导小组办公室评为2021年度平安单位，被商洛市"扫黄打非"工作领导小组授予2021年全市"扫黄打非"案件办理先进集体，被县委、县政府评为全县"七五"普法工作先进集体、党风廉政建设目标责任制考核优秀单位。社会治理类检察建议（祝兴林民事申诉案）被陕西省人民检察院评为2021年度全省检察机关优秀检察建议案件；微电影《诉回的爱》荣获陕西省人民检察院第三届"陕检·电影节"微电影类二等奖；第二检察部被商洛市人民检察院记集体三等功。

【刑事检察】强化打击职能，办理提请批准逮捕案件28件51人，审查起诉案件76件126人；从严从快办理故意杀人、强奸等暴力犯罪10件29人，追捕1人；全链条纵深打击电信网络诈骗，办理相关案件8件23人。贯彻少捕慎诉理念，依法决定不批准逮捕8件20人，不起诉16件22人。强化刑事诉讼监督，办理立案监督案件5件，纠正违法21件；查办司法人员职务犯罪1件2人。狠抓未成年人检察工作，积极推进未检一体化工作，办理涉未成年人审查逮捕案件9件22人，审查起诉案件11件30人；开展送法进校园、未成年人保护主题检察开放日6场次，制发家庭教育令2件；联合县委宣传部、科教局等4个部门举办的"保护少年的你暨争当秦岭生态卫士"为主题的法治手绘画廊活动，组织开展线上评选线下画展活动，链接点击量达90余万次。

【民事检察】办理民事审判和执行监督案件11件，维护司法公正。办理农民工讨薪、救火伤员伤残赔偿、独居老人养老金等支持起诉案件8件，涉案金额60余万元，追回国家医保基金近3万元，帮助特殊、弱势群体通过法律手段维护合法权益，公平享受法治建设成果。解决人民群众反映的烦心事，主动探索办理的虚假诉讼监督案件受到省院肯定；以柞水县检察院办理的一起未成年人抚养费跨区域支持起诉案为素材拍摄的微电影《诉回的爱》被第三届陕检电影节收录展播。

【行政检察】办理行政非诉执行监督案件2件，行政争议实质性化解案件4件，针对办案中发现的问题，向有关行政机关制发检察建议14件，及时堵塞漏洞。参与制定《柞水县规范行政执法行为提升行政执法水平的实施意见（试行）》《柞水县关于进一步加强行政执法与刑事司法衔接工作机制》，为提升依法行政水平贡献检察力量。

【公益诉讼】办理行政公益诉讼案件51件，提起刑事附带民事公益诉讼3件。聚焦秦岭生态环境保护、惠农政策等方面，督促整治非法排污点、非法占用河道、非法堆放废弃木耳菌包等问题，追缴生态环境修复补偿金5000余元，增殖放流鱼苗20000余尾；督促追缴违规报销的医保资金30余万元。

【检务公开】公开重要案件信息10件，程序性信息120件，生效法律文书54件，利用报刊、网络、"两微一端"等平台发布检察工作动态以及检察机关职能等信息600余篇次。强化接受人大监督意识，向人大及其常委会报告工作，全面落实人大决议、决定，认真办理人大代表意见建议。加强代表委员联络工作，邀请各级代表参加"检察开放日"、座谈会、公开听证、观摩等活动60余人次。

【中心工作】在全市率先召开县委检察工作会议，提请县委通过并印发《关于加强新时代检察机关法律监督工作的具体措施》。严格执行《中国共产党政法工作条例》和重大事项请示报告制度，向县委及政法委书面报告相关工作7次，口头报告常态化。制定出台《关于服务保障"三高三区"新柞水建设的实施意见》《立足检察职能强化司法为民具体措施》，办理相关案件41件。处理信访37件，开展矛盾纠纷排查化解10场次，化解各类涉案矛盾纠纷22件次，保持涉检零上访。办理司法救助案件4件4人，发放司法救助金6万元。2次组织全体干警深入镇村进行"全覆盖"法治宣传，印发宣传材料30000余份。根据办案所发现问题，制发社会治理类检察建议17件；针对疫情防控、"三无"小区治理工作中发现的问题，提出合理化建议8条，均被采纳。乡村振兴帮扶红岩社区谋划产业2个，发展地栽木耳20万袋，带动就业50余人，帮助销售木耳、粉条等农产品价值10万余元。

（陈海洲撰稿　张青丽编辑）

审判工作

柞水县人民法院

党组书记、院长

支社旗（2022年1月—12月）

党组副书记、副院长

王晓阳（2022年1月—12月）

党组成员、副院长

苏小良（2022年1月—12月）

祁少志（2022年1月—12月）

【概况】核定领导职数为一正三副，副处级建制，政法专项编制50名（含单列纪检监察派驻人员编制2名）。现有副处级院长1名、副院长3名，其中正科级2名，副科级1名。有在编干警44名。内设机构5个，分别是综合办公室、政治部、综合审判庭、立案庭、执行局。实有内设机构6个，含法警队1个。受理各类案件2361件（含旧存71件），已审执结2307件，结案率为97.71%。荣获"双进专项工作优秀单位""普法工作先进集体"等荣誉称号，是全县唯一荣获"全市最佳志愿服务组织"称号的集体。县下梁镇法庭、凤凰镇法庭分别被命名为全省法院"示范法庭""达标法庭"，涌现出"全省法院办案标兵""全市扫黄打非案件办理先进个人"等一批先进典型。

【刑事审判】常态化开展扫黑除恶斗争，开展打击整治养老诈骗、电信诈骗专项行动，维护群众生命财产安全和社会大局稳定。受理刑事案件63件，结案59件，结案率93.65%。判处罪犯69人，其中十年以上有期徒刑3人，十年以下有期徒刑、拘役、单处罚金65人，免予刑事处罚1人。审结强奸、强制猥亵、故意伤害等暴力犯罪案件11件12人，危险驾驶、交通肇事等危害公共安全犯罪案件20件20人；审结诈骗、盗窃等侵财犯罪案件6件9人，电信诈骗案6件13人，审结破坏公用电信设施、袭警、高空抛物等犯罪12件13人；保持反腐败高压态势，从重惩处指定管辖的职务犯罪案件2件2人。判处罚金117.9万元，执行107.88万元，追缴非法所得92.06万元，为被害人挽回损失119.96万元。坚持教育、感化、挽救的方针，全力保护未成年人合法权益，审结涉未成年人犯罪案件9件10人。深化以审判为中心的刑事诉讼制度改革，落实庭审实质化，实现刑事案件律师辩护全覆盖，保障被告人权利，维护司法公正。

【民商事审判】树立"法治是最好的营商环境"理念，平等保护各类市场主体合法权益，受理民商事案件1335件（含旧存31件），审结1316件，结案率98.58%。县法院为企业纾难解困，设立涉企案件"绿色通道"，快审快判涉企案件261件，10名法官送法进企业50人次。妥善处理金融机构提起诉讼的33件金融借款合同纠纷案件。依法审理环境资源类案件4件6人，判令被告人增殖放流鱼苗16000余尾，责令犯罪分子全面履行生态修复义务。

【执行工作】受理执行案件898件（含旧存40件），执结867件，执结率96.55%，执结标的额1.93亿元。加强失信惩戒机制建设，发布失信被执行人名单四期244人，限制高消费386人次；加大打击抗拒执行力度，查封账户5112个（次）、查封车辆122辆、查封房屋61套（处），启动司法拍卖程序案件38件，网拍96次，成交额948.29万元，司法拘留、拘传、罚款25人次，移送侦查拒不执行法院判决裁定案件1件。开展涉民生、涉民营企业、涉金融案件专项执行行动，集中突击执行平时行踪不定、传唤不到、拒不履行的被执行人，兑现执行款248.32万元。

【行政审判】受理行政非诉案件45件，结案45件，结案率100%。依法赋予强制执行效力36件，裁定不予受理3件，准予撤回申请6件。组织有关行政执法部门旁听行政诉讼案件庭审，接受行政执法培训，深化司法审判与行政执法的良性互动，助推法治政府建设。

【法治教育】开展"红领巾法学院"创建工作，联合辖区9个学校开展"模拟法庭""法院开放日"等活动16场次，600余名师生走进法院接受法治教育。13名法官受聘担任法治副校长，举办法治讲座20场次，形成职能互补的校园法治教育新模式。组织法官干警分组深入村（社区）开展打击整治养老诈骗、扫黑除恶、平安建设、《反有组织犯罪法》、《信访工作条例》、电信诈骗等宣传29场次，累计发放宣传资料2万余份。排查涉诉信访案件28件，逐案研判，化解率达100%。

【司法便民】推广"移动微法院"，网上立案、跨域立案146件，云上开庭210件次，通过人民法院送达平台送达文书、诉讼活动通知等565件次。诉前调解纠纷183件，对其中174件进行司法确认，标的额5469万余元，平均案件调解时长不足3天，矛盾纠纷及时化解。完善司法救助机制，发放司法救助金16万元。加强与妇联等部门的有效衔接，帮助4名妇女儿童申请妇联紧急救助金1.4万元。落实诉讼费缓减免制度，累计为困难当事人减免诉讼费36.62万元。

【队伍建设】遵守新时代政法干警"十个严禁"，严格执行防止干预司法"三个规定"，记录报告"三个规定"相关信息1058条。常态化开展审务督察，督导检查31次，发出通报12期。组织法官干警参加省市业务培训25场500余人次，撰写调研报告、学术论文、参阅案例55篇。通过审判委员会和专业法官会议研究讨论重大疑难案件、举办法官讲堂、开展庭审观摩、裁判文书评比等多种形式，加强对法官干警业务能力的教育培训，提高能力素质和执法水平。

【乡村振兴】引导所包扶营盘镇两河村发展木耳产业，重点围绕加快农业农村现代化、扎实推进共同富裕的目标制订产业发展计划。结合村情实际，因地制宜发展以"五个一"（即一千亩核桃、一千亩板栗、一千亩大豆、一千亩油菜、一万平方米冷水鱼养殖）为主导的产业，建设木耳大棚34个，种植木耳30万袋，带动脱贫户16人增加收入。村集体冷水鱼养殖与陕西农林科技大学开展多鳞白甲鱼繁殖项目，建设多鳞白甲鱼鱼种繁殖养殖池，实现多鳞白甲鱼增殖放流。包扶的营盘镇两河村接受省2022年巩固脱贫成果后评估并获得好评，被命名为乡村振兴镇级示范村。

【大事简记】3月18日，县第十九届人民代表大会第一次会议圆满完成各项议程胜利闭幕。会议审议并通过县人民法院工作报告，支社旗全票当选县人民法院院长。

5月6日至7日，商洛中院党组书记、院长张宏德到柞水县人民法院基层法庭、诉调中心及诉讼服务中心调研指导工作。

7月15日，柞水县首个"价格争议调解处理工作站"在县人民法院诉调对接中心正式挂牌。该工作站接受法院委派、委托和当事人申请，对存在价格争议的矛盾纠纷，主持协商、提供专业咨询意见，免费进行调解。

（李嫄撰稿　张梅玲编辑）

司法行政

柞水县司法局

局　长

崔立民（2022年1月—12月）

副局长

孟凡龙（2022年1月—12月）

宋晓军（2022年1月—12月）

余　田（2022年1月—12月）

支部书记

崔立民（2022年1月—12月）

法律援助中心主任

康小荣（2022年1月—5月）

孟祥涛（2022年5月—12月）

【概况】属县政府组成部门，内设6个股室，下设2个二级单位，管理2个律师事务所和3个法律服务所。局机关核定政法专项编制17名（含法律援助中心3名），现有干部职工19人（含法律援助中心2人），县公证处核定全额事业编制3名，现有干部6人。全县设9个基层司法所，核定政法专项编制24名，正科级建制1个（乾佑司法所），副科级建制8个。目前，9个基层司法所配备正科级司法所长1人、副科级司法所长4人，在职干部职工22人。基层司法所为县局在镇办的派出机构，实行县司法局与镇办双重管理、以县局管理为主的管理体制。被商洛市委全面依法治市委员会评为法治建设考核优秀县区；县委依法治县办公室被中宣部、司法部、全国普法办表彰为全国普法工作先进单位；县司法局9月被司法部、人社部表彰为全国司法行政系统先进集体、被商洛市委全面依法治市委员会表彰为全市依法治理创建活动先进单位；4月，县红岩寺镇、曹坪镇、杏坪镇3个基层司法所被省司法厅命名为省第二批"新时代六好司法所"，下梁司法所、曹坪司法所获得省司法厅第二批"新时代六好司法所示范单位"称号。

【依法治县工作】制定印发《柞水县法治政府建设实施方案（2022—2025年）》《柞水县法治政府建设工作要点》《柞水县法治政府建设示范单位动态管理规定（试行）》，组织开展党政主要负责人履行推进法治建设第一责任人职责及法治建设职责专项督察工作，筹备召开县委书记点评法治工作会议，夯实法治政府建设第一责任人职责。复查评估2018年、2019年获得示范单位称号的部门、镇办。增设政府网站法治政府建设专栏，上传公示信息600余条。

【法治政府建设】研究制定《柞水县规范行政执法行为提高行政执法水平实施意见》，成立行政复议委员会，6月行政复议体制改革工作在全市率先完成。完成第三批69人申领换发行政执法证考试，清理因工作调动、岗位调整、退休或其他原因不在行政执法岗位上的人员184人。受理行政复议申请8件，立案办结8件，行政诉讼败诉率大幅下降。行政复议纠错率达25%，未出现行政复议后引发行政诉讼的情况。配合县自然资源局等部门协调解决国家赔偿案件4件、信访案件1件、行政诉讼案件8件。集中评查案卷17卷，评查优秀案卷7卷，交办整改问题54个。

【普法依法治理】 召开全县法治宣传教育工作会议，全面启动实施"八五"普法工作。举办县第十九届人大代表《宪法》《民法典》专题讲座，建成下梁《民法典》主题广场，打造锦阳小区等3个法治示范小区，组织开展"美好生活·民法典相伴"等主题宣传活动201场次，发放《民法典》等各类法治宣传资料6万余份，解答法律咨询问题800余人次。落实"法律明白人"培养工作机制，共培养"法律明白人"947名、"学法用法"示范户1279户、法治带头人791人，评选出县级优秀"法律明白人"190名，省市优秀"法律明白人"20名。推出微信公众号、抖音等一批新媒体普法平台，发表各类信息280余篇。

【法律服务】 选派11名优秀律师和基层法律服务工作者"一对一"为41个重点项目提供法律服务50余人次。县局推进"一村（社区）一法律顾问"工作，制作"一村（社区）一法律顾问"公示牌发放到82个村（社区），制作发放"一村（社区）一法律顾问"便民联系卡2万余张，提供基层群众法律咨询服务600余人次，协助调处疑难复杂纠纷30余起。检查2019年至2022年7月30日期间办理的涉及继承、委托、赋予债权文书具有强制执行效力等380件民事、经济公证卷宗，整改问题5个。办理法律援助案件125件、公证事项95件。县公共法律服务中心12月建成并投入使用。

【社区矫正】 强化县社区矫正委员会职能，协调配合各成员单位，形成县社区矫正委员会总揽全局、基层司法所具体执行、社会力量参与的互补性监管教育机制。联合县检察院开展联合执法检查3次，发纠违通知书9份、检察建议书2份。全年累计接收社区矫正对象23人，解除37人。接受委托机关开展社会调查评估60人，手机定位32人，落实必接必送重点刑满释放人员11人。县智慧矫正中心9月建成并投入使用。县局与杏坪镇中台村"柞水培达生态农业有限公司"开展社区矫正对象实践基地合作，建立"柞水县安置帮教创业实践基地"和"柞水县社区矫正对象公益活动基地"，累计过渡性安置刑满释放人员30人，安置帮教率达到65%。

【矛盾纠纷排查】 建立健全县、镇两级三调联动平台，组织开展"矛盾纠纷大排查大起底大化解百日攻坚"行动，兑付2021年度以奖代补资金24万元，排查矛盾纠纷934件，调解成功918件，调解成功率达98.3%。全市矛盾纠纷多元化解机制建设工作现场会9月在柞水召开，县调委会矛盾纠纷排查化解"1234"工作法被《法治日报》等多家媒体刊载并在全省推广。建立人民调解员专家库，全面推行人民调解员等级评定制度，评定备案首批一级人民调解员1名、三级人民调解员53名、四级人民调解员165名。在杏坪镇中台村建立"柞水县人民调解员培训基地"，编印2期《人民调解典型案例汇编》，培训人民调解员1500余人次。

（牛磊峰撰稿 张梅玲编辑）

经济管理·监督

经济规划与发展

柞水县发展改革局
党组书记、局长
李志和（2022年1月—12月）
副局长
陈新海（2022年1月—5月）
王小建（2022年1月—12月）
汪正勇（2022年1月—12月）
程章军（2022年1月—12月）
程修德（2022年8月—12月）
纪检组长
张晓娟（2022年1月—12月）
项目办主任
陈徽德（2022年1月—12月）

【概况】县政府工作部门，为正科级，加挂秦岭保护办公室、粮食和物资储备局牌子，主要负责全县宏观经济管理工作。内设综合办公室、规划及社会发展股、区域经济及能源资源股、秦岭生态保护股、服务业发展及价格管理股、项目建设及投资股、营商环境及信用体系建设股、农村经济股、苏陕协作办公室，编制48人，现有干部职工46人。下属秦岭生态保护中心、服务业发展中心、项目服务中心、尾矿资源综合利用中心、粮食局、经济信息中心6个单位。全省县域经济高质量发展考核由一季度全省69位上升到34位，位列全市第二。陕西省二季度市县高质量发展项目建设成效评价位居全市前三。全省秦岭生态环境保护纵向综合补偿考评位列第一，补助资金500万元，位居全省第一。

【社会经济】全县实现生产总值101.31亿元，增长0.5%；城镇固定资产投资实现135.5亿元；增长18%，城镇居民人均可支配收入32150元；增长8.6%。服务业增加值占GDP比重34.66%，同比下降2.09%，纳规企业5家；单位GDP能耗预计同比下降3.5%。

【规划编制】制定《县经济稳增长专班工作方案》《柞水县高质量发展先行区2022年工作要点》，印发《关于落实2022年经济稳增长工作若干措施的通知》，编制完成2022年国民经济计划草案，下达国民经济和社会发展年度计划。

【项目建设】131个县级重点项目全部开工，开工率100%，完成投资137.6亿元，占年任务的106.8%。20个市级重点项目，完成投资60.75亿元，占年任务的16.6%。6个省级重点项目，完成投资19.20亿元，占年度任务14亿元的137.14%。

【秦岭保护】修订《柞水县秦岭生态环境保护责任清单》，制定印发《柞水县秦岭区域"五乱"问题专项整治工作方案》《关于常态化打击破坏秦岭生态环境违法犯罪行为工作的通知》，常态化推进专项整治工作。强化网格管理，设置标牌10个，埋设实体界桩153个，设置电子界桩353个，在营盘镇建成全市首个秦岭智慧监管中心。省秦岭办下发的176个问题图斑全部核查到位并在全市率先清零，查处涉秦岭违法案件49起，罚款117.31万元。组织"当好秦岭生态卫士"实践活动启动仪式，全省秦岭生态"五乱"问题整治现场观摩会、"商洛市生态产品价值实现机制研究成果发布会"在柞水县圆满举行，柞水县生态产品案例《"落后村"向"网红村"的华丽转身》对外发布，继获得全国第五批"绿水青山就是金山银山"实践创新基地命名后，被生态环境部正式授牌为第六批国家生态文明建设示范区。争取市发改委涉林项目资金，"双储林场"国家储备林基地项目已落户柞水。

【招商引资】争取中央预算投资项目5个，争取资金6855万元；争取专项债券项目7个，发行资金3.3亿元。争取首位产业发展项目18个，争取省级补助资金4500万元。争取银行中长期贷款，发行项目2个，贷款需求3亿元。申报部分领域设备更新购置与更新改造贷款财政贴息项目，已发行项目2个，贷款到位0.8亿元，争取省级预算内项目前期费70万元，推进项目4个。争取省级产业结构调整专项资金（工业节能）项目1个，下达资金110万元；争取陕南循环发展专项资金项目10个，下达资金3100万元。争取到位以工代赈资金180万元，安排项目1个。

【营商环境】编制《柞水县加快建设营商环境最优区改革实施方案》，印发《柞水县建设营商环境最优区三十条措施》，落实政务服务"好差评"和市场主体评价营商环境制度，开展营商环境专项整治行动，完成第二批审批事项划转移交，设立开通"县委书记营商环境投诉举报邮箱"，建立营商环境早餐会制度并组织早餐会3次，为企业解决困难问题11个，为企业办理贷款1.2亿元。开展营商环境问题专项治理行动，督促12个牵头部门排查4个方面营商环境不优的问题，开展排查清查3次，发现问题6个，把转变工作作风、优化营商环境作为当前助企纾困稳住经济的重要举措。

【民生保障】成立粮食稽查大队，建立粮食市场预警预报机制，小麦储备4500吨，成品粮储备800吨，食用油储备80吨，基本满足全县15万人口2.5个月口粮。做好粮食购销领域腐败问题专项整治工作，排查出线索问题36条，已整改完成34条。杏坪5000吨粮食仓库建设工作有序推进，预计2023年投入使用。

【乡村振兴】落实《支持高淳区社会力量在柞投资兴业参与产业扶贫意见》要求，紧盯江苏及东部地区企业，开展以商招商、扣门招商活动，新增引导落地投产企业数5家，到位资金8010万元，带动群众就业74人，举办高淳柞水苏陕协作专场招商推介会，现场签约项目6个。借助江苏"组团式"帮扶技术优势，开展医疗、教育、农业等领域专业技能培训，组织乡村振兴干部人才培训班4期615人，专业技术人才培训9期300人。推进2022年苏陕协作项目建设，安排资金5403万元，资金拨付5268万元，拨付率和报账率均达95%以上，年初项目谋划工作得到省发改委通报表扬。朱家湾村和金米村被列入省级苏陕协作乡村振兴示范村，《"四轮驱动"助力"小木耳大产业"》《茶产业带动中台村"蝶变"》等6篇典型案例在中国农网、中国农科新闻网等平台刊发，30余篇宣传被中国乡村振兴杂志等媒体报道，就业工作和组团式帮扶工作先后在国家层面会议交流发言。

（李彬撰稿　张青丽编辑）

统计工作

党组书记、局长
郭　勇（2022年1月—12月）
党组成员、副局长
吴维民（2022年1月—12月）
冯建强（2022年1月—12月）
党组成员、地调队队长
徐运华（2022年1月—12月）

【概况】内设办公室、综合业务股（同时挂牌执法监督股），下属县普查办公室、县地方社会经济调查队。局机关行政编制6人，普查办事业编制7人，地调队事业编制16人。发挥统计调查、统计分析、统计监督三大职能作用。2022年获得"市级文明单位标兵"称号、纳规入统工作先进集体、服务工业暨民营经济发展工作先进集体。

【经济指标】实现生产总值101.31亿元，比上年增长0.5%，其中，第一产业增加值8.52亿元，增长3.4%；第二产业54.51亿元，增长-3.5%；第三产业38.28亿元，增长4.6%。实现农林牧渔业总产值17.43亿元，同比增长3.9%，实现农林牧渔业增加值9.55亿元，同比增长4.0%；规上工业总产值同比增长-20.1%，规上工业增加值同比增长-5.4%。固定资产投资增长18%，民间投资占比66.67%。社会消费品零售总额完成11.62亿元，同比增长8.0%。城镇居民人均可支配收入30974元，同比增长4.6%，农村居民人均可支配收入12219元，同比增长6.8%。金融机构存款余额117.48亿元，同比增长12.9%；金融机构贷款余额64.01亿元，同比增长11.8%。财政总收入5.01亿元，同比增长16.21%，地方财政收入2.2亿元，同比增长10.43%，其中税收收入1.47亿元，同比增长25.21%。

【统计调查】落实各统计专业调查要求，农业、工业、建筑业、固定资产投资、贸易等专业定报工作及人口抽样调查、粮食产量调查有序开展；圆满完成住户调查大样本轮换工作，高质量完成了120户样本户的抽取、开户、培训、试记账、记账工作。

【纳规入统】建立准"五上"企业培育库，指导企业积极申报纳规入统，全年新增规上（限上）企业57家，较2021年40家增加了17家。其中工业企业6家、商贸企业41家（企业11家，大个体30家）、建筑房地产企业5家、服务业5家。实现了柞水史上纳规单位个数高位增长。

【统计服务】开展"三个年"活动。一是围绕"学习年"开展"统计大讲堂"12期，坚持"日学一小时、周上一堂课、月读一本书、季度一交流、年终一评选"，开展"结对子传帮带活动"，常态化学习政治理论、统计业务、统计法律法规知识；二是围绕"工作落实年"与股室签订目标责任书，按照"一名领导、一项工作、一个团队、一抓到底"的原则，班子成员每周研判一次，每月点评一次，每季度考核一次，全面提升统计工作效能；三是"调查研究年"开展"五个到一线"活动，聚焦热点重点难点问题，深入基层、深入一线企业，开展调查研究22次，撰写调研分析20余篇，送阅县委、县政府统计专报60余篇，领导批示9次。

【依法治统】 以统计年报会、业务培训会、迎接国家统计督察等为契机，编制印发《统计法律宣传读本》，加强全县基层统计人员统计法治培训。开展"送法下乡"活动，针对性开展法治专题授课，帮助各社区（村）及企业依法开展统计工作。组织在统计开放日、宪法宣传日、统计法颁布日等开展现场宣传，提高统计法治权威性；推动《意见》《办法》《规定》《监督意见》等统计法律法规进党校、进县委理论学习中心组、进县委常委会、政府常务会6次，增强各级领导和统计人员自觉学法、守法的主动意识。开展统计专项纠治和统计督察反馈问题整改工作，开展统计执法检查案件15个，双随机执法案件5个、开展入库退库专项执法检查案件10个。

【党建工作】 坚持把党建工作与统计工作一起同谋划、同部署、同推进，实行"党建+思想提升、能力增长、基础夯实、责任担当"模式，制定周例会学习分享制度和发挥统计党员先锋模范作用，将机关党建与中心工作、重点任务深度融合，推动党建工作和统计业务同向而行、同频共振。

（饶凌撰稿　陈刚编辑）

审计工作

柞水县审计局
局　　长
张新立（2022年1月—12月）
副局长
宋学军（2022年1月—12月）
朱晓颖（2022年1月—12月）
吴　鹏（2022年1月—12月）
审计信息中心
主　　任
熊远斌（2022年1月—12月）

【概况】 有行政编制10人（其中领导职数一正三副，总审计师1人），下属审计信息中心事业编制5人（其中副科级领导职数1人），实有干部24人（其中行政编19人，事业编5人）。完成审计项目25个，其中经济责任审计6个、自然资源资产和生态环境保护情况审计2个、固定资产投资审计4个、部门预算执行审计3个、财政决算审计3个、政策执行情况审计1个、专项审计和审计调查6个；查出主要问题金额19728万元，其中违规资金8556万元，管理不规范资金11158万元，收缴财政资金23万元；提出审计建议65条；撰写审计信息7篇。参加全县"喜迎二十大永远跟党走"党纪法规知识竞赛获得第三名；成功创建"市级文明单位""市级健康型机关示范建设单位"；被县委、县政府授予"普法工作先进集体""生态环境保护先进集体"和"污染防治攻坚战先进集体""信访工作先进集体"等荣誉称号。

【财政审计】 对2021年度县本级财政预算执行和其他财政收支情况进行审计，抽审县财政局、非税收入管理局等单位2021年度预算执行情况，对小岭镇、凤凰镇、红岩寺镇人民政府2021年度财政决算和其他财政收支情况进行审计。综合反映财政收支预算滞留上级专款、注入资本金未进行股权确认、滞留非税收入、项目结余资金未按规定上缴财政等问题，揭示经济发展中存在的短板弱项，为县人大全面了解财政收支情况提供依据。

【经济责任审计】 在全市率先修订完善《柞水县经济责任审计工作联席会议制度》，明确各成员单位工作职责。按照县委审计委员会下达的项目计划先后对6名科级领导干部任期经济责任履行情况进行审计，重点把握权力运行和责任落实，把守法守规守纪尽责放在更加突出的位置，促进领导干部依法行使权力、履行职责，为县委考察使用干部提供依据，较好地发挥审计在加强领导干部监督管理方面的作用。

【自然资源资产审计】 按照年初项目计划，对县林业局、自然资源局原主要领导任职期间的自然资源资产管理和生态环境保护情况进行审计，增强领导干部自然资源资产管理和生态环境保护的责任意识。

【跟踪审计】 开展柞水县粮食企业和基层粮库专项审计、全县新冠肺炎疫情防控和捐赠款物专项审计、政府专项债券举借使用情况审计等专项审计。并按照商洛市审计局的统一安排，抽调业务骨干组成审计组赴丹凤县开展丹凤县招商引资政策落实和项目落地情况专项审计，通过开展审计及调查，促进国家重大政策措施贯彻落实，审计结果受到市局的充分肯定。

【项目审计】 完成政府投资审计项目4个，分别是对县临河路改造（城区休闲健身步道）项目跟踪审计、县交投公司2020年至2021年资产负债损益情况审计、县中小企业投资发展有限公司2017年至2022年3月资产负债损益情况审计和2022年省级重点建设项目推进情况专项审计调查。通过审计，纠正处理超规模投资、多计工程款等问题，促进工程项目和国企规范化管理。

【乡村振兴】 在巩固原有木耳、烤烟、养猪等产业的基础上，争取专项资金20万元，新建腊肉熏干房，延伸产业链，集体经济收益首次实现盈利8万余元。主动与本地企业加强联系、提供交通服务保障等办法，帮助50余户常年在家劳动力实现就地就业，直接增收18万余元。全村脱贫户人均收入超过1.6万元，在杏坪镇14个村排名第二。争取资金186万元用于改造拓宽村主干道、主河道滑坡体治理和10KV电网线路改造，有效提升全村289户群众居住环境。

【中心工作】 根据县委巡察监督工作要求，选派业务骨干参加县委巡察组开展巡察工作；抽调骨干力量全程参与粮食购销领域专项巡察；做好党建引领包抓"三无"小区治理工作，争取和直接投入资金150万元对小区存在的安全隐患、基础设施等问题进行治理，引导包抓小区做好疫情防控、安全生产等工作。

（彭光翠撰稿　张青丽编辑）

市场监督管理

柞水县市场监督管理局

党组书记、局长

祁少锋（2022年1月—12月）

副局长

曾小民（2022年1月—12月）

张香毅（2022年1月—12月）

汪　峰（2022年1月—8月）

张　平（2022年1月—8月）

党组成员

杨　军（2022年1月—12月）

支部书记

祁少锋（2022年1月—12月）

【概况】负责市场综合监督管理，指导市场监督管理综合执法，维护市场秩序，负责市场主体信用监管、负责产品质量安全监督、特种设备安全、食品安全、药品安全监督，计量、标准化、认证认可与检验检测，知识产权管理等工作。被市局评为"全市市场监管工作先进集体"。

【食品安全监管】率先完成2048个食品生产经营市场主体分级，确定县镇村三级对应包保责任干部366人，在全市率先完成"三清单一承诺"上报录入工作。按照"1+N"工作法，以"柞水木耳"、农村集体聚餐、校园及周边食品、冷链食品等11个专项行动为整治重点，累计检查市场主体13026户次，下发责令整改265份、立案查处结案42起。完成食品抽检405批次，开展"三小"提升、校园安全守护行动，对81所中小学校、幼儿园大中型餐饮"互联网+明厨亮灶"覆盖率实现100%。

【药械监管】开展药品安全专项整治，查办各类药械化案件15件，抽检医疗器械9批次、药品99批次，加大重点品种药品追溯监管力度，实现药械抽检全覆盖。强化疫情防控药品安全监管，严格五类药品管控和核酸检测、抗原检测试剂、新冠疫苗监管。

【特种设备监管】实施电梯维保单位专项整治及厂内机动车辆、气瓶充装安全、燃气安全等专项整治，共检查特种设备使用单位264户次、特种设备470台件，下发《特种设备安全监察指令书》21份，整改安全隐患11起，其中实行县级挂牌督办整改重大安全隐患1起，取缔瓶装气体经营黑窝点1处，立案查处特种设备违法案件1件，全年未发生特种设备安全事故。下梁市监所和1名个人被省市场监管局分别表彰为特种设备安全监察工作先进集体、先进个人。

【质量、计量、标准化监管】组织企业培训和推广应用卓越绩效等先进质量管理体系，盘龙药业公司获得首届商洛市政府质量奖正奖，县级政府质量工作考核结果继2020年度以得分第一名获得A级2021年度再次摘冠，柞水县被省质推委向国家质推委推荐为2022年度"质量强国建设工作成效突出地方"；查处电线质量违法案件2起，配合公安、交通等部门查处非法流动加油车1辆，未发生产品质量安全事件；完成工业产品质量监督抽检33批次，产品检验合格率100%，其中油品、燃气抽检品种、经营单位覆盖率实现100%。开展计量器具普查登记和强制检定计量器具摸底调查，完成强检计量器具检定1580台件，设立公共复称台3处，开展重大节假日及市场民生计量专项检查、粮食市场计量专项监督检查和"回头看"，对4家重点用能单位进行计量专项监督检查。组织认证机构为5家特色农产品生产企业进行认证培训和现场诊断帮扶，柞水县17家企业持有绿色、有机、ISO9001等自愿性、强制性认证证书35个；开展强制性认证产品、3C认证标志、能效、水效标识产品及各类认证认可专项检查，检查工业产品生产许可证企业1家、管理体系认证机构8家；加强检验检测机构监管，组织5家取得实验室资质认定的检验机构进行年度自查、评审，天正检测公司一次性通过省级年度检测能力验证和省级监督抽查，指导县环境监测站通过检验资质认证，结束柞水县环境监测机构无检测资质的历史。健全完善"柞水木耳"质量标准体系，《柞水木耳菌包工厂化生产技术规程》（DB 6110/T 011-2022）批准发布，《地理标志产品柞水木耳》（DB61/T1343-2020）、《柞水木耳袋料栽培技术规程》（DB6110/T001-2021）省、市地方标准深入推广应用，被省局现场调研给予高度评价；省级第八批农业标准化示范区项目"柞水县红豆杉种植标准化示范区"三年任务全部完成，终期验收评估获得优秀；企业标准自我申明公开省级抽查合格率100%。

【市场主体培育】贯彻落实《市场主体登记管理条例》，推行企业开办标准化规范化，各类审批事项实现全流程网上通办，企业开办时间压缩至1个工作日以内，市场主体准入准营退出便利度不断提升。结合"三百四千"工程，对盘龙药业等企业及包扶村组织开展"送服务上门、送技术上门、送温暖上门"活动1390人次，对全县计量器具免费检验。部门联合"双随机、一公开"抽查率92.5%。深化"放管服"改革，全面落实"一件事一次办"要求，新增市场主体1205户，企业年报全面完成任务。

【知识产权保护】促进知识产权创新驱动，召开知识产权领导小组会议，印发《强化知识产权保护推动经济高质量发展责任清单》。全年获授权专利18件，全市累计贯标24家，"柞水木耳"等2个商标获评"陕西好商标"，知识产权保护示范县试点建设已全部到位，等待验收，新申请商标注册207件，获准注册商标123件。

【综合执法】围绕涉企收费、防疫药械、养老诈骗等重点领域，开展民生领域案件查办"铁拳"行动，加大公平竞争审查和反不正当竞争执法，查处并曝光违反疫情防控常态化措施的市场主体5批次107家。推进粮食购销领域、涉水领域、医疗美容广告等专项整治，深化市场乱象治理，整合开展"十大"市场专项整治，系统推进扫黑除恶、扫黄打非、长江禁捕、网络市场、医美广告等专项行动，查办办理各类行政处罚案件108起（包括一般程序和简易程序，包括药品类案件），罚没款41.9490万元。开展"大排查、大整治、大处理、大宣传、大曝光"集中整治，累计出动执法人员5917人次，检查市场主体81648家次，发现问题7603个，下发整改通知书7603份。

【消费维权】加强消费者权益保护，推进放心消费创建活动，指导申报创建放心消费示范单位28家，获得市级授牌1家、县级7家。推行线下购物"七日无理由退货"，受理各类投诉举报135件，办结回复率100%。

【信息化建设】推进智慧监管平台建设与运用，实行"建管用"并举，做到食品药品、特种设备、案件查办等重点领域中"全覆盖"使用，发挥智慧监管在市场监管领域数字赋能作用。重点打造终南山寨景区、城区步行街、柞水溶洞景区、古道岭等智慧监管示范点,以示范带动智慧监管建设。截至目前,安装视频采集系统409个,张贴市场智慧监管"二维码"4000余个,通过智慧监管系统发现并纠正不规范操作、索证索票不全等风险隐患220个。

【机关党建】组织召开支部班子会议12次,党员集中学习、研讨交流21次;开展主题党日活动12次,讲党课3次,谈心谈话15人次。设置党小组5个,打造"市场卫士先锋舰队"党建品牌,机关支部获得县委"模范机关党组织"命名。38名在职党员到社区报到,参与仁和社区疫情防控、"三无"小区治理等志愿服务活动,派出党员干部111人次参与商城小区环境整治、疫情防控执勤,72人次参与商城小区居民核酸检测扫码、维护秩序等工作,"三百四千""五个到一线""五个带头、五个反对""政企联建"等活动深入开展。

【非公党建】开展专题宣讲活动14场次,指导各非公企业支部书记开展专题宣讲活动10场次,组织全县非公企业党组织书记、出资人交流学习体会5次30人,发展非公企业党员2人,培养积极分子2名。企业"三会一课""主题党日""评星晋级、争创双强"扎实开展。打造非公党建品牌,以春华酒店为试点,实施以"建强组织引领酒店发展、用情接待培养对党忠诚、保护非遗发扬文化传承、回馈社会助力乡村振兴"为核心内容的党建引领"四大举措",成功创建"党建强,酒店兴"的酒店服务业红色党建品牌。"五互五联"活动深入推进,为非公企业办实事90余件。被商洛市场监管局表彰为非公党建先进集体。

【木耳质量监管】加强木耳质量监管,推进"柞水木耳"产业高质量发展。主动承接政府交办的木耳菌包质量监管任务,协助农业部门加强木耳菌包质量监督检查;狠抓生产流通环节监管,开展专项整治行动18次,检查各类木耳经营单位1356家次,完成木耳产品质量专项抽检20批次,合格率100%;狠抓知识产权保护,出动执法人员301人次,检查经营单位512家次,维护"柞水木耳"品牌,确保产业健康发展。

(姚琦撰稿 张青丽编辑)

自然资源管理

柞水县自然资源局

党组书记、局长

方新锋(2022年1月—12月)

党组成员、副局长

陈 艳(2022年1月—12月)

党组成员、县移民搬迁办公室主任

汪 翔(2022年1月—12月)

党组成员、副局长

朱米山(2022年1月—12月)

杨 力(2022年1月—12月)

党组成员、专职督察

鲁家林(2022年1—12月)

副局长

杨泰斌(2022年1月—12月)

【概况】下属统一征地服务中心、国土空间规划站、土地收储中心、土地整治中心、自然资源执法大队、地质环境监测站、不动产登记中心7个副科级单位，下辖营盘、乾佑、下梁、小岭、凤凰、杏坪、红岩寺、曹坪8个自然资源所。全系统编制82人，实有88人。对标自然资源重点目标任务，践行生态文明发展理念，保护自然资源，保障县域经济高质量发展，较好地完成年度各项目标任务。

【耕地保护】落实最严格的耕地保护制度和项目用地动工报告制度，持续推行耕地保护"田长制"，采取"长牙齿"的硬措施，严管项目用地审批，划定永久基本农田4.78万亩，全县耕地10.58万亩。为曹坪抽水蓄能电站项目调整补划基本农田249亩。完成耕地后备资源调查，启动建设用地增减挂钩项目方案编制，落实县域耕地动态平衡。

【服务发展】建立项目用地保障"绿色通道"，办理预审选址和用地规划、工程规划许可42项。审批西康高铁等项目临时用地239亩。申报农转用1014亩，征收土地422亩，收储土地212亩，盘活土地634亩。严格执行经营性用地招拍挂制度，出让国有土地1416亩，价款3.8亿元。划拨国有土地101亩。

【规划管理】完成柞水县"十四五"矿产资源总体规划和地质灾害防治规划编制。稳步推进全县国土空间规划编制，开展工作调研、业务交流、意见征询等50余场次，完成人口、生态、能源等9个专题研究报告和现状评估、体检评估、双评估、双评价4个专题分析报告，划定生态保护红线146.78万亩、城镇开发边界1.62万亩。完成15个村庄规划编制。

【资源管理】推进矿山"五化"建设，申报省级绿色矿山1家、市级绿色矿山2家。签订秦岭保护区矿业权退出补偿协议13家。受理矿权延续7宗，注销矿权3家。完成矿业权实地核查6家，勘查开采信息公示率100%。开展"洗洞盗采"金矿专项行动，封堵废弃矿洞5个。收缴矿山恢复治理基金1811万元，年度恢复治理655亩，消除矿山地灾隐患8处。

【执法监察】落实"人盯人+执法监察"工作机制，开展法规宣传20余次，发放宣传材料4万余份，接受政策咨询2000余人次。持续巩固耕地"非农化"大整治、违法案件大排查工作成果，开展巡查检查30余次，实施联合执法10次，查处案件13宗，罚款516万元。年度卫片执法新增耕地违法比例低于15%问责线。

【地灾防治】落实人盯人+地灾防治工作机制，印发了防灾方案和应急预案，开展地灾防治业务培训5次，开展应急演练74次6600余人次，实现地灾点演练全覆盖。坚持"汛前排查、汛中巡查、汛后核查"，开展隐患检查68次，排查高陡边坡切坡建房安全隐患6处。实施下梁花园沟等工程治理5处。核销地质灾害隐患点2处。

【不动产登记】落实首问负责、一次性告知、限时办结制，实行不动产登记"一窗受理"，颁发不动产登记证书376本，抵押证明223份，注销登记25起，查封登记11例。7月，全省林权登记现场会在柞水召开。调处不动产登记纠纷5起。4个住宅项目不动产登记遗留问题全部化解到位。农村宅基地和集体建设用地登记稳步推进。

【法治建设】健全局务会前学法制度、法律顾问制度、决策合法性会审制度，聘请法律顾问2名，开设法规知识讲座4次，完善土地供应、矿权审批等相关制度3项。研究人事调整、土地出让、财务支出等"三重一大"事项20余次。办理人大代表建议和政协委员提案10件。应对行政复议2起、行政应诉3起。受理信访问题10件、政府信息公开3件。

（王槐涛撰稿　陈刚编辑）

招商引资

柞水县招商服务中心

主　任

赵乐勇（2022年1月—12月）

副主任

白希宏（2022年1月—12月）

张晓昱（2022年8月—12月）

【概况】县政府直属事业单位，正科级规格。主要负责拟订全县对外开放和招商引资的发展规划、年度计划及政策措施并组织实施，负责项目的征集、筛选、整理、储备、推介和项目库建设等工作。内设办公室、招商股、服务股、联络股，编制12人，在册干部职工12人。完成到位资金212亿元，占市定目标任务157亿元的135%，其中完成省际项目到位资金196亿元，占市定目标任务144亿元的136%，利用外资691万美元，占任务数675万美元的102%。

【招商引资】以绿色食品、新材料、医药健康、文化旅游、现代服务五大产业为重点，精心谋划包装一批延链条、补短板、有市场、增财源的优质项目，共策划项目83个，总投资362.8亿元。参加22℃商洛·中国康养之都"云招商"推介会、商洛市首届乡党回乡发展大会、商洛市丝博会推介会等活动。组织开展柞水县招商引资暨首届乡党回乡发展大会、柞水—高淳2022招商推介会等形式多样的招商推介活动。先后由县级领导带队赴广东、浙江、湖南、重庆、天津、南京、成都等地扣门招商20余次，专题推介活动25次，接待客商考察80余次，引进中国电投集团、陕西水务集团、中创联控有限公司、中能建绿色建材、南京芳草园生物有限公司等实力雄厚的大企业入驻。签约招商引资项目67个，总投资411.9亿元，其中5亿元以上项目13个。曹坪抽水蓄能电站、海纳斯石业二期机械化生产线项目、杏坪现代农业产业园项目、盘龙医康养综合体项目、红岩寺红色文化教育基地等6个项目已开工建设。

【宣传推介】组织招商业务人员精心筛选产业链项目，编印招商项目册，制作柞水招商宣传片，从区位优势、投资环境、优惠政策、项目特点等方面对招商引资工作进行全方位宣传。创新招商推介方式，定期以招商微信公众号发布招商项目，适应当前信息传播主流模式和公众阅读习惯，提高招商信息传播效率。翻印《柞水县优化营商环境奖惩办法（试行）》和《商洛市加快产业集群化发展二十条措施》共计30000册，为提升客商满意度做好铺垫。

【项目落地】按照"三百四千"工程行动部署，抽调135人组建45支招商队伍，组织招商干部参加三次精准招商专题培训会，利用各招商小分队的力量，加大招商引资力度，同时印发《柞水县招商引资全程跟踪服务机制》《柞水县激励乡党回乡投资十条措施》，"六个一"项目包抓制及"六包"专班服务制，明确专人跟踪服务，及时协调解决项目落地工作中存在的困难和问题，确保签约项目快速推进，签约项目履约率达100%。

【乡村振兴】落实党员驻村兴农，发展春季地栽木耳6万袋，中药材种植110亩等。指导协助荫沟村完成党群服务中心修缮工程，指导建设标准公厕1座。为荫沟村木耳产业发展投入资金3万元，协调包抓企业陕西金柞水木耳科技有限公司为荫沟村、曹坪镇敬老院捐赠白菜8吨。荫沟村居民人均纯收入达到15805.14元。

【机关建设】学习贯彻党的二十大精神，落实习近平总书记重要讲话重要指示批示精神和党中央重大决策部署，全面落实"三会一课"、民主生活会、组织生活会等制度，组织开展"4·20秦岭生态保护日"和"4·23学习日"活动，提高践行"两个维护"的能力。开展形式多样的党建主题活动，全面落实从严治党主体责任，认真履行"一岗双责"要求，开展纪律教育宣传月和警示教育等活动，大力弘扬"勤快严实精细廉"作风，纠治"四风"，引导单位党员干部严格遵守"六大纪律"和中央八项规定精神，单位全年没有违规违纪违法现象发生。

（张含撰稿　张青丽编辑）

应急管理

柞水县应急管理局
党委书记、局长
　王　琦（2022年1月—12月）
党委副书记
　谌文涛（2022年1月—12月）
党委委员、副局长
　骆昭君（2022年1月—12月）
　尚亚锋（2022年1月—12月）
　王立岗（2022年1月—12月）
支部书记
　王　琦（2022年11月—12月）

【概况】现有职工36人，配置领导班子一正四副，内设办公室、安全生产股、危化烟爆股和应急管理股，下设柞水县应急救援处置中心和柞水县应急管理综合执法大队。主要承担全县安全生产，防灾减灾救灾、应急救援、防汛抗旱、森林防灭火工作，组织拟订全县应急管理，安全生产和防灾减灾救灾方面的规范性文件并组织实施；组织编制全县应急体系建设，安全生产和综合防灾减灾规划并监督实施。深化应急体制改革，调整森林防灭火指挥部、县防灾减灾救灾工作委员会等工作机构，撤销了县森防火指挥部，成立了城区防汛抗旱指挥部。

【安全责任】制定《2022年安全生产工作要点》《2022年工矿商贸安全生产工作要点》，召开县委常委会、政府常委会、专题会等会议研究安全生产工作2次，及时调整县委、县政府领导安全生产责任清单，开展落实安全生产责任督查检查4次，进一步夯实县级领导责任、行业主管责任、镇办属地责任和企业主体责任；制定《全县安全生产三年行动行业领域2022年度工作任务台账》，确保专项整治三年行动有力有效推进实施；制订全县安全生产专项整治"1598"方案，发现各类险患1116处，对发现问题制订整改方案，明确整改时限。

【应急管理】在9个镇办设立"镇应急管理办公室"并挂牌，明确基层专兼职工作人员28名；成立了"人盯人"+防汛救灾指挥部，建立联通镇办的应急指挥调度平台和智慧商洛应急指挥平台，推进2个村省级综合减灾示范社区创建工作。全县9个镇办82个村（社区）共设置避灾安置点252个，落实盯撤责任人1236名，制定1个县级总体应急预案，43个部门应急预案，针对74个地质灾害隐患点逐点编制应急预案。花费应急救灾物资资金475万元，先后三个批次采购应急救灾物资32类23440件，基本解决基层应急和救灾工作的燃眉之急。采购无人机2架，用于森林火灾、水情、地质灾害等现场勘察、防灾减灾宣传等方面。建设应急避难场所，县城内设置应急避难点，包括迎春广场、城区一中操场、县体育场、下梁中学操场、柞水中学操场等5处，总面积45000余平方米，可容纳3万余人紧急避难。各镇（办）中心广场设置避难场所9个，可容纳2万余人避险、82个村社区分别设置避难安置场所，基本满足本区域灾民和受灾害威胁群众的应急安置所需，保证群众生命安全。按照"户报、村评、镇审、县批"的程序，精准核定救助对象，发放冬春临时生活困难救助资金713.86万元，救助困难群众46082人。加强防灾减灾社区的创建工作，通过示范社区的创建提升防灾减灾综合能力。被命名全省综合减灾示范社区1个。

【安全检查】开展安全生产专项整治三年行动，安全生产"1598"行动等专项整治，排查一般隐患1173处、重大隐患8处，下达隐患通知书903份，并对市级挂牌督办的3处重大安全隐患进行了整改销号，对发现的问题制订整改方案，明确整改时限和监管单位，有效消除安全隐患。通过联合执法、不定时执法、双随机检查等方式，相继开展"涉众公共场所和有限空间安全专项执法、安全生产领域百日执法专项行动"等活动，检查生产经营单位2234家次，打击违法行为184起，责令停产停业整顿21家，取缔关闭企业1家，罚款193.82万元。

【安全宣传】开展全国第二十一个"安全生产月"活动，广泛宣传《安全生产法》《生产安全事故应急条例》等安全生产知识，发放宣传册1万余份、宣传单2万余份，悬挂宣传标语130条，手机推送短信50万条，组织引导观看《生命重于泰山》专题片400余场次7000余人次，增强人民群众的安全法治观念及安全意识，提升群众的安全防护和自救能力。利用三级教育平台开展安全生产教育培训60次，组织部门、镇办、企业开展防汛抢险演练160余次，滑坡体撤离演练78次。

【乡村振兴】充分发挥"第一书记"的职能，积极探索实施"党建+产业"融合模式，促进村级集体经济不断发展壮大。做大木耳产业，实现产业振兴，将常湾村木耳基地做大、做强，建造49个大棚，发展吊袋木耳82万袋。延伸产业链，以产业带就业、以就业促产业，以产业带创业，推进全产业链发展，打造"一村一品"，切实带动群众增收致富。加快推进全村绿化、亮化、美化改造，开展"绿满乡村"行动，鼓励引导返乡农民工、大中专毕业生和退役军人加入职业农民队伍，扶持培育一批农业职业经理人、乡村工匠、种养能手。

（王萌撰稿　陈刚编辑）

农业·农村经济

农业农村

柞水县农业农村局

党组书记、局长

刘家桢（2022年1月—12月）

党组副书记

袁　锋（2022年5月—12月）

副局长

张　辉（2022年1月—12月）

周　松（2022年1月—12月）

纪检组长

姚远明（2022年1月—12月）

农业技术推广服务中心主任

陈敬莉（2022年6月—12月）

畜牧兽医中心主任

张新军（2022年1月—9月）

廖小锋（2022年9月—12月）

农业特色产业发展中心主任

廖小锋（2022年1月—9月）

袁晓勇（2022年9月—12月）

农民科技教育培训中心主任

陈敬莉（2022年1月—6月）

农业行政综合执法大队队长

刘　琦（2022年1月—12月）

农业机械化发展中心主任

肖　遥（2022年1月—12月）

农村能源与农业环境保护中心主任

毛玉屏（2022年1月—12月）

农产品质量安全检测站站长

张　蓉（2022年1月—12月）

农村合作经济经营管理指导站站长

张晓峰（2022年6月—9月）

唐淑祥（2022年9月—12月）

【概述】以推进高质量发展为主题，以保障粮食安全为底线，以深化农业供给侧结构性改革为主线，农业农村经济稳健运行。全县实现农业总产值17.5亿元，农村居民人均可支配收入12590元，同比分别增长6.5%、10%。

【粮食生产】粮食播种面积19.6万亩；完成大豆种植2万亩、大豆玉米带状复合种植10252亩，占任务的100%、103%；粮食产量4.26万吨；完成红岩寺镇高标准农田建设11000亩。

【畜牧渔业】持续强化动物防疫防控工作，组织开展非洲猪瘟疫情防控培训10余次，强免病种免疫建档、挂标率均达100%。肉类总产量1.4万吨，禽蛋产量达到0.721万吨，分别较去年同期增长4.5%和3%。积极推进重点水域"十年禁渔"工作，水面养殖32公顷，养殖产量1100吨，实现渔业总产值9000万元。

【质量监管】 建立5个重点品种31家生产经营主体的专项监管名录库和食用农产品重点品种生产主体名录、承诺达标合格证经营主体名录，使用食用农产品合格证追溯二维码5万枚，开具合格证110张。抽检农产品50批次，合格率均为100%。认证绿色食品2个，有机食品1个，良好农业规范5个，特质农产品2个。制定发布柞水木耳系列标准1个，"小木耳"写就脱贫"大文章"被农业农村部推介为农业品牌创新发展典型。

【集体经营】 申报省级示范社1个，创建市级示范农民合作社2个。培育高素质农民254人，推进示范家庭农场"三级联创"，新增家庭农场14家，申报省级示范家庭农场2个、市级示范家庭农场3个。总结农民合作社和家庭农场发展模式和经验，报送先进典型案例2个，推进农业社会化服务，初级小农户与现代农业发展有机衔接。

【特色产业】 木耳全产业链高速发展。新建木耳大棚559个，栽植木耳1.0167亿袋。建成木耳大棚2519个、发展木耳专业村65个、大棚木耳生产基地80个、万袋以上木耳种植户3900余户。建成涉及3镇5村的"一带七区"的金米木耳U形产业带1条，新引进木耳龙头企业3家，建成年产2000万袋木耳菌包厂5家。成功举办第六届木耳文化节，开幕式上发布柞水木耳吉祥物，为柞水木耳品牌基地县、陕西好商标——柞水木耳、柞水县木耳品牌发展中心、东西部协作江苏消费帮扶南京柞水木耳专营店进行授牌；新建标准化茶叶500亩，引进种植企业4家，加工企业1家，发展茶园3970亩，成功举办首届采茶节。种植烤烟2000亩，产值2000万元。发展蔬菜5.1万亩，产量7.08万吨，产值2亿元；发布精品乡村游线路3条，分别入选全省、全国休闲乡村游精品路线，发展休闲农业经营主体230个，市级休闲农业示范点8个，全国"一村一品"示范村1个，全国"一村一品"示范镇1个。

【环境整治】 聚焦"六清""六治"，清理"五堆五废"1.92万处15340吨，拆除废弃建筑1110处，实施了立面改造67万平方米。推荐上报康养乡村、旅游乡村、宜居乡村各7个，完成秦岭山水乡村建设市、县级两级验收76个村。创建"五美庭院"示范户3100户，有力推动乡村文明建设。完成2457座卫生厕所改造，占全年任务的100.02%。实施23个村整村推进，农村卫生厕所普及率达到67.55%，无害化卫生厕所达到11852座，占卫生厕所的45.7%。对农村户厕"回头看"摸排出问题户用厕所55座进行及时整改，问题厕所整改率100%。

【乡村振兴】 打造2个省级示范镇、1个县级示范带和9个镇级示范村建设，牵头下发产业、文化、组织、生态、人才振兴5年实施方案。已对43个村庄进行整体规划，规范村庄建设内容，为实施乡村振兴奠定坚实的基础。

【农村改革】 按照"不漏一户、不漏一宗"原则，在9个镇办75个村和社区开展基础信息摸底。因地制宜编制"多规合一"村庄规划16个。在78个涉农村和社区成立村民事务理事会，推行建房管控"村级审查、镇级审批和农业农村局、自然资源局备案"的"两审两备案"模式，设立"一站式"审批窗口9个，聘请协管员78人，健全宅基地集体所有权行使机制。建立宅基地"周巡查、月研判、季通报"监管机制，强化"人盯人、人盯房"，开展"无人机+监控系统+网格员"三位一体立体化巡查。立足资源禀赋和产业特色，盘活宅基地600余宗，用于发展旅游、康养等产业，提供就业岗位200多个，实现村集体经济年增收50余万元、村民年增收320余万元。

【农业执法】出动农业执法人员341人次，执法检查86次，集中整治3次，查处农业违法行为23起，全部整改到位，立案查处5起，调处涉农生产事故纠纷15件，挽回经济损失28.4万元。采取多种形式宣传土壤污染防治、人居环境整治、"厕所革命"、化肥农药减量、粪污无害化处理等技术，印发宣传资料8万余份，建立农产品产地耕地土壤环境市级监测点5个，省级检测点3个，建立省级农田地膜残留监测点3个。建立受污染耕地防治工作台账，按季度完成数据上报工作。推广土地安全利用技术，土地安全利用率100%，严格管控率100%。同时完成秸秆资源台账摸底调查以及系统的上报工作。

【重点项目】实施重点建设项目5个，完成总投资78590万元，占投资计划任务的120.7%；争取中省农业产业发展项目资金5608.05万元，占争资计划任务4000万元的140.2%；依托柞水特色产业优势策划招商引资项目10个，新引进项目2个，开工项目1个，签约资金10.6亿元，落实到位资金7亿元，顺利完成招商引资任务；完成重点项目固定资产总投资7.759亿元，占固定资产投资计划任务6.51亿元的119.18%；包抓三家龙头企业实现产值3.342亿元，占总任务3亿元的111.4%，同比去年增长22.5%。柞水县金凤木耳精深加工示范园、金柞水木耳精深加工项目顺利投产运营。

（李金鹏撰稿　陈刚编辑）

林　业

柞水县林业局
党组书记、局长
吴礼松（2022年1月—12月）
副局长
李通平（2022年1月—12月）
宋　鹏（2022年1月—12月）
党组成员、总工程师
曹海峰（2022年1月—12月）

【概况】县林业系统总编制174人，实有164人，其中局机关行政编制8人，实有14人，现有局班子成员4人；内设办公室、营林股、林政股，下辖县退耕还林还草中心，县野生动物和天然林保护管理中心，县森林防火中心，县自然保护地管理服务中心，林业综合服务中心，林特产业发展中心，凤凰国有林场，乾佑河国有林场，九间房、黄花岭、万青、营镇、石镇木材检查站等13个单位。市考指标森林覆盖率和林木蓄积量稳居全市第一、全省前列；在全市率先成功创建国家级森林康养试点建设县，林下经济养麝项目被中宣部命名为全国文化科技卫生"三下乡"示范项目；造林成果落地上图100%，优良乡土树种使用率96%。县林业局被推选为商洛市劳动模范先进集体。

【林业执法】查处各类破坏森林资源违法案件

47起，其中：行政案件41起，罚款73.4693万元；移交刑事案件6起，涉案人员12人。完成244个森林督查变化图斑和139个毁林专项行动图斑核查，核实森林督查违法图斑56个，毁林专项行动违法图斑15个，目前违法图斑均已查处到位，调查核实率为100%。下发柞水县疑似变化图斑416个，自查核实进度、案件查处率、举证进度完成率均为100%。

【文化建设】在省级刊物、商洛日报、柞水政府网站等新闻媒体刊登发表涉林宣传文稿共67篇（条），其中《商洛日报》6篇，《中国绿色时报》发表名为《人勤村美产业兴的柞水答卷》主题报道1篇，今日头条2篇，县融媒体中心22篇，柞水先锋2篇，发布"爱我商洛点赞柞水"抖音视频34条。

【资源保护】落实三级林长责任，设立护林哨所69处。审批使用林地（临时）15起、48.9129公顷，征收森林植被恢复费1112.0056万元。印发《关于开展2022年全县森林、草原、湿地调查监测工作的通知》，成立林草湿调查监测领导机构，调查监测工作完成。推进"人盯人+护林防火"工作机制和"林长制"深度融合，没有发生重大森林火灾，森林火灾受害率控制在0.9‰以内。完成松材线虫病防治面积3.569万亩，诱杀天牛10.2714万只，实施飞机防治7.6万亩，有害生物成灾率控制在4.6‰以内。建立陆生野生动物疫源疫病监测体系，加强疫源疫病监测和人工繁育场所的监管，对已经登记造册的119棵古树名木进行保护。

【绿化工程】实施以林业重点工程造林为主的造林绿化7.35万亩，森林抚育2.2万亩，义务植树70万株，义务植树尽责率100%。完成乾佑河两岸（县城段）生态修复项目、康养之都森林旅游示范县、"三化一片林"建设、工业园区、矿区植被恢复治理等项目。通过人工造林、封山育林、退化林修复项目实施，栽植秦岭红豆杉400亩；实施松材线虫病疫木伐除区生态修复项目2000亩；建立秦岭红豆杉苗木繁育基地60亩。

【产业发展】完成新建红仁核桃基地1000亩，嫁接红仁核桃1000亩；完成核桃示范低产园管理12000亩；完成核桃保险面积5万亩，完成核桃综合管理30.8万亩；培育新型经营主体4个。完成板栗低产嫁接改造1万亩，建成标准生态示范园2个，完成板栗标准化管理3万亩；投入资金19.09万元，完成8300亩板栗病虫害防治工作。完成以连翘、五味子、天麻、玄参等林下种植3488亩；完成以养鸡、鸸鹋、林麝等林下养殖36636头（只）。

【乡村振兴】继续选聘脱贫户生态护林员1102名，发放生态护林员劳务补助783.142万元，带动1100户脱贫家庭年增加工资性收入7200元。完成中央财政森林生态效益补偿资金108.81万亩1735.2万元，省财政森林生态效益补偿资金37.55万亩178.36万元兑现工作。完成3个批次3.97万亩1976万元新一轮退耕还林资金兑现任务，退耕还林生态林效益补偿资金兑现846620.8元。完成8.5万亩上一轮退耕还林纳入森林抚育资金兑现工作，兑现资金170万元。推进审计反馈退耕还林问题整改工作，在国土空间规划和"三区三线"划定中将退耕还林地块调出耕地保护范围，并启动新一轮退耕还林确权发证试点工作。

【招商引资】2022年林业局通过"洽谈会""博览会"等平台完成招商引资项目3个，策划项目5个，谋划招商引资项目5个，完成签约项目3个，签约资金30.6亿元。其中：与中国林场集团签订国家储备林柞水基地建设项目，签约资金20亿元；与中创联控有限公司签订柞水县四方山森林公园建设项目，签约资金9.8亿元；与安徽魏武中药饮品科技有限公司签订柞水县中药材种植加工项目，签约资金8000万元。

【队伍建设】 落实十九届历次全会精神、党的二十大精神、习近平总书记来陕考察重要讲话重要指示精神和延安精神，组织开展党组理论学习中心组学习15次、集中学习辅导20次，专题宣讲5场次，线上分享30余次。推进"模范支部"创建，按时进行支部换届和改选工作。认真做好"党员积分管理、民主评议"、党务公开和党员纳新工作，发展入党积极分子4名。组织召开以"话廉洁、守初心"为主题的民主生活会和组织生活会，"三会一课"规范开展，主题党日高质量落实，全年开展主题党日活动12次，召开党员大会15次、支委会12次，支部书记讲党课4次。开展林业系统总支庆"七一""两优一先"表彰活动，修订出台《柞水县林业局三项机制实施细则》，推荐提拔使用正科级干部1人、副科级干部2人，推荐命名全国林草系统劳动模范1人，优秀公务员2人，事业单位优秀干部28人，副高级到正高级职称1人，中级到副高4人，初晋中2人。

（许善锋撰稿　张青丽编辑）

水　利

柞水县水利局
党组书记、局长
徐天武（2022年1月—12月）
副局长
陈　涛（2022年1月—12月）
王春生（2022年1月—5月）
任根成（2022年12月）
杨荣贵（2022年1月—12月）
支部书记
王维兵（2022年1月—12月）
纪检组长
姚远明（2022年1月—12月）

【概况】 隶属县政府工作部门，主管全县水利工作的行政主管部门，编制51人，实有48人。班子成员8名，局长1名，副局长3名，下属事业单位科级领导4名。主要承担全县水保生态、水利项目建设、水资源管理、水政监督执法、城乡供水安全、水旱灾害防御以及水利事业发展等工作。完成投资2.86亿元，占任务2.7亿元的105.93%；完成资金争取9804万元，占任务8000万元的122.55%；新建堤防16.5千米，占任务15千米的110%；治理水土流失面积85平方千米，占任务40平方千米的213%；巩固提升8.5万人的饮水安全标准，占任务6万人的141.67%。成功创建国家水土保持示范县，县域节水型社会达标建设通过省水利厅验收，农村供水运行管理工作经验在全省交流推广。

【项目建设】 实施重点项目5个：金钱河杏坪至柴庄重点段防洪工程，总投资7000万元，新建堤防工程4.61千米，固床坝11座，排水口11座，下河踏步9处，完成施工导流开挖和场地平整项目。小岭镇供水扩建工程，总投资4268万元，争取水利发展资金850万元，扩建小岭镇水厂（扩建规模2400立方米），新建输配水管网36.5千米及其他附属设施，完成清水至凤凰镇水厂段主管道埋设。乾佑河下梁镇段防洪工程，总投资2900万元，争取资金1600万元，新建堤防1.48千米，固床潜坝5座，完成堤防建设0.9千米，完成投资约800万元。金井河瓦房口镇段防洪工程，总投资2800万元，争取资金1900万元，新建堤防1.08千米，固床潜坝3座，已全部完工待验收。马耳峡水库项目，年度投资5000万元，启动杆线迁移及移民搬迁工作，可研性报告通过省水利厅技术审查，完成移民搬迁规划的编制工作，土地预审相关手续正在办理。

【供水管护】建立《柞水县农村水管员绩效考核奖惩办法》等配套制度，扩充供水管护队伍，考核聘用原有的124名水管员，按照全县80个村每村落实两名水管员的标准，增加聘用至160名水管员，提高水管员工资待遇及绩效考核奖励标准。运行管护实行常态化监测，督促供水单位及村级水管员加强供水工程尤其是小型分散供水及水井的日常巡查力度，定期开展清理维护、水质检测消毒。开展村级水管员业务培训，推行水管员"坐班制"常态化，转变粗放式管理模式，逐步实行精细化管理。搭建供水服务平台，围绕农村供水"三级管理"模式，6月1日正式开通965382服务热线，提供24小时咨询、抢修、投诉等服务，人员设备标准化配置，制度、流程制作张贴上墙，达到"一镇一站一窗口、一村两员一平台"，报修、报装一站式服务。实现动态巡检、常态管护、应急抢修"三到位"。

【管网改造】按照"建大、并中、减小"的原则，县局实施分散供水工程逐步向集中供水工程改造，建设单村或联村集中供水、连片供水，推进城乡供水一体化。9月起分阶段实施小岭罗庄配水管网、下梁四新供水管网、石镇配水管网、凤凰镇供水管网、小岭镇常湾村管网5个管网改造工程。乾佑街办芦才沟供水工程、曹坪镇谷子沟供水工程、小岭镇供水扩建工程尚在施工中。

【防汛救灾】委托专业资质单位对全县山洪灾害监测预警系统、自动雨量站、水位站、无线预警广播等进行全面检查和维修养护，保障各类预警设备正常运转。汛前重点检查全县主要河流、重点集镇、险工险段和重点山洪灾害隐患点，发现问题制定切实可行的解决方案和整改措施，细化和落实包抓责任。修订和完善山洪灾害、主要河流、西川水库以及县城城区、凤镇街、石瓮街、瓦房口街等重点城（集）镇的度汛预案，补充完善防汛通信工作预案及跨行政区域河流上下游互报联防制度。汛前修复水毁堤防工程，总投资1102.81万元，恢复重建堤防12处2043.6米。

【水利执法】落实三大流域的县、镇、村三级"河长"包抓责任制，开展河道"清四乱"、最严格水资源管理、水土保持执法工作。加强河道、矿山、重点工程建设的执法检查，建立打击非法采砂及排污的联动机制，制止和查处水事违法行为。开展水政监察巡查150次，出动执法人员310人次，巡查发现问题20余起，现场处置15处、立案查处12起，查处非法采砂6起，申请法院强制执行2起，各级反馈生态环境问题整改5个并通过市级备案。

（党杰撰稿　张梅玲编辑）

特色产业

柞水县特色产业发展中心

主　任

廖小锋（2022年1月—9月）

袁晓勇（2022年9月—12月）

副主任

刘建军（2022年1月—12月）

柯贤艳（2022年1月—12月）

【概况】隶属县农业局管理的二级事业单位，正科建制，加挂县木耳产业发展中心牌子。编制19人，实有正式在编在岗19人，其中高职5人，中职6人。内设办公室、木耳股、中药股、特产股、休闲农业股5个股室。主要工作职能是承担全县木耳、中药材、食用菌、蔬菜、烤烟、茶叶、园林水果、特色花卉等特色产业和"一村一品"、休闲农业发展规划、年度计划的编制实施；乡村特色产业振兴有关政策法规的宣传落实、技术推广、科技示范、基地建设、规范化生产及产业服务体系建设等工作，研究全县特色产业文化发展定位、工作思路、推进措施，打造柞水木耳、中医药等产业文化特色品牌，促进木耳、医药等特色产业与文化旅游有机融合，协调推进一、二、三产业融合发展等。

【木耳产业】在稳定木耳生产发展同时适度扩大种植规模，建成木耳U形产业带，辐射带动建设钢架木耳大棚2519个、生产基地80个、专业村65个，年发展木耳10160万袋、产出干木耳5000吨。推广吊栽、地栽和塔栽方式推进木耳标准化、规模化种植，建成百万袋木耳示范基地40个，引进木耳龙头企业13家，发展木耳示范种植户4186户，形成木耳栽培规模化、标准化、设施化的发展态势。资源化、循环化利用木耳废弃物，协助科沃、野森林等企业处理废弃菌包1.2亿袋、废弃菌渣6000吨，废弃菌包综合利用率达到98%以上。

【中药材产业】发展连翘、五味子、玄参、板蓝根、丹参等十几种中药材种植基地22个，带动2100户贫困户、18户农户发展药材种植面积3.8万亩。新建中药材示范种植基地1.7万亩，野生中药材基地抚育管护9000亩，户均年增收7900元。与林滦、世纪等企业签订4100亩中药材种植订单，解决药农的卖药难题。邀请河南中药体系考察团、陕西师大、西农大、陕中医大、杨凌科技局等十多名专家来县种植基地田间栽植和管理技术指导现场培训12次，培训药农1250人。争取苏陕协作资金80万元，改造提升秦岭五味子产业研发推广，整合县财政资金70万元，在曹坪镇窑镇社区建成大型中药材交易中心，完善药材流通体系。加强产业奖补力度，全年通过惠民中心"一折通"方式兑付588户建档立卡贫困户中药材奖补资金50.75万元。

【特色产业】按照"稳步发展老区，积极开发新区"的工作思路，杏坪镇、红岩寺镇、瓦房口镇和曹坪镇4个镇稳定发展烟田种植2000亩。依托杏坪镇柴庄社区苦桃沟1000亩生态有机观光示范茶园建设项目和中台村苏陕协作共建茶园项目，全县茶园总面积3970亩，其中新建茶园500亩，全县茶园总面积达到 3970 亩，全年茶叶可采摘面积 1000 亩，干毛茶产量 5 吨，产值 285 万元。新建水果面积 72 亩，园林水果总面积达 500 亩，其中可采摘面积 278 亩，产量 573 吨，产值 249.9 万元。完成蔬菜种植 5.15 万亩，全县蔬菜年产量 7.081 万吨，其中设施蔬菜 400 亩，高山蔬菜 1.5 万亩。新建水杂果 72 亩，园林水果总面积达 500 亩，其中可采摘 278 亩，产量 573 吨，产值 249.9 万元。

【休闲农业】围绕"春赏花""夏纳凉""秋采摘""冬农趣"4 个主题，线路推介有特色、条件成熟的乡村旅游精品景点，打造柞水"两日游""三日游"，发布精品线路 3 条，其中秋季精品线路入围陕西发布的 28 条休闲农业和乡村旅游精品线路。休闲农业与乡村旅游经营收入 2460 万元。遴选推荐申报杏坪镇为全国"一村一品"示范镇，并成功获得认定。利用农业信息网、高速路广告牌等传统媒介和微博、微信、抖音等新媒体，宣传营销牛背梁杜鹃花节、柞水木耳节、农民丰收节等农事节庆活动，开展抖音大赛、摄影大赛等活动向全国推介县休闲农业旅游观光及特色农产品销售。

【统计监测】根据市级休闲农业示范点认定管理办法，督促县休闲农业经营主体完善基础设施、提升示范点服务功能，开展统计监测工作。按照标准和程序监测两个"国"号品牌中国最美休闲乡村朱家湾村、金米村，统计监测县休闲农家、休闲农园、休闲农庄数量、经营状况、带动就业等情况，开展 8 个市级休闲农业示范点监测督查，完成全国"一村一品"示范村镇信息监测平台填报工作。

【乡村振兴】选派一名副主任担任驻村工作队队长，组织全体干部职工深入营盘镇营镇社区调研，逐户制定帮扶措施，因人提出发展产业项目。争取资金 10 万元，用于发展产业，巩固拓展脱贫攻坚成果同乡村振兴有效衔接打下基础。

【大事简记】7 月 10 日，县农业农村局副局长张辉陪同河南省农科院的国家中药材产业技术体系岗位科学家梁慧珍团队一行，在柞水县曹坪镇银碗村南五味子基地、营盘镇曹店村玄参基地调研指导。

11 月 6 日，县特色产业发展中心邀请高淳高级制茶师卜维梁为职工培训茶叶种植及制茶技术。

（赖光勤撰稿　张梅玲编辑）

工 业

经济贸易

柞水县经济贸易局

党组书记、局长

李政为（2022年1月—12月）

副局长

行远隆（2022年1月—12月）

李永涛（2022年1月—12月）

周晶鑫（2022年5月—12月）

国资委党委班子成员

党委书记、主任

李政为（2022年1月—12月）

党委副书记

卢　锋（2022年1月—12月）

【概述】紧扣工业运行、商贸流通、国资监管和电子商务四大重点，深入贯彻落实各项经济工作方针政策，积极培育经济发展新的增长点，完成了各项工作任务，受到省、市、县政府及相关部门的表彰。陕西省工业和信息化厅关于四季度工业运行监测先进单位，中共柞水县委柞水县人民政府表彰经济高质量发展五项先进集体。

【工业经济】规模以上工业总产值235亿元，同比增长-21%；规模以上工业增加值增速年底将转正，工业投资同比增速保持在26%以上，新增规模以上工业企业8户。

【商贸流通】完成商贸企业纳规入统41家，实现社会零售总额11.62亿元，增速8%；新增外贸进出口备案企业1家，完成外贸进出口总额620万元。

【国资监管】对10个国企党支部书记抓基层党建工作情况进行述职评议考核。以"一台车辆一盏灯，一名党员一颗星"为载体，创建交投公司党支部标准化建设示范点。认真开展支部规范化"五好"创建，征集国资系统"支部好项目"3个，"书记好党课"5个，"党日好案例"6个。

【电子商务】服务体系日益健全，改造提升县级电商服务中心，建成运营中心、孵化中心、大数据中心、直播中心、电商消费扶贫中心等五大板块，入驻企业20余家，建成标准化直播间4个。二是物流体系日趋完善，已建成占地面积1000平方米的县级快递物流分拣配送中心，新配备了智能自动分拣设备，极大提高了快递分拣效率，配备快递配送车辆60多台，配送线路从3条增加为4条，覆盖82个电商服务站点，快递物流实现3天内配送到镇村。开展以柞水木耳为主的各类直播960余场次，电子商务网络交易额3.04亿元，同比增长21.03%，农产品网络销售额6420余万元（其中木耳5631万元），同比增长17.6%。

【重点项目】年内5个市级重点工业项目和11个县级重点工业项目全面完成年内计划投资。

【复产提效】为企业牵线搭桥争取工业企业流动资金和固定资产投资贷款1.2亿元，落实延期缴税1500万元，为重点企业招聘人才180余人，为企业争取各类政策扶持资金1500万元，33家规模以上工业企业、11家成长型工业企业落实37名县级领导联系包抓，成立工业和商贸企业疫情防控及复工复产工作专班，为52个规模以上工业企业和限上商贸企业派驻52个工作组，确保企业的正常运营。扎实开展"百人包百企"活动，开展"企业效能大比武"等活动。

（王金平撰稿　陈刚编辑）

县域工业集中区

柞水县县域工业集中区管理委员会

党工委副书记（纪工委书记）

赖胜涛（2022年7月—12月）

副主任

赖胜涛（2022年1月—7月）

李德鹏（2022年1月—12月）

宋愤超（2022年7月—12月）

【概况】2月11日，根据（柞编发〔2022〕1号）文件精神，将柞水县县域工业集中区管理委员会、柞水县小岭工业区开发建设管理委员会整合规范为柞水县县域工业集中区管理委员会，副县级设置，为县政府的派出机构。设党工委书记1名（副县级）、副书记1名（正科级），纪工委书记1名（由党工委副书记兼任）；设主任1名（由党工委书记兼任）、副主任2名，编制26人，下设党政综合办公室、项目招商科、规划建设科、协调服务科4个副科级科室，实际在岗干部职工24人。

被县委、县政府授予"项目前期工作先进集体""招商引资先进集体""纳规入统工作先进集体""服务工业暨民营经济发展""党的二十大期间柞水信访工作先进集体"荣誉称号。

【工业经济】按"六稳""六保"工作要求，一手抓疫情防控，一手抓复工复产，指导企业修订完善企业疫情防控应急预案30多份，办理"点对点砂石运输车辆通行证"4000余张。加大盘龙、欧珂、三八特医的产品研发和推介销售力度，促进大西沟矿业公司、博隆公司等实现满负荷生产，完成企业纳规1家，27家规模企业完成工业总产值210亿元，工业增加值34亿元。

【重点项目】实施一个项目、一班人马的包抓服务机制，推进陕西万银航空岩棉纤维开发、工业固体废渣、再生资源循环利用、小岭工业产业园标准化厂房等重点项目建设。园区18个重点建设项目顺利进展，完成固定资产投资31.144亿元，占计划的100.2%，为园区发展培育新动能。

【招商引资】开展叩门招商、以商招商，编制了园区招商项目宣传册。招引了大西沟800万吨菱铁采选项目，谋划招商推介项目10个，在"回乡党"大会上签约柞水县物流园项目，在第六届丝博会上重点签约2个项目，总投资达15亿元，引进新项目3个，开工1个，完成到位资金9.02亿元，占任务的112.8%，引进新入园企业5家。

【争取资金】赴省市对接工作3次，为下梁镇扶贫产业园争取省级支持县域工业集中区和小微企业创新基地发展专项资金120万元，争取市工信局厂房补贴资金32万元；为小岭标准化厂房建设项目成功争取项目专项债券建设资金1.33亿元（其中地方政府专项债券0.5亿，一般债券0.16亿元），年底前到账0.66亿元。

【乡村振兴】采用"公司+合作社+农户"的模式，推进闫坪村集体经济瓜蒌种植基地建设项目，投资35万元，租用土地60亩，建成瓜蒌收储监控室60平方米，带动群众30余人务工，年人均增收2000余元；修建便民桥2座，修建河堤300米，不断巩固136户414人的脱贫成效，全村369户1177人无返贫现象发生。

【非公党建】制订年度学习计划，按时召开"三会一课"及"主题党日"活动，学习教育活动20余场次，在柞水县融媒体中心发布党建及作风建设活动报道18篇。按党组织标准化建设的要求，从管委会党员干部中选派6名干部担任企业党建指导员，定期指导园区企业党建工作，完善组织机构，人员配备齐全，支部的日常工作有序展开，企业党建服务发展的功能得到强化，培养积极分子16名，确定发展对象4名，发展预备党员3人。

【安全生产】严格落实安全生产专项整治三年行动要求，制订《柞水县县域工业集中区安全生产专项整治三年行动实施方案》，建立安全生产责任追溯体系，开展4次安全隐患排查，消除隐患20项，安全生产事故率持续下降，未发生重大安全事故。

【党风廉政】坚持紧抓"两个责任"不放松，完成柞水县落实党风廉政建设主体责任督办考评系统工作内容，每月每季度完成率达100%。修订完善了重大事项议事规则、完善财务管理等制度，主要领导四个不具体直管，"三重一大"事项一律由班子会议集体讨论，全年开展"作风建设""以案促改""警示教育"等专题学习30余场次。

（屈红利撰稿　张书国编辑）

电力工业

国网柞水县供电公司

总经理

刘　钊（2022年1月—7月）

寇　锋（2022年7月—12月）

党委书记

杨小东（2022年1月—7月）

唐开成（2022年7月—12月）

副总经理

段先懿（2022年1月—12月）

许　珂（2022年7月—12月）

高伟伟（2022年7月—12月）

【概况】职工152人，其中长期职工74人、供电服务职工78人。设置职能部门6个，业务实施机构2个、班组7个、供电所7个。运维10千伏线路72条（公线63条、专线9条）、1184千米，配电变压器1331台400.73兆伏安，其中专变574台255.65兆伏安，综合变757台145.08兆伏安，低压线路2102.77千米，服务各类用户7.83万户。完成售电量3.95亿千瓦时，营业收入2.32亿元，综合线损率4.72%，综合电压合格率、供电可靠率分别为99.80%、99.91%，电费回收率100%。

【党建工作】开展中心组学习12次，专题交流研讨12次，集中学习24次，基层宣讲8次，主题党课5次，知识竞赛4次，全员政治意识得到显著增强。促进"党建+"工程落实落地，开展"党员上门服务"8次，走访群众问卷调查11次，志愿服务8次，直接服务客户1200余人次。开展思想工作作风纪律大讨论12场次，深入反思，查摆问题，把治理的焦点对准解决"事"、激励约束的焦点对准塑造"人"，排查工作堵点15项，优化工作机制7项。围绕实现"四个明显""五大目标"，扎实开展"十六字"工作作风建设活动，消除4个方面13项顽疾，推动干部作风、工作效能、干事氛围全面优化，"勤快严实精细"成为干部作风新常态。进一步调整优化支部设置，基层党组织换届工作，设置5个党支部，新成立国网陕西电力张思德（柞水金米）共产党员服务队，实现基层供电所党员全覆盖。

【安全生产】深化安全培训及警示教育，学习45项措施和104条三类严重违章，举办"安全知识竞赛""安全大讲堂"活动16次。组织安全生产知识考试、专项隐患排查、观看安全生产教育片等活动，宣传国家安全生产的方针、政策和理念，使全员真正从思想深处懂安全、重安全，时时刻刻想安全，营造出良好的安全生产氛围。始终执行"四双"管理、"四个管住""十不干"，持续推动现场标准化作业"六提升"。开展"远程+现场"检查，打造无违章现场2次，基本满足标准化现场作业水平。明确领导班子安全生产"两个清单"，坚持"三管三必须"工作要求，层层压紧压实责任，全员全过程全方位一体推进，形成上下贯通、多元共治的全覆盖责任体系。充分发挥应急指挥中心"中枢"作用，发布预警10项，派发预警响应任务76项，处理预警隐患37项。查纠金鑫矿业等3户涉及矿山开采的高危及重要客户隐患缺陷42处，与客户重新签订供用电合同，明确责任界面。

【电网建设】开展季节性、区域性电网"体检"，排查治理各类隐患、缺陷141处，综合电压合格率、供电可靠率分别提升至99.80%、99.91%。主动治理三相电压不平衡、频繁跳闸线路25处。完成电网基建项目62项，新建改造10千伏线路27.51千米，安装智能开关48台覆盖12条线路，安装智能融合终端247套。新布点配变40台，解决了24处重过载、低电压问题。完成城区主通道绝缘化改造，城区内电网主线路实现绝缘化全覆盖。建成10千伏营药线龙潭支线差异化设计项目。完成173肖台线等8条线路联络，10千伏N-1通过率较全年指标提升6.53%。

【优质服务】建立台区服务"微信群"722个，进群客户数79032人，台区建群覆盖率达到100%。开展电话号码专项治理，整改76510户，电话号码整改率、正确率均达到100%，实现停电信息、服务政策精准告知，增强用户满意度。深化"三零""三省"服务，主动服务县域重点项目建设，密切关注企业生产动态，实现海纳斯石业、西康高铁、方舱医院、孝义厅以及云山湖重点项目提前供电。新装用户2295户，新增报装容量29170千伏安。健全服务信息传递机制，严格落实"首问负责制"，快速精准响应客户诉求，切实增强服务人员主动补位意识。积极落实抗疫保电"八项举措"，践行

"欠费不停电"等措施，圆满完成3个重点医院、11个隔离酒店保电工作。推动"三先三后""零感知"检修模式，错峰开展设备检修、故障处理及隐患消缺，用户平均停电时长同比压降28%。圆满完成春节、中高考、国庆节及"党的二十大"等32次保电任务。

【提质增效】完成数字化县公司10项重点任务，完成72条10千伏线路和722个低压台区GIS采录任务，实现"电网一张图"初步构建。更换HPLC模块5.3万个，覆盖率提升至68.5%，率先完成下梁供电所18706只电能表批量更换工作。落实"一线一策""一台区一指标"治理方案，10千伏、0.4千伏同期线损达标率较年初分别提升60.91%、7.51%，12月下梁供电所成功创建国网百强供电所，实现公司百强供电所"零突破"。公专变在线率提升至100%，低压户表采集成功率提升至98.79%。抓基础档案治理，更正营配数据40.2万条。推广"政府统帅、企业实施"模式，促请县政府召开"电力建设推进会"，争取到资源、环境、水利、林业等相关部门业务支持，为实现"五年规划项目三年完成项目前期"目标奠定坚实基础。促成县政府出台《关于明确城镇电力接入工程投资界面》文件，进一步明确"政府、供电企业、用户"三方权限界面，形成高效协同的电力接入服务机制。

(张雪撰稿　余锡政编辑)

交通运输·邮政

交通运输管理

柞水县交通运输局
党组书记、局长
曾　斌（2022年1月—12月）
副局长
张　健（2022年1月—12月）
樊　云（2022年1月—12月）
卢　峰（2022年1月—12月）
柞水县交通运输发展中心主任
赵乐弟（2022年1月—12月）

【概况】县交通系统在编职工57名，设行政办、公路股、交通运输综合执法大队，下辖县交通运输发展中心、县交通运输质量监测鉴定中心、县交通运输局路桥设计室、县交通投资建设有限责任公司、县路桥工程公司、县汽车客运站共计6个单位。疫情防控工作中县局被市局表彰为"新冠疫情防控工作先进单位"。

【项目建设】实施国省干线、县乡公路改建、自然村通硬化路、危桥改造、水毁修复等五类重点项目，分别是G211柞水县大坪至营盘公路改建项目，总投资2.43亿元，建设地点在营盘镇，主要建设内容为改建沥青混凝土二级公路18.4千米。一期工程完成路基、桥涵、隧道、路面基层的主体工程建设、面层铺筑，12月底完成附属设施并建成通车。柞水县曹坪镇窑镇社区至小岭镇李家砭公路改建工程，总投资5290万元，12月底前完成路基及桥涵建设任务，完成投资2000万元，2023年5月底前建成通车。柞水县曹坪镇至瓦房口镇公路改建项目，总投资1.38亿元，建设地点在曹坪镇及瓦房口镇，主要建设内容为改建水泥混凝土三级公路19.6千米，路基宽度7.5米。12月底前完成路基及桥涵建设任务，完成投资7000万元，2023年底前建成通车。柞水县曹坪镇窑镇社区至银碗村药厂寺公路改建项目，总投资0.35亿元，建设地点在曹坪镇，主要建设内容为改建水泥混凝土四级公路9.6千米，路基宽度6.5米，12月底已完成建设任务。柞水县自然村通硬化路建设项目，总投资0.5亿元，建设地点在各镇办，主要建设内容为新建自然村通硬化路77条91.28千米，12月底全部完成建设任务。柞水县农村公路水毁修复项目，总投资1.3亿元，主要建设内容为修复全县水毁公路75条234.66千米，桥梁5座115延米，12月底项目全面修复完成。

【公路养护】列养道路1791.01千米，包括国省干线公路161.741千米、柞水境内211国道81.376千米、313省道73.915千米、102省道6.45千米。

列养县乡村道路共1894.475千米，其中县道4条179.44千米、乡道24条402.875千米、村道424条1312.16千米。县、乡、村公路优、良、中路率达到85.3%，县、乡、村公路技术状况指数（MQI）分别为81.75、79.52、76.38，路面技术状况指数（PQI）分别为80.66、78.65、73.96；畅通率均达100%，全县所有村公路均纳入列养，无失养、弃养道路，1月柞水县被国家命名为"四好农村路"全国示范县。

【乡村道路品质提升工程】 县局将乡村道路品质提升工程前期工作向县政府主要领导、分管领导汇报4次，县政府分管副县长带队到全县9个镇办实地开展专项调研9次，现场查看道路32条。召集各镇办、财政、发改、住建、林业等部门召开全县道路品质提升工作推进会2次。同时，县政府督查室对进度缓慢的镇办开展督办，形成政府牵头、部门主抓、镇办落实、督查跟进的工作格局。12月初，9个镇办完成道路硬化105条160.895千米，占下达任务144.56千米的111.3%，村组道路绿化377.46千米，已完成325.5千米，占总计划的86.2%。村组道路亮化330.03千米，完成296.58千米，占总计划的89.86%；村组公路安防130.54千米，完成130.54千米，占总计划的100%。

【交通运输管理】 组织开展道路运输市场环境整治，开展与县公安局、县交通警察管理大队、县城管局等部门联合检查53次，维护人民群众出行安全。组织开展一、二类共计7家维修企业质量信誉考核，驾驶员培训机构考核取得全市第二名的成绩。组织开展县内3家漂流企业年度审验，初审合格资料已上报市级。受理并及时处理12345便民热线投诉件29件。县局政务大厅审验客车20辆次，货车59辆次，出租车48辆次，公交车3辆次，从业人员诚信考核38辆次。

【综合执法】 重点遏制非法违规营运现象，查扣非法营运黑车12辆、查处违规出租车15辆、停业学习8辆次。查处路政违法事案3起，行政处罚3起。排查道路安全隐患12处，整改完成12处。查处非法改装车辆16辆次，抛洒污染路面车辆12辆次，劝返超限车辆58辆次。配合"两拆一提升"工作，组织拆除高速路及国省道两边违章广告牌15处。组建打击违规甩客行为工作巡逻队12支60余人，实行24小时不定时巡查；通过对高速路、国省干线易发点位采取加装铁丝网、加高围墙、安装摄像头等措施打击甩客倒客行为。常态化检查县域内物流、快递运输流通企业110余次，下发整改通知书14份，责令停业整改9家。

【招商引资】 招商引资项目1个，引进营盘镇安沟口至安沟村五组公路改建工程开工项目，改建三级公路9.1千米，路基宽度7.5米，沥青混凝土面层，总投资6160万元。争取项目1个是柞水县以南包茂高速西安方向互通式立交工程项目，争取省级以上资金1290万元。

（樊蓉撰稿　张梅玲编辑）

公路管理

柞水公路管理段

段　　长

李明成（2022年1月—12月）

支部书记

宁启东（2022年1月—12月）

副段长

张　涛（2022年5月—12月）

徐兴华（2022年1月—12月）

汪光斓（2022年1月—12月）

工会主席

张晓斐（2022年5月—12月）

【概况】隶属商洛市公路局，事业单位建制，现有职工93人，领导班子6人。辖养柞水境内211国道81.376千米（其中16.12千米位于安康境内）、313省道73.915千米、102省道6.45千米（102省道、313省道并线段）共161.741千米国省干线公路。

【道路养护】按照"分类管理、差异养护"工作思路，采取分散养护与集中作业相结合的方式，开展预防、小修、设施修复等养护作业，修补路面坑槽（含水毁修复工程）7112.10平方米，基层2890.39平方米，灌缝2.6万余延米，罩面672.70平方米；更换钢板护栏1954延米。对省道102磨沟峡路段先后开展两次集中处置，使用土工格栅和烧毛土工布优化施工工艺，配套采用铣刨机、摊铺机等机械设备确保铺筑质量。完成年度水毁修复工程以及省道313桩号敷设相关配套工作。落实美丽干线公路管养长效机制，推进绿化苗木精细化管护，累计清理整修绿化带680平方米，培土360立方米，补栽紫薇、樱花等乔木222株，红叶石楠球等灌木1396株，补种鸢尾20万余苗。在国道211什家湾至药王堂段路侧广泛实施路宅、路田分界，新建、扩建路侧配套设施。

【路政管理】开展法律法规宣传"进社区、进学校、进企业"，举办宣教座谈会3次。结合"两拆一提升"行动，与县城管、水利、国土等部门的协调配合，定期组织开展联合执法活动，拆除违法建筑物390平方米/7处、非公路标志牌48块，清理路产范围内堆积物870处/1130立方米，收回公路用地750平方米。强化源头监管和路面稽查，夜间巡查、错时巡查、联合巡查等措施开展渣土车整治，联合交警、运管等部门开展联合执法6次，查处违法运输车辆479台/次，向公安交警部门移交车辆72台/次。

【综合管理】严格控制"三公经费"支出，扎实开展固定资产清查，完善财务开支审批制度，规范差费报销，组织全段职工参加体检，办理人身意外伤害保险以及工会互助保险。召开疫情防控专题会议8次，抽调党员干部8人轮换参与营盘镇高速路口疫情防控工作，抽调党员干部16人参与迎春社区民乐巷和兴运小区疫情防控工作，针对党员干部防疫纪律工作开展专项督查11次。

（赵娟撰稿　张书国编辑）

"两路"协调服务

柞水县两路建设协调指挥部办公室

主　任

陈　欣（2022年1月—12月）

副主任

朱大军（2022年1月—12月）

【概况】属于县政府直属事业单位，正科级建制，单位内设办公室、征迁安置办公室，编制8名，实有干部职工7人。年度重点抓西康高铁重点项目建设、解决水阳高速公路建设遗留问题、脱贫攻坚与乡村振兴有效衔接等工作。

【西康高铁拆迁安置工作】西康高铁正线全长170千米，柞水境内全长41千米，在营盘镇秦丰村、乾佑街道马房子村设置两个站点。征迁范围涉及营盘和乾佑街办2个镇（办），需征迁房屋255户、学校2处、特殊征迁物21处、红线用地510亩，征回501亩；临时用地应征849.23亩，征849.23亩，其中县资源局已审批379亩；应拆迁群众房屋255户，拆迁226户，剩余29户；特殊拆迁物应拆迁21处，拆迁19处，剩余2处。

【水阳高速遗留问题处理】对高速沿线安置点地面排水工程等23处水阳高速建设遗留问题，倒排时序，下茬推进，逐个解决。部分村级道路硬化等21个遗留问题已解决到位。协调征迁资金5500万元，兑付群众土地、房屋和厂矿企业特殊拆迁物征迁资金。依据市协调办《关于转发市政府领导批示精神的通知》精神及水阳高速项目峻工审计的要求，所有征迁档案资料收集整理归档。

【疫情防控】成立新型冠状病毒感染肺炎疫情工作领导小组，学习贯彻习近平总书记关于防控新型冠状病毒感染肺炎疫情的一系列重要指示精神，投身疫情防控一线；配备人员、物资，协调福乐小区疫情检查站点，防止疫情流入；配合防肺办、交通局做好西康高铁建设项目重点人群核酸检测及保障高铁物资运输等工作；深入基层，协助开展疫情宣传、排查、防控等工作。

【生态环境整治】对西康高铁建设施工弃渣乱推乱放、道路损毁、环境污染等进行整治，提升周边群众的满意度。

【巩固脱贫攻坚成果与乡村振兴有效衔接】夯实工作责任，开展脱贫攻坚后评估工作，让有劳动能力的脱贫户稳定就业；争取资金补基础环境短板，向西康高铁项目部争取资金为下梁社区修建赤水沟通村公路和便民桥；开展环境大整治活动，社区境内的环境卫生得到改善，居民幸福指数提升。

【党建工作】将学习贯穿于各项工作之中，学习贯彻党的二十大精神、习近平新时代中国特色社会主义思想、习近平总书记来陕考察重要讲话重要指示；坚持"三会一课"制度，组织讲党课30余次，召开党员干部大会10余次；制定和完善"三项机制"实施意见，建立干部考核办法等制度，用制度管人用人。

【党风廉政建设责任落到实处】制定党组主体责任清单9条，党组书记和个人主体责任清单12

条，党组书记与党组成员签订目标责任书2份；开展廉政教育集中学习5次、学习研讨2次、讲廉政党课，开展"查堵点、破难题、树新风、促发展"作风建设活动、作风建设专项行动，查摆班子问题3个、领导班子问题4个、干部问题10个，均已整改到位；开展正风肃纪集中教育整顿活动，谈话6人次，解决个别苗头性、倾向性问题，预防违规违纪问题发生；修改完善《考勤制度》《财务管理制度》等制度，制定《党组中心组学习制度》《工作制度》等6项制度，做到用制度管理。

【信访维稳扎实有效】建立信访工作制度，明确信访工作责任，做好网上来信来访办理，处理水阳高速建设信访问题5件次，西康高铁拆迁安置群众上访25件次，协调化解各类矛盾纠纷8件，保障了社会大局和谐稳定。

(陈世涛撰稿　余锡政编辑)

邮政业

柞水县邮政分公司

党支部书记、总经理

林之枨（2022年1月—10月）

赵彦平（2022年10月—12月）

纪检（宣传）委员、副总经理

王会萍（2022年1月—6月）

王卫星（2022年6月—12月）

【基本情况】下设9个支局网点、6个空白乡镇代办点，配备科级领导1名、副科级领导1名，从业人员75人、党员14人。邮政业务收入实现2701.68万元，占计划的107.21%，增长11.03%，完成进度计划排全市第二。储蓄余额规模达16.6亿元，新增余额1.75亿元。用户满意度96分，建制村打卡率100%。

【寄递业务】寄递收入完成151.79万元，完成年计划142万元的106.89%。加大协议客户开发，积极联系电商客户，实现寄递够量直发业务试点推广，收入达到3万元。

【金融服务】"三八女神节回馈活动"，投入资金5000元，县公司统一采购大束鲜花50束，各网点支局长统一上门看望白金级、钻石级客户，挖潜他行资金473万元，办理保险33万元，基金销售15万元；组织开展"小小银行家"活动、"相约七夕，为爱守候"送化妆包等活动，吸引他行资金580万元购买理财；端午节、中秋节给务工客户寄粽子、月饼780人次，揽收资金730万元。通过送春联、新年大抽奖、新春七天乐、送元宵等节庆活动，营造旺季发展氛围；开展VIP客户答谢会、生日会、观影活动等，加大理财、基金、保险业务宣传，通过理财产品客户资产配置，提升客户综合收益。开展VIP客户专属权益、外出务工、百万消费券和大抽奖等活动，VIP客户服务率达到100%。

【内部管控】新增车1辆；网点配备空调8台，提高网点能力，7个网点食堂更新配备冰箱、消毒柜等设施，提升企业的硬实力。严格执行邮政普遍服务标准及邮政企业专营业务资费标准；落实收寄验视、实名收寄、过机安检三项制度及"扫黄打非"相关工作职责;普服、建制村打卡率95%以上,普遍服务工作未受到邮政管理部门行政处罚、通报,机要通信安全无事故。

【队伍建设】陆续开展百日答题、知识竞赛、演讲比赛等专项工作,6—12月每周五开展省市县党史学习教育同步读书会。扎实开展庆祝建党100周年演讲比赛、红色经典诵读系列活动。通过党史学习教育、战邮精神、"两优一先"、《榜样6》等专项学习,以企业实际工作教育引导广大党员坚定"四个意识",坚决做到"两个维护"。盘活人员2名,调整管理人员3人,优化工作流程。党员志愿服务16场次,开展一线员工节日慰问6次,看望慰问职工11人次,举办3次文体活动,开展员工体检1次,做到及时发现问题、解决问题、关心关爱职工。

【结对帮扶】一是成立精准扶贫工作小组,驻村扎实开展扶贫帮困工作。包扶干部每周下村工作3天以上。每年驻村工作220天以上。二是落实责任。建立扶贫到户、精准到人的工作机制。三是争取经济支持。积极向市分公司争取扶持资金5万元,投入磨沟村集体产业合作社;帮扶单位为帮扶村群众送去米面油等物资,并组织医疗队为群众送医下乡。

(王文华撰稿　余锡政编辑)

商贸

粮食购销

柞水县粮食局

局长、支部书记

陈新海（2022年1月—12月）

副局长

蔡旭旭（2022年1月—12月）

【概况】隶属县发改局管理，参照公务员管理的事业单位，编制8人，实有6人，临时聘用人员5人。主要职能职责是研究拟订全县粮食流通宏观调控、粮食总量平衡以及粮食流通中长期规划，提出全县粮食进出口计划和收储、动用县级储备粮的建议；负责全县粮食流通体制改革及粮食流通监督、管理及粮食执法检查，粮食流通统计工作；研究制订县级储备粮油规模，总体部局和收购、销售计划；贯彻落实保护价敞开收购农民余粮政策；组织和协调国家粮食收购任务及资金的落实等。

下属企业县粮食储备库，聘用职工11人，完成县级储备小麦2000吨、市级储备小麦2500吨和成品粮油880吨储备任务，完成军粮保供任务。

【节粮宣传】先后在9个镇（办）及中、小学校开展"关注粮食、节约粮食"的宣传教育活动，发放节粮宣传资料1000余册，电子屏节粮宣传100余次、滚动标语10条。开展"世界粮食日"和粮食执法宣传月活动，受宣传群众达5万人次。

【粮食流通监管执法】县粮食执法稽查大队挂牌成立，标志着县粮食执法步入正轨。县粮食稽查大队采取定期不定期执法检查和开展执法月活动等方式，建立执法对象档案，做到执法对象全覆盖和常态化执法。执法检查县粮食储备库和从事原粮购销商户4次，下达整改通知3次，已全部整改到位。

【粮食调查和统计】开展粮食供需平衡调查及粮食流通统计工作，按照粮食总量平衡调查程序和上级业务主管部门要求，入户实际调查生活在县内不同区域的农户9户、城镇居民4户。根据调查情况看，村镇农户及城镇居民的粮食用量充足，品种丰富。按照《国家粮食流通统计制度》和《陕西省粮油经营台账》要求，开展全县确定的15个粮食经营企业和个体商户监测点的粮食流通统计监测统计，强化业务培训以及日常业务检查，按时报表，集中审核、汇总、上报，准确率达100%，粮油经营台账填制真实、规范，完成国家粮食宏观调控基础数据的采集工作。

【粮食安全】县委、县政府成立由县长为组长，县发改、财政、农业农村、水利、粮食等部门主要负责人为成员的粮食安全省长责任制考核工作领导小组，全面负责全县粮食安全工作。柞水县粮食安全省长责任制考核位列全市第二。建立粮食市场预警预报机制，定期收集整理、分析研判市场粮食供求状况、价格动态，及时处置发现的问题，稳定全县粮油市场。加强县储备库安全监管，县局与承储企业签订粮食安全目标责任书，开展仓储人员安全生产教育与培训工作，定期检查粮食安全储备情况。建设提升储备库6个仓房信息化功能。争取的科学储粮提升项目通过省局评审。

【项目建设】6月，县政府为解决粮仓容量不足的问题，批准实施杏坪镇5000吨标准化粮库建设项目，主体工程已经完工，配套设施和办公楼改造正在实施。

（万波撰稿　张梅玲编辑）

供销合作

柞水县供销合作社
党组书记
郭伦权（2022年5月—12月）
理事会主任
雷　娜（2022年5月—12月）
理事会副主任
汪　勇（2022年1月—5月主持工作）
监事会主任
王　瑕（2022年1月—12月）

【概况】省批公务员参管单位，属县政府管理的正科级事业机构，行政编制8人，核定领导职数2名（主任、副主任各1名），现有职工7人，机关内设办公室、财务审计股、经济发展股、信访纪监股4个股室。下属8个独立核算单位（其中4个直属公司：县供销社资产经营管理有限公司、县生产资料公司、县烟花爆竹有限责任公司、县土产公司；4个基层供销社：凤镇、蔡玉窑、石镇、营盘供销社）。被苏陕扶贫协作与经济合作领导小组评为苏陕协作先进单位，被省供销总社命名为"2022年度全省供销社系统'先进县级供销合作社'"，被市供销社授予"全市供销社系统综合业绩考核优秀单位""消费帮扶、安全生产工作先进单位""2022年监事会社情民意信息报送工作先进单位"，被县委、县政府评为"2022年度经济高质量发展优秀县级部门"。

【经济指标】完成商品购进总额293107万元，占计划的109%；实现商品总销售303787万元，占计划的112%；上缴税金335万元，占计划的101%；实现利润350万元，占年计划的104%，全系统固定资产总额2700余万元，主要经济指标连续5年实现稳定增长。

【综合改革】新发展村级供销社8个，新增农民社员3650人，分别占年任务的133%和105%；新增农民专业合作社5个，农民专业合作社联合社1个，占任务的100%。提升改造薄弱基层社（村级社）2个，打造村级供销社示范社3个，完成土地托管面积0.95万亩，占年计划的105%；完成农业社会化服务面积3.36万亩，占计划的102%。新建农村综合服务社19个，占计划的118%，新建为农服务综合体1个，占计划的100%。

【招商引资】引进项目2个，开工1个，争取资金150万元，争取创建标杆社1个、示范社1个。提供招商线索4条，引进"柞水县再生资源回收利用服务网络"和"柞水县农业生产服务中心"2个项目，开工2个；引资155万元，争取创建工作正在稳步推进。与南京高淳区供销社签订消费帮扶和经济合作协议；与南京固城湖有限公司等3家农产品销售企业签订农产品采购协议；与杭州巴士传媒集团签订柞水木耳品牌列车运行协议。

【项目建设】对2021年"柞水县特色农副产品仓储冷链、柞水县农产品购销服务平台"和"柞水木耳品牌基地县"3个"新网工程"项目组织开展绩效评估工作；实施2022年苏陕协作柞水县消费帮扶综合提升项目，完成投资500余万元，争取苏陕协作项目资金250万元，以设立公益性岗位、劳务收益、收益分红方式带动45户农民增收15万元；实施柞水县农业生产服务中心和柞水县再生资源回收用服务网络2个省级"新网工程"项目，完成投资436万元，争取省级"新网工程"专项资金145万元，建设完成并投入使用。

【消费扶贫】柞水县供销社与杭州巴士传媒集团有限公司南京分公司续签2022年柞水农产品宣传（公益帮扶）协议，减免广告费用1043万元，8月21日"柞水木耳号"品牌专列在南京地铁四号线再次启程；组织企业参加丝博会、商洛首届网络促进月、柞水木耳推介会等活动9次，在巩固提升原有销售平台基础上，在南京、西安、柞水新建农特产品专卖店5个，并组织农产品生产经营企业积极对接省内外机关和企事业单位开展消费帮扶，累计销售柞水木耳等农产品4000余万元；用好"832"网络销售平台，"832"网络销售平台入驻企业36家，活跃供应商23家，上架商品393种，累计实现销售6435万元，全市排名第二；柞水县农家汇农副产品购销专业合作社及"秦峰岭"品牌木耳被陕西省第十七届运动会列为官方特许商品合作商和特许商品。柞水县被陕西供销合作社授予"柞水木耳品牌基地县"称号。

【安全生产】与社属企业签订安全生产责任书，开展安全大检查3次，发整改通知书4份，全部整改到位，做好信访矛盾化解工作，2次组织力量对全系统重点信访对象和不稳定因素进行排查化解，供销系统各类风险总体平稳可控，没有出现影响较大的群体性上访及不良舆情，未发生较大安全生产事故。

（兰宏撰稿　张青丽编辑）

烟草专卖

柞水县烟草专卖局（分公司）

支部书记、局长、经理

王　宏（2020年8月至今）

组织委员、副经理

曹李英（2021年7月至今）

【概况】内设综合办公室、客户服务部、专卖监督管理股（内部管理监督派驻组）3个职能部门，现有职工32人，2022年被市局授予年度目标责任考核二等奖。

【专卖管理】开展市场检查300次、物流寄递渠道检查200次，共计出动人员1000余人次，市场净化率始终保持98.8%以上。查获涉烟案件95起，涉案卷烟95.69万支，涉案金额80.95万元。辖区持证户共622户，正常持证户611户，责令停业、暂停营业11户。新办许可证40户、延续153户、注销43户。

【卷烟营销】坚持经济运行"十六字"方针，实施全域"一盘棋"调控，稳增长、调结构、推改革、育品牌，经济运行保持在合理区间。销售卷烟4540箱，实现销售收入1.48亿元，单箱均价达到32664元，社会库存基本合理，零售价格总体稳定，零售客户综合毛利率保持在12%以上。全市省产烟品牌策划大赛，3名营销人员被评为"品牌营销能手"，开口营销视频《好猫送吉祥》荣获全市系统三等奖。

【企业管理】顺利通过市级精神文明单位建设验收。财务预算执行率达98%以上。实时做好疫情防控、舆情监控，无发生任何安全事故。开展职工慰问7次，集体活动4次，开展读书班，联合税务局开展道德大讲堂，丰富职工业余生活；成立灶委会、宿管会，提升职工幸福感和归属感。组建"健身队"，利用"八小时"外时间加强员工身体锻炼。

【党的建设】打造"党旗红·金叶香"党建品牌，深化开展"三亮三建三创"主题活动，评选季度党员示范、先进模范、青年先锋"三岗"12人，提名年度"优秀工作者"5人。组织召开专题组织生活会2次，聚焦"四个对照"查摆问题19个，制定整改措施22条，整改完成率100%。利用"初心驿站"党群服务中心，销售扶贫助农产品，为广大职工和群众免费提供14项高效便捷、优质贴心的服务。依托"丝路爱心社"，开展疫情防控、无偿献血、公益卫生清扫、爱心助学、慈善捐款等志愿服务活动12次，服务时长达1000余小时，捐赠物资近3.6万元，惠及群众500余人。

【乡村振兴】选派1名第一书记和2名驻村工作队员深入帮扶村，开展慰问孤寡老人、受灾群众等活动4次，围绕乡村振兴召开座谈会1次。捐赠帮扶资金2万元，支持村发展种植产业，壮大集体经济。构筑"支部+产业+脱贫"模式，指导种植烟叶280亩，中华蜂108笼，产收120万元。

（张凯撰稿　张书国编辑）

教育·科技

教　育

柞水县科技和教育体育局

党委（党组）书记、局长

赵世海（2022年1月—12月）

县政府正科级总督学

梁明山（2022年1月—8月）

周　伟（2022年8月—12月）

党组成员、党委副书记

杨晓英（2022年1月—12月）

驻科教局纪检监察组组长

王丽莎（2022年1月—12月）

党组成员、副局长

陈友谊（2022年1月—8月）

周　伟（2022年1月—8月）

余　韬（2022年8月—12月）

朱小涛（2022年11月—12月）

副局长

田光前（2022年11月—12月）

县考试管理中心主任

肖海坤（2022年1月—11月）

张　龙（2022年11月—12月）

县教育党建指导中心主任

张　龙（2022年1月—11月）

欧阳传明（2022年11月—12月）

县学生资助中心主任

朱小涛（2022年1月—11月）

杨从虎（2022年11月—12月）

县教育教学研究室主任

郑大华（2022年1月—8月）

张　勇（2022年8月—12月）

县青少年活动中心主任

田光前（2022年1月—11月）

关　娜（2022年11月—12月）

县考试管理中心副主任

简米良（2022年1月—12月）

【概述】成功举办全市教育系统"党建+精细化管理"现场观摩会，党建工作经验在省市推广。建成省市德育示范校30余所。新、改扩建中小学幼儿园13所，新增学位1470个。争取省市以上资金9208.68万元。中考质量各项指标稳居全市第一，高考二本以上上线率保持全市前列位次。现有各类学校86所，其中普通高中1所、职业中专1所；初中12所（初中7所，九年制学校5所）；小学46所（中心小学9所，完全小学28所，初小9所）；幼儿园26所（其中公办幼儿园19所，民办园7所）。共有专任教师2005人（其中学前教师411

人,小学教师773人,中学教师469人,高中教师233人,职中教师119人)。在校学生及幼儿26069人(其中高中学生2338人、职专学生1332人、初中学生4649人、小学学生12260人、幼儿园在园幼儿5490人)。启动"中小学校党组织领导的校长负责制"改革,成立3个党委、9个党总支、44个党支部,无职党员教师设岗定责上岗率达到100%。

【教育质量】实施提高教育质量攻坚行动,聚焦育人方式变革,深化基础教育改革,总结推广"三自教育"柞水模式,强化复课靶向指导,内涵发展逐渐由标准化、规范化向高质量、特色化转型。聚焦"双减"成果巩固,推进落实"四四五"工作举措,不断拓展课后服务资源,精准满足学生个性化需求,以"减负不减质"全面回应群众关切。全县中考各项指标稳居全市第一,高考二本及以上上线率达92.4%,连续四年位于全市前列。

【安全管理】按照"党政同责、一岗双责、失职追责"总体要求,推动校园安全风险防控体系落地生根。安防建设4个100%全部达标,"八预防"安全教育常态化开展,问题学生摸排管理"六个一"措施精准化落实;创新实施疫情防控"五零"战法,建立健全"114、116"工作体系,无校园安全责任事故和重大传染病事件发生,人民群众安全感不断提升。

【教育投入】执行教育经费预算资金4.3亿元,县财政拨付执行教育费附加资金783万元,转移支付资金155万元,校舍长效机制维修资金381万元,教育经费实现"三个增长"。争取资金9207万元,超额完成教育项目引资任务。高质量完成学校财务审计、培训,稳步推进后勤管理标准化和示范校年度建设任务,按照"一专三分六统一"和"日清月结周公示"工作规范,落实营养改善计划惠民政策,为教育高质量发展提供强力保障。

【队伍建设】出台《柞水县中小学幼儿园教师交流轮岗实施办法》和《柞水县新入职教师到城区学校及镇办中心学校培训培养工作实施办法》,交流轮岗、支教、遴选100余人。年度补充教师79名,引进高层次人才6人,人才队伍不断建强、壮大。出台师德师风负面纪实、监督举报10项制度,提请县委、县政府每年树立表彰30个正面典型,队伍活力有效激发。按照《商洛市中小学幼儿园校园长评价淘汰及竞争性选拔办法》,调配校(园)长17人,选拔新任校(园)长15人,校(园)长任期考核评价达到100%,人才动能有效释放。

【教研教改】深化教育评价改革,出台《学校教学质量评价细则》和《教师教学质量评价细则》,过程纵向评价和全要素横向评价基本均衡,学校、家庭、社会参与的多元评价体系初具雏形。聚焦心理健康教育短板,以学生幸福成长为根本,在全市率先组建心理健康咨询团队,面向全体师生开展"一对一、一对多"干预调试,心理咨询服务效果逐步显现。常态化举办作业管理与设计展评等五大赛事,全员化开展学课标系列活动,教师素养显著提升。

【教育督导】创新督导问效机制,围绕新时代督导体制机制改革,积极探索,不断创新,充分发挥教育督导在教育高质量发展中的护航功能,开创了教育督导新局面。探索总结出新形势下"分层、挂牌、捆绑、循环、协调、内涵"六型督导新模式,划分10个责任区,派驻20名专职责任督学,围绕教育重点工作,派出督学210余人次,开展6轮全覆盖督导,整改问题340余条,督导效能持续优化。

【教育体系】新改扩建4所公办幼儿园全部投入使用,实现每个镇(办)至少有1所公办幼儿园的普惠目标,7所民办园全部通过市级普惠性评估认定,县镇村三级学前教育公共服务网络全覆盖。

围绕义务教育优质均衡发展，持续优化义务教育学校布局，全面提高义务教育学校办学水平。新改扩建中小学学校9个，完成投资1720万元，新增义务教育段学位1470个。投入资金2793万元，完成校舍新建、维修改造和设施设备购置，办学条件实现优质均衡。深入实施学生身心发展七大工程，全面推进"163"自主管理，成立12个城乡全覆盖大学区学校联盟，建立农村联片教研、城乡对口帮扶工作机制，助推全域教育质量实现优质均衡。创新中职人才培养模式，牵头推动县职中与商洛职业技术学院等高校联办专业，产教融合不断深化。30余人在省市教学能手大赛和技能大赛中获奖，对口升学率稳居全市第一。

【五育并举】以《中小学德育工作指南》为指引，构建中小幼一体化德育体系。用好疫情防控"活教材"和本地红色文化"活历史"，创建5个爱国主义教育基地，广泛开展德育系列活动30余场次，5所学校被评为市县级德育先进集体，2所学校被认定为市级德育教育示范基地。深化体育教学模式改革，开齐开足体育课程，常态化举办春、秋两季运动会，落实两操两活动，建立了社会体育与学校体育相衔接的发展体系。2022年学生体质健康合格率达到93.2%，近视率明显下降，优秀率明显提升。大力实施"两技两艺"工程，完善中小学生艺术素质评价制度，创新课堂教学、课后活动、校园文化、艺术展演"四位一体"美育推进机制，县、校两个层面"两技两艺"素质展演系列活动全面开展。以《关于全面加强新时代大中小学劳动教育的意见》为指导，创新建立具有时代特征的课程完善、资源丰富、模式多样、机制健全的劳动教育体系，培育6个劳动教育实践基地，劳动实践综合育人功能得到充分发挥。

【学生资助】在落实"七长责任制"的基础上，采取"双线工作法"完成全县20840名适龄儿童就读去向精准追踪，创新"防返贫动态监测""易地扶贫搬迁后续帮扶"工作机制，全县适龄儿童实现"零"辍学。创新工作方法，完成学生资助14626人次717.4万元，整合部门资助困难大学生491人次117.8万元，发放生源地助学贷款1267笔1206.3万元，实现学生资助和助学贷款"全覆盖"，学生资助"加减乘除"工作法被省市主流媒体报道推广。

（欧阳传明、兰田田撰稿　陈刚编辑）

科学技术

柞水县科技局
局　　长
黄治锋（2022年1月—12月）
副局长
王维智（2022年1月—12月）

【概况】县科技局紧扣国家创新型县和国家数字乡村试点县这两个核心，全面融入秦创原创新平台建设，注重引进专业技术人才，不断加大科技普及力度，积极申报实施科研项目，着力建设产学研用基地，持续加强科技成果转化应用，努力搭建企业创新平台，全面增强县域科技创新能力，圆满完成各项工作目标任务。

【科技平台】培育科技型中小企业44家、高新技术企业6家，推荐申报众创空间4家、通过认定1家，申报药用植物示范基地2家、市级科技示范村1家，有效满足了柞水特色产业发展需求。

【科技计划】发挥科技项目带动引领作用，着力提升科技计划项目效能，支撑促进产业发展，申报、实施市级以上科技计划项目共计18个，获批资金共计3799.5万元。

【科技帮扶】组织柞水县科技投资发展有限公司与青岛邻山秦选品牌管理有限公司，联合设立邻山秦选柞水木耳专柜，并正式试营业。通过中国农村科技网站推介柞水县羊肚菌产品，联系阿里巴巴和人民优选等平台帮助县内企业销售柞水木耳收入418.43万元，联系对接科技部和省科技厅相关单位工会，购买柞水木耳等农产品收入35.6949万元，对接深圳市叶澄海慈善基金会为柞水县人民医院捐赠价值19.92万元的药品。此外，向城区二小捐赠书籍2000余本，并在单位经费十分紧张的情况下，挤出5万元资金用于包扶的新合村发展产业。

【创新型县】立足于更好地创建创新型县，充分发挥创新领导小组的作用，多次召开专题会议，高质量完成《创新型县建设三年工作方案（2022—2024年）》，扎实准备了创建答辩资料，于2022年8月19日顺利通过验收，荣获全国首批、全省唯一国家创新型县。

【人才支撑】科技部向柞水县选派由食用菌、中药材等方面专家组成的10名科技特派团，为各产业提供全链条的技术服务。从省内外各科研机构、高等院校广泛吸纳引进各类科技实用人才，引进"三区人才"18名，下派科技特派员54名；组建了由10名国家重点大学专家、管理人员组成的科技助力柞水可持续发展咨询专家组，为县域经济发展提供决策建议、科研攻关、技术指导等服务。开展农技培训420余人次，培育一批有技术、懂管理的职业农民和产业发展行家里手。

【科技合作】与西安交通大学、西北大学等5所高校签订战略合作协议，搭建"政产学"合作平台；引导企业与高等院校、科研院所开展产学研合作，签订10个项目合作协议，在科技成果转化、技术难题攻关、共享资源、共建产学研联合体等多个领域展开全方位合作。形成一县N高校、一县N院所合作局面，促进县域企业创新发展。

【科技宣传】在中、省、市科技网、微信公众号和县政府门户网站刊发各类信息100余条；拍摄完成《科技星火：柞水从贫困到产业富民的涅槃》《科技赋能助脱贫乡村振兴谱新篇》，在县电视台进行了播放；拍摄《科技润的羊肚香》《柞水木耳情》《小木耳大产业基地介绍》等科技产品宣传片6部、《最美科技特派员》《我是科技特派员》系列短片5部，其中《我是科技特派员——陆博》，荣获"学习强国"我们的新时代短视频大赛三等奖，有效推动科技宣传工作。同时，高标准完成"市级文明单位的创建工作"。

【领导关怀】近年来，县委、县政府对科技工作格外重视，1名干部被组织提拔任用，2名干部被评为"市级优秀科技工作者"，3名干部被推荐晋升为8级职员。

（侯淑璐撰稿　张书国编辑）

气象服务

柞水县气象局

局　长

余初晓（2022年1月—12月）

纪检组长

杜　进（2022年1月—12月）

气象台长

程述琳（2022年1月—12月）

【概况】有职工14人（编制内5人、地方编制3人，聘用6人），大专以上学历14人，工程师2人，助工1人。内设气象站、气象台、办公室、人影办、财务室等股室。主要开展地面测报、土壤水分监测、决策气象服务、灾害预警、科技服务工作。

【亮点工作】年内叫应县级领导29次，发挥气象防灾减灾第一道防线作用。2022年11月10日中国气象局批准设立秦岭国家气候观象台，柞水为主站，将为国家秦岭生态保护和绿色经济发展战略提供支撑。全市业务技能竞赛获得装备技术保障团体第一名、综合团体第二名；选手程述琳囊括个人应急气象观测第一名、装备技术保障第一名、全能一等奖，荣获商洛市技术能手称号。

【党建工作】组织学习《气象高质量发展纲要（2022—2035年）》，引导党员、干部学习党的创新理论。利用市气象台专业人员下站交流之际强化业务人员培训。组织职工观看红色电影，与商州区气象局联合开展"牢记殷殷嘱托，践行初心使命"主题党日，参加柞水"庆七一·康养柞水·健步走"活动等，加强党性锤炼，激发党员干部干事创业积极性。学习贯彻党的二十大精神，组织职工观看会议实况，听会议报告；组织远程参加中国局党的二十大精神专题学习暨读书班宣讲和县政府组织的学习会。

【气象服务】完成预警信息发布系统及自有短信平台中县相关部门、村镇信息员数据更新；完成9个镇（办）82个村气象信息员及防汛责任人763名信息员网上培训。

【基础实施建设】编制《城市安全保障和高A级景区多要素自动站建设方案》，购买并安装完成多要素站6套。实施"国家基准气候站院内提升和房屋改造"，拆除危房，改造旧房，实施绿化面积1300多平方米，院内栽树80余棵。推进秦岭国家气候观象台建设前期工作，配合省发改委，省、市气象局开展秦岭国家气候观象台建设实地勘察调研，拍摄宣传片；与资源局、乾佑街办、石镇社区协调，完成观测站新征土地手续办理。

【人影作业】制定人影高质量发展具体措施，规划本年度人工影响天气发展思路；完成人影装备年检，维护更换4个在用人影作业点的高炮、火箭备件，规范炮弹出入库及管理；召开人影培训会，与炮手签订安全协议，开展人影安全答题及人影作业点培训；在乾佑作业点开展人工增雨作业，降低森林火险等级。

【文明创建】利用集体学习、举办读书会、听党课、网络学习、开展党史诵读、好人故事分享会等,营造良好氛围;落实慈善捐款,组织开展"10元关爱行动"捐款;开展文明餐桌、文明交通、文明上网、垃圾分类实践行动,组织干部职工签订文明行为规范承诺书;开展妇女节暨干部退休座谈、"迎端午、包粽子、扬民族精神,庆节日、品美食、承中华传统"端午节主题活动;利用"3·23"世界气象日、秦岭生态保护宣传、5·12防灾减灾日宣传、"六五"世界环境日加强气象法律法规宣传。《中国气象报》刊登2篇,《商洛日报》刊稿3篇,在省、市内网刊稿149篇,在县政府网站、柞水融媒体刊稿8篇。

【驻村扶贫】派出1名第一书记和3名驻村工作队员长期驻村,5名包扶干部结对帮扶26户。

(马振源撰稿 余锡政编辑)

文化·旅游

文化旅游

文化和旅游局

局　长

陈立德（2022年1月—5月）

王玉锋（2022年5月—12月）

副局长

刘兴华（2022年1月—12月）

孟如意（2022年1月—12月）

凌　娜（2022年1月—8月）

吴学勤（2022年8月—12月）

【概况】县文旅局属正科级单位，单位在编在岗89人，其中正科级2人，主任科员4人，副科级6人；机关内设办公室、文广股、旅游股、康养办、督查信息股、康养办秘书股6个股室；下设县文化市场综合执法大队、文化馆、图书馆、博物馆、剧团、县旅游服务中心6个事业单位。业务指导3个管委会和8镇1办的公用事业服务站。柞水县入围"2022健康中国·康养旅游百强县"名单，柞水牛背梁旅游度假区成功晋升为国家级旅游度假区，营盘镇成功创建为全国乡村旅游重点镇，朱家湾村被推荐申报联合国教科文组织世界最美旅游乡村，梨园村入选省级乡村旅游示范村，陕西牛背梁国家级自然保护区入选2022年国家青少年自然教育绿色营地。陕西省旅游安全综合应急救援演练暨旅游安全培训班、商洛市打造中国康养之都工作会等在柞水成功举办。全市康养之都、文化旅游年度综合考核均位居全市第一。

【项目建设】全县涉游重点项目26个，康养产业入库项目47个（其中，新建项目22个，续建项目7个，前期规划项目18个），全年预计完成固定资产投资44.6亿元，合同签约资金16.5亿元，建立完善康养招商项目库，包装策划30余个康养之都招商项目；创新推广"终南宿集·共享村庄"模式，制定精品民宿产业发展地图和招商手册，并实现投资方与实时双向交流互动。柞水高速服务区升级改造项目、孝义厅文化旅游体验园、飞跃终南极限运动公园、医草康养院已建成运营；云山湖森林康养度假区、盘谷山庄温泉森林康养综合体、终南山寨康养民宿街区、秦楚古道4A级景区二期创建等项目均能按时高效推进。

【品牌宣传】统筹谋划全县文旅宣传营销，参加重大推介活动6场次，推出踏着总书记步履柞水经典三日游线路，乡村休闲2日游线路入选省冬季休闲农业和乡村游精品线路。帐篷烧烤音乐节、终南印象冰雪嘉年华等成功举办，旅游接待人数和旅游综合收入位居全市前列。面对疫情创新开展系列线上宣传展示活动。先后录制慕课高清短视频《柞水船歌》等各类线上直播近40期次，借助国家公共文化云平台推介宣传本县特色非遗文创产品60种。举办"我爱读书我也爱讲故事"线上故事分享会、线上图书荐、"分享读书"短视频作品征集活动等，提升柞水"秦岭闺秀，康养柞水"的文旅品牌。

【文化惠民】多方筹措争取，为东沟等7个村下达文化阵地提升补助资金27万元，文化广场建设快速推进。"两馆一站"免费有序开放。图书馆做好迎接全国第七次图书馆评估定级工作。总分馆制建设扎实开展，文化馆、图书馆建立分馆5个。聚焦"喜迎二十大建功新时代"主题，组织开展"我的中国梦·文化进万家""新农村新气象鼓乐大赛""秀美柞水书画摄影展"三大系列活动。策划开展"畅读经典欢度新年""我们的节日——端午"进军营、非遗进校园、文化惠民跟我学等系列活动。开展各类文艺骨干培训37期1800余人。戏曲进乡村等文化惠民演出活动72场次。

【业态创新】挖掘整理柞水孝义文化、渔鼓文化和红色文化，运用现代科技在古孝义厅的原址上恢复重建的孝义文化旅游体验园开放运营，大型情景剧《孝义情》成功上演；红岩寺镇本地湾村谷子沟红色教育基地建设项目加速推进，《魅力柞水》系列丛书出版发行，大型渔鼓山歌剧《红色谷子沟》启动排练。推进文化文艺景区，开展文化培训进景区、文艺演出进景区等各类活动，培训景区骨干员工30余人，进景区演出8场次。

【文化遗产保护】做好文物安全常态化监管，开展文物安全、消防检查，完善文物安全预警预报制度，确保柞水县馆藏文物绝对安全，野外文物基本安全。凤镇街民居、北河街民居等的维修维护工作扎实开展，先后出动近20人次，检查重点文物点和文物保护单位56家次。根据情况对省级、县级文物保护单位进行日常保养检测、加粉加压工作，购置相应的灭火设施设备，并重新确定能够胜任文保工作的人员从事文物保护，确保文物安全。做好非物质文化遗产传承工作，开展渔鼓文化挖掘传承普及，完成手工编草碗技艺、古镇宴席"三点水"的市级非遗推荐申报工作，非遗展示展播展演等成功举办。

【市场净化】推行"双随机一公开"，推进市场诚信体系建设，完善文旅行业黑名单制度、假日旅游安全监管机制和文旅市场重大疫情防控机制，加强国庆等重要时段文化娱乐场所、A级景区、星级酒店、旅行社等安全监管，严防各类突发事件发生。开展市场整治，打击非法经营、强迫或变相强迫消费、不合理低价、虚假广告、不诚信经营服务等违法违规行为，依法整治"黑社""黑导""黑车"等市场乱象，严查违规演出和文化产品，严打"黑广播"等违规行为，确保文化领域意识形态安全。先后与市场经营单位签订2022年度守法经营目标责任书和2022年度安全经营承诺书，共出动执法人员2478人次，检查文化市场1306家次，网吧228家次，KTV242家次，景区景点214家次，旅行社216家次，校外艺术培训机构308家次，书店、打字复印店及印刷企业98家次。授理办结各类投诉53件，联合13个部门深入各镇（办）开展联合检查，排查农家乐、小餐饮、民宿、酒店183家。

【乡村振兴】发挥资源优势，盘活农村闲置房屋和土地，发展乡村旅游，优化特色民宿产品供给，以旅游产业发展带动富民增收，实现旅游综合效益提升，启动实施"秦岭宿集·共享村庄"项目，以旅游带动农业、带动就业、带动增收。以全域旅游为抓手、以融合发展为重点，全面实施"全域旅游富民"战略，研究制订科学的乡村旅游发展计划。立足村情概况和资源禀赋，抢抓曹坪抽水蓄能电站建设契机，参与前期规划编制评审工作；加快北线旅游开发，打造精品自驾游线路，带动周边发展。开展"乡村振兴文化先行"乡村文化骨干培训活动，组织培训9期次，培训人次达400余人。针对北河实际情况，协调相关部门解决包扶村在基础设施建设、资源开发、项目推进等方面资金需求，使丰河村面貌改变、农民收入提高。

【党的建设】 学习贯彻习近平新时代中国特色社会主义思想，严明党的政治纪律和政治规矩，不断增强"四个意识"、坚定"四个自信"、做到"两个维护"，确保习近平总书记重要指示批示、中央决策部署在全县文旅系统落地生根。严肃新形势下党内政治生活，落实民主集中制、"三会一课"、谈心谈话等制度，锤炼党员干部忠诚干净担当的政治品格。聚焦"党的组织力提升"这一目标，深化模范机关创建和优秀党建品牌创建。落实党支部工作条例，加快推进党支部示范点和标准化建设。落实"一岗双责"，开展廉政文化进基层活动，教育引导党员干部廉洁自律，筑牢拒腐防变思想防线。坚持问题导向、目标导向、结果导向相统一，把工作成效摆在突出位置，推动中省市县关于文化、旅游、文物、广电各项决策部署落到实处。

（任家菊撰稿　张青丽编辑）

图书销售与宣传

柞水县新华书店有限责任公司

党支部书记、经理

陈一虎（2022年1月—12月）

副经理

邱田水（2022年1月—12月）

【概况】 内设办公室、资产财务部、市场营销部、物流部4个部门，正式职工10名，自主招聘员工2名，其中正科级领导1名，副科级领导1名。负责全县中小学校教材的征订发行，党和国家重要文件文献、重点主题出版物宣传、展示、推广和发行工作。被商洛市新华书店授予"2022年度综合考核先进单位"、《习近平谈治国理政》发行先进单位。

【市场销售】 发行教材106万册，营业收入1440.30万元，利润50.05万元；通过完善奖励机制、法定节假日优惠、世界读书日宣传推广等措施，一般图书销售完成目标任务87.57万余元；发行重点图书《习近平谈治国理政》3700余册、《中国共产党章程》9000余册、党的二十大辅导读本等发行1000余套，完成了全年的任务。

【全民阅读】 向企事业单位、村社区捐赠图书共计4000余册，达7万余元。利用新场地、新功能，承办县税务局"心中有信仰脚下有力量"青年干部读书分享会和县政协"政协委员心向党翰墨丹青颂党恩"读书会活动，助力书香柞水建设。7月8日，柞水县政协教育共青团新闻出版界委员工作室在柞水店挂牌成立。

【乡村振兴】落实《柞水县新华书店有限责任公司党支部与柞水县营盘镇药王堂村党支部结对共建协议》，投入5万余元帮助产业发展、疫情防控、困难群众救助等；捐赠党的二十大报告辅导读本、法律法规及种植养殖科技图书150余册。

（邱田水撰稿　张书国编辑）

牛背梁国家森林公园管理

牛背梁旅游度假区管理委员会

主　任

王能成（2022年1月—12月）

支部书记

李建康（2022年1月—12月）

副主任

宋正意（2022年1月—12月）

王凤鹏（2022年1月—12月）

【概况】事业性质，副县级规格，编制20人，其中主任1名（副处）、副主任2名（正科）；内设办公室、规划建设科、宣传营销科、景区管理科，各设主任（科长）1名（副科级），在册干部16人。

【景区运营】建成以古孝义厅署、古戏楼和古城墙遗址为主要内容的孝义文化IP孝义文化体验园景区，于11月18日建成并正式对外运营。打造以文创市集、茶馆酒肆、书屋驿站、餐饮民宿、文化小品、特色步道等为主要内容的孝义文化街区；以场景演绎、剧目演出、孝义情沉浸剧场、夜间灯光等为主要内容的孝义文化业态；同时配套建成停车场、休闲廊道水上娱乐项目。

【项目建设】承担重点建设项目12个，计划完成投资25.8亿元。云山湖森林康养度假区项目乡村振兴板块已完成，扩建新建公路7.9千米、桥梁7座，园林绿化20多万平方米。秦楚古道4A级景区创建二期项目5.4千米旅游专线道路铺设已完成，游客接待中心已完成一楼建设，景区无线Wi-Fi全覆盖已完成。陕西云来谷森林康养综合体项目、峡谷漂流项目提标改造二期工程、秦岭时光康养综合体、牛背梁度假区二期创建、秦丰康养综合体建设项目、安德鲁西亚度假酒店二期建设项目、牛背梁养老养生苑二期和宏阳龙湾山居一期项目等均按照年度建设任务正有序推进。

【招商引资】完成招商引资11.7亿元，占年度总任务的117%。项目到位资金9.01亿元，占年度总任务的112.5%。争取资金580万元。

【品牌创建】11月7日，牛背梁旅游度假区拟定为国家旅游度假区在文旅部管网公示。陕西省林业厅批准牛背梁高山杜鹃生态旅游线路入选陕西第二批特色生态旅游线路。陕西省生态环境厅会同省科学技术厅，推荐牛背梁国家森林公园为国家生态环境科普基地。县委宣传部、团县委命名孝义文化体验馆为柞水县少先队校外实践教育基地。7月，牛背梁旅游度假区被陕西省文化和旅游厅确定为文旅企业入选首批省级文化和旅游业"白名单"。

【宣传营销】举办"2022年陕西省旅游安全综合应急救援演练暨旅游安全培训""牛背梁帐篷烧烤音乐节""牛背梁党培基地主题党日活动""终

南山寨第三届万人公益绿色植树节""终南山寨抖音挑战赛""终南山寨百姓生活艺术夜市——终南夜话""终南山寨纳凉篝火晚会""终南山寨星空露营""打卡终南山寨团建基地""终南山寨首届'康养杯'体育比赛"等特色旅游活动,牛背梁国家森林公园开展"一票游全年"等营销活动。参加第十四届中国·高淳国际慢城金花旅游节活动和国际慢联总部年会最佳慢城视频比赛、参加"阅美三秦,从这里开始"——4·23世界读书日短视频比赛,制作中英文版本的视频在央视、国际慢联总部、全省宣传推介。举办孝义大讲堂10期,宣传党的二十大、景区文明礼仪、导游讲解等内容。通过微信、微博、贴吧、头条等网络媒体发布各类宣传软文900余条,通过今日头条、腾讯新闻等大型网络平台宣传推介332条,利用"抖音"等直播平台宣传815条次。接受央视、新华社、陕西日报、陕西广播电视台、商洛日报等知名媒体分别以秦岭卫士、牛背梁、孝义文化体验为主题采访10次。

【景区管理】与各公司分别签订安全目标责任书,加大对区域内景区、民宿和企业的监管力度,督促制定防汛、防火、防灾、防滑方案以及相应的应急预案等,全年累计开展专项检查15次。对接做好牛背梁区域5户农家乐排污不达标等环境治理工作,拆除违规设置牌子3块,清除"牛皮癣"30余处,清除乱堆乱放物品2处,制作围挡1处,景区沿路的落石等清除8处。联合县文旅局、市监局、卫健局、公安局等13个单位,检查210户农家乐(民宿)。

【乡村振兴】在柞水县牛背梁旅游度假区游客中心打造柞水木耳体验馆,助力乡村振兴。对包扶的秦丰村全村476户农户"两不愁三保障"及饮水安全进行大排查,针对排查出问题5大类12个问题落实整改责任限期完成整改,发展吊袋木耳70万袋,带动149户贫困户稳定增收。

(朱萍撰稿　张书国编辑)

柞水溶洞管理

柞水县溶洞景区管理处
主　任
霍海东(2022年1月—12月)
副主任
盛祥旺(2022年1月—12月)
任扶强(2022年1月—12月)
柞水县旅游公司
执行董事
陈仕富(2022年1月—12月)
总经理
王新茂(2022年1月—12月)

【基本情况】编制15人,实有在编职工12人,其中主任1人,副主任2人,科室长3人,正科级干部1人,一般干部5人。管理处主要工作性质及职能是管理处负责景区发展规划,审核景区旅游项目及配套建设方案;负责景区基础设施建设,指导涉游企业搞好景点及配套项目开发工作;管理景区内的国有及国有控参股企业的国有资产;负责景区旅游资源管理及招商引资工作；负责搞好景区绿化美化、移民搬迁、征地安置工作；负责景区饮食、商品店的布局中、定点和管理；负责景区内的民居规划和建筑的选址定点及餐饮服务点的规划、定点、建设和管理；负责景区的投资环境建设；负责景区内的安全生产管理和社会治安综合治理工作。

【年度工作概述】 成功创建市级精神文明单位，景区重点建设项目作为全市重大项目建设县际观摩点顺利迎接检查，并被评为市级"平安项目"示范点。

【思想政治情况】 开展党史学习教育学习，每名党员干部撰写学习笔记1万字、学习心得体会2篇。认真组织学习党的十九届六中、七中全会精神和党的二十大精神、习近平总书记来陕系列讲话精神，开展集中宣讲4次，以党支部学习、理论辅导、参加培训班等形式，撰写学习心得26篇，深入开展交流研讨4次。组织开展"我为群众办实事""五个到一线"主题活动，为群众解决实际问题13个，清理环境卫生4批次100余人次。落实"支部党日"活动，坚持"三会一课"制度，开展支部共建活动，协调解决问题5个。对所有党员进行积分评价，规范党员发展程序，1名预备党员按期转正。

【作风建设】 制订方案4个，先后7次召开专题会议，确保作风建设高标准落实。通过班子成员领学、中心组研学、党员干部自学等方式，召开职工会学习6次、中心组学习2次，撰写学习心得体会24篇。对照作风建设目标要求，认真查摆出班子及个人问题44个，全部制定的问题清单和整改台账，逐一销号到位。

【党风廉政建设】 组织全体职工观看警示教育片，集体到柞水县廉政警示教育基地观展，教育党员干部筑牢思想道德防线。组织开展纪律教育学习宣传月、"查堵点、破难题、树新风、促发展"作风建设等工作。召开领导班子问题剖析会议6次、一般干部问题检视会议3次，党员专题组织生活会1次，集中组织学习16次。查找问题20个，撰写剖析材料20份、建立问题整改清单台账11份。按照"以案促改"工作任务，制订整改方案，逐节点推进。聚焦问题重点领域，持续深化纠治"四风"，对发现的问题进行专项整改。

【意识形态工作】 对景区内的宗教场所开展全面检查5次，意识形态内容宣传4次。组织专题学习5次，每人撰写心得体会1篇，持续提升全体职工的精神风貌和道德水平。对景区所有的官网、微信公众号、App客户端、抖音等平台持续关注和监督，确保信息平台安全。组建单位网评队伍完成网评和网络监督举报工作任务。创建市级文明单位，全面通过验收评审。

【业务工作】 牵头实施九天山文化旅游产业园项目，促成九天山景区与陕西鸿瑞集团达成合作意向，计划投资15亿元，规划设计等建设前期手续、财务进调审计工作已提前完成。主动对接优势企业，引进终南山大峡谷文化旅游区项目，项目建设投资6.5亿元，协助完成旅游区项目前期工作。管理处重点建设项目5个，完成固定资产投资44630万元，占年度计划任务的156.6%。飞跃终南极限运动公园的悬崖秋千集群、魔鬼秋千、峰台悬索桥、空中漫步等项目已经建成并对外开放。银杏谷民宿客栈改造项目完成改造游客接待中心2600平方米、改造民居10户1800平方米，架设栈道2.5千米。竹溪山谷商业民宿地产项目完成项目道路、项目主体基础部分，建筑主体已全面建成。完成重点建设及项目纳规入统5个，占年度计划任务的100%。柞水县"洞天福地"景区配套服务建设等项目，新建3A公厕1座，栈道及游步道约3000米、钢构房屋8栋、景区道路3千米及绿化等设施，完善创建5A级景区的基础硬件。组织景区企业召开专题会议7次，制订以飞跃终南极限运动公园为主题的宣传总体方案。适时开展自媒体宣传，利用抖音、快手等平台发布媒体短视频570条，曝光量达4467万，比2021年增长了127.85%。策划实施"商洛市居民10元游溶洞"、三八妇女节、七夕节等特色节庆活动，及时推出南京市民的景区优惠政策。年初与美团、携程、陕西文旅惠民旅游网站进行线上网络售票合作，推出抖音平台"88元体验"等活动，当期活动内售出门票7000张。主动与西康高速柞水网红服务区合作，开设景区营销专区，提升景区客流量。召开节假日旅游接待工作会议4次，制订节假日期间的接待工作方案，确保景区五一、端午期间顺利运行。用足用活服务业领域恢复发展"40条措施"，竭力为景区企业解难纾困，推动旅游产业恢复强劲活力。提升溶洞景区和飞跃终南极限运动公园环境质量，维护设施30余处，维修景区照明设施80余个，景区绿化3000平方米。组织景区员工开展旅游接待培训2次、开展红十字救护员培训1期，参训人员300余人员，景区无游客投诉信访发生。管理处与各景区签订安全责任书，召开安全生产会10余次，绷紧安全责任之弦。组织景区开展旅游安全宣传2期，制作安全生产标语15条、警示标牌20块，提高全体职工及游客的安全防范意识。开展安全排查，进行安全检查30余次，下发整改通知书31份，督促景区景点及时采取措施整改。落实安全生产专项整治三年行动，完善整治各项资料，顺利通过上级检查。落实"人盯人"防抢撤工作预案，加强实战演练，确保景区安全度汛。排查化解景区内重点风险和问题，集中进行3次研判，提前消除问题隐患。

【乡村振兴】增派年轻力量作为驻村队员，做好驻村工作、生活保障。为包扶村投入各类物资2万余元，协助村集体经济销售木耳500余公斤。开展"两边一补齐"及"百日督帮"等行动，加快包扶村水毁设施修复，进一步改善村容村貌。开展入户帮扶，完善帮扶户调查信息采集、脱贫成果巩固、产业拓展等工作任务。

【中心工作】适时调整细化工作方案，认真落实景区扫码、"一米线"、定时消毒、限定人数等疫情防控措施，实现景区全年无疫情发生。切实执行景区接待量限制规定和市县防控统一部署，整个景区彻底关闭3期，全年闭园6个月。安排景区企业员工100余人次参加柞水高速服务区疫情防控、全员核酸检测任务。完成县级领导包抓防控卡点、党员干部高速路口执勤，社区志愿服务及"敲门行动"等项任务，有3人被县疫情防控指挥部评为先进个人。建立5个重点项目日日检台账，有效防止建设工地集聚性感染的发生。开展项目建设环境评估5个，配合国土空间规划编制，景区地质遗迹保护工作进一步加强。组织开展秦岭生态卫士活动，集中开展宣传3次、环境整治5次。争取防治经费，聘请专业团队开展防治2次，东甘沟银杏古树病虫害防治取得阶段性成果。

【招商引资】联系接待招商团队20余个，达成合作意向10个。采取线上招商的方式，成功签订项目合同5个，新引进项目2个，完成招商引资11.65亿元，到位资金4.57亿元。申报重大建设项目3个，争取柞水洞天福地景区配套基础设施国家专项资金1.2亿元，争取省级专项资金120万元。开展营商环境服务整治，协助解决企业困难4个，实现3个招商项目当年到位资金35925万元。

（李政华撰稿　余锡政编辑）

凤凰古镇管理

柞水县凤凰古镇旅游开发建设管理委员会

主　任

魏　明（2022年1月—12月）

副主任

袁正博（2022年1月—12月）

【概况】编制6人，实有人员5人，其中，副科级以上领导2名，干部3名，负责凤凰古镇景区旅游开发、项目建设、景区管理等工作。接待游客29.6万人次，实现旅游综合收入1.62亿元，被陕西省文物局评为"陕西省2022年文物保护先进单位"。

【招商引资】全年共策划招商项目5个，策划项目5个，到位资金6亿元，即凤凰古街老街基础设施建设提升项目、凤凰古街复兴改造项目、陕西岭南汤氏生态产业化建设项目、凤凰中医药博物馆建设项目、凤凰地下溶洞探险基地开发项目、凤凰古镇纸房寨旅游体验项目。

【项目建设】全年项目备案入库3个（凤凰古街老街基础设施建设提升项目、凤凰古街复兴改造项目、陕西岭南汤氏生态产业化建设项目），完成固定资产投资1.93亿元。凤凰古镇西门户区游客接待中心项目、生态停车场项目及凤凰老街基础设施提升工程项目已完成初设、科研、评审。

【民居修复】争取"陕西省2022年文物保护先进单位"，投资360余万元重点对新华书店、行晓等7户实施维修保护工程。争取资金10万元，对程叶叶等4户危、旧房进行排险加固。向群众发放宣传彩页1000余份，讲授灭火器的使用方法，提高群众的防火意识。

【景区营销】将凤凰古镇汉调二簧、社火、渔鼓、十三花、柞水木耳、洞藏酒等特色旅游产品纳入宣传册在丝博会中进行宣传。请专家制作凤凰古镇宣传歌曲，利用古镇老年大学平台，拍摄古镇旅游宣传片，编排旅游发展文艺节目，加大古镇的宣传推介。

【疫情防控】成立凤凰古镇疫情防控领导小组，研判景区疫情防控形势，制订处理方案，确保景区运营顺利开展；在古镇卫生院设立隔离点，重点排查疫情中高风险地区人员；做好景区景点清洁、消毒工作，要求农家乐、酒店、KTV、网吧等娱乐场所每日消毒两次，保证古镇卫生、安全。

（袁铭强撰稿　张书国编辑）

卫 生

卫生健康

柞水县卫生健康局

党组书记、局　长

鲁家春（2022年1月—12月）

副局长

李　敏（2022年1月—12月）

徐丫丫（2022年1月—12月）

李朝阳（2022年1月—12月）

派驻纪检组长

杨　磊（2022年1月—12月）

柞水县卫生健康综合执法大队

大队长

汪仁意（2022年1月—12月）

副大队长

张春生（2022年1月—12月）

王守印（2022年1月—12月）

柞水县计划生育协会

秘书长

王怀海（2022年1月—12月）

副秘书长

张祖惠（2022年1月—12月）

柞水县老龄委办公室

主　任

谭　婷（2022年1月—12月）

柞水县卫生健康促进中心

主　任

党　力（2022年1月—12月）

柞水县人民医院

党委书记

张文炜（2022年1月—6月）

严永林（2022年6月—12月）

院　长

傅　强（2022年1月—5月）

金　伟（2022年6月—12月）

副院长

王　勇（2022年1月—12月）

行政负责人

严永林（2022年5月—6月）

柞水县中医院

党委书记

程光军（2022年1月—12月）

院　长

朱　武（2022年1月—12月）

副院长

王承德（2022年1月—12月）

王　勇（2022年1月—12月）

柞水县疾控中心

主　任

张　锋（2022年1月—12月）

卫 生

副主任

李建卓（2022年1月—12月）

柞水县妇幼保健计划生育服务中心

党委书记

宁江芹（2022年1月—12月）

主　任

郭山鹰（2022年1月—12月）

副主任

张红梅（2022年1月—12月）

肖　波（2022年1月—12月）

柞水县营盘中心卫生院

院　长

蔡乾平（2022年1月—12月）

柞水县营盘中心卫生院丰北河分院

院　长

金良军（2022年1月—12月）

柞水县乾佑中心卫生院

院　长

熊世春（2022年1月—12月）

柞水县下梁中心卫生院

院　长

陈　斌（2022年1月—12月）

柞水县下梁中心卫生院石瓮分院

院　长

孟远春（2022年1月—12月）

柞水县小岭镇卫生院

院　长

于　波（2021年1月—12月）

柞水县凤镇中心卫生院

院　长

汪光锋（2022年1月—12月）

柞水县杏坪中心卫生院

院　长

陈　文（2022年1月—12月）

柞水县杏坪中心卫生院柴庄分院

院　长

张　弘（2022年1月—12月）

柞水县红岩寺中心卫生院

院　长

陈玉虎（2022年1月—12月）

柞水县瓦房口卫生院

院　长

蒋仓文（2022年1月—12月）

柞水县瓦房口镇卫生院马家台分院

院　长

何登峰（2022年1月—12月）

柞水县曹坪中心卫生院

院　长

辛来全（2022年1月—12月）

柞水县曹坪中心卫生院九间房分院

院　长

卢永利（2022年1月—12月）

【概况】有各级各类医疗机构240家，其中县级公立医院2家、妇幼保健计生服务机构1家、镇（中心）卫生院9家、分院6家；民营医院3家，个体诊所52家；村卫生室157所。全县医疗卫健单位在编人员539人，在岗654人，其中专业技术人员541人，高级职称87人，中级职称122人，初级职称332人。其中镇（办）卫生院编制226人，在岗239人，副高级职称13人，中级职称36人，初级职称181人；乡村医生191人。每千人拥有医师1.96人、护士2.62人，编制床位476张，实际开放826张，3家民营医疗机构实际开放床位248张，平均每千人拥有床位4.96张。分别承担全县13.7万名群众的基本医疗、公卫服务等服务职能。

【疫情防控】完成4家PCR实验室建设，抽调全县医疗卫生机构468名医护人员、17名检验人员，完成25轮全员核酸筛查和20轮重点区域核酸筛查工作。快速建成七彩山水营地集中隔离场所600余间，有效保障疫情期间隔离管控平级转换。60岁以上老年人新冠疫苗接种任务超额完成，全县60岁以上人群三个剂次接种率分别达到96.45%、97.35%、95.70%。先后选派医护人员9批次、239人次支援省、市疫情防控工作。医疗救治保障平稳有序，县内5家二级以上医院共设置发热诊室11个、留观室床位12张，重症医学科设置床位6张，可转换ICU床位34张，全县15个基层医疗机构均设置发热诊室、留观室和留观床位，发热门诊严格落实24小时开诊要求。组建新冠病毒感染医疗救治专家组2个，建立医疗救治储备队伍3支，组织开展重症救治培训7场次，培训医护人员260余人。向高风险人员、监测对象等重点人群免费发放健康包6000余包。

【健康建设】以健康柞水17项行动和健康细胞建设为抓手，大力开展健康细胞建设，其中启动健康机关建设26个，健康学校41所，健康医院12个，健康社区12个，健康村庄26个，健康企业20家，健康家庭1.33万户。全面完成居民健康素养监测任务，全县居民健康素养水平达到18.8%。艾滋病、结核病及出血热、布病等重大传染病专病专防和地方病综合防治工作扎实开展，结核病报告发病率为18.88/十万，较去年同期比下降了25.71%。爱国卫生运动深入开展，国家卫生县城创建成果持续巩固，下梁镇、营盘镇国家卫生镇复审迎检工作扎实推动，国家卫生镇、健康镇建设试点工作积极开展，卫生城镇逐步向健康城镇推进发展。

【医政医改】县人民医院住院楼建设项目全面完成并投入使用，增开新技术、新项目31项，全年住院患者7756人次，较上年度增加7.9%；门诊患者14.1万人次，较上年度增加12.3%，业务总收入达到1.14亿元，较上年度增长44%。县中医院完成整体搬迁，新增床位100余张，完成政府贴息贷款3000万元，医疗设备购置、能力提升项目全面实施。建设名老中医工作室2个，全年业务收入较同期增长30%。县疾控中心、县妇计中心全面完成整体搬迁，累计投入资金5000余万元，综合服务能力提升项目全面实施，疾控妇幼保障能力全面提升。镇卫生院累计门诊患者31.3万人次，住院患者8720人次，县域内就诊率始终保持在90%以上。南京鼓楼医院、省人民医院、省中医医院、高淳区人民医院、高淳区中医医院分别与县人民医院、县中医院对口帮扶，组建多种形式的医联体3个，县二级医疗机构对口帮扶镇卫生院实现全覆盖。凤镇、小岭、红岩寺3个卫生院达到优质服务基层行基本标准。中医药特色优势得到新提升，全县能提供中医药服务的医疗机构120家，掌握中医药适宜技术6种以上并配备适宜中医诊疗设备的村卫生室85所，中药种类达112种，开放中医病床总数200余张。建成标准化中医馆13个，创建省级示范中医馆2个、市级示范中医馆3个、市级示范中医堂10个。

【乡村振兴】采取"四个一点"建设资金筹措模式，筹措资金300万元，建成公有制产权村卫生室18所，并全部投入使用，实现了全县82个村（社区）公有制产权村卫生室全覆盖。健康扶贫成果同助力乡村振兴融合，全县18个公立医疗机构"一站式"即时结算窗口规范运行，先诊疗后付费政策全面落实。大病专项救治持续开展，全县累计筛查管理儿童先心病、胃癌、食道癌等30种大病患者1403人，大病患者实现应治尽治。慢病患者家庭医生签约服务扎实开展。组建签约服务团队168个，全县签约管理4种重点慢病患者6966人。

防止因病致贫返贫动态监测工作机制建立完善，实时监测因病致贫返贫预警信息，因病致贫返贫的底线全面筑牢。

【公共卫生】 建立居民电子档案14.38万份，电子档案建档率达91.54%；档案动态使用率63.3%。全系统设立健康教育宣传栏192块，更新宣传栏1938期，举办健康教育讲座1024场次，参加讲座3万人次，组织公众健康教育咨询活动504场次，主动咨询1.5万人次，累计发放宣传资料16.2万份。常住人口中65岁以上老年人健康管理率达到71.1%，适龄儿童预防接种率达95%以上，结核病患者健康管理率及传染病报告率均达100%，高血压、II型糖尿病、严重精神障碍患者规范管理率分别达68.81%、65.78%、98.72%。全县孕产妇系统管理率达96%，早孕建册率95.3%，产后访视率98.1%，全年完成适龄妇女"两癌"筛查2434人，全年无孕产妇死亡及新生儿破伤风发生。6岁以下儿童健康管理率达75.6%，全年开展新生儿疾病筛查175例，新生儿听力筛查人数162例，完成0—6岁儿童视力检查5551人。全年开展卫生监督协管巡查1917次，全年无食物中毒、突发食源性疾病等突发公共卫生事件发生。

【卫生执法】 "证照分离"和"放管服"改革持续推进，卫生健康领域扫黑除恶和医疗行业乱象专项整治扎实开展，卫健综合监管持续加强，整合纪检监察、医政、执法等力量，持续加大医疗机构医疗质量核心制度执行情况的监督检查力度，开展了公立医院、民营医院巡查工作，立案查处27件。督促各级医疗机构规范临床技术操作和执业行为，医疗卫生服务质量进一步提升。

【计划生育】 "全面三孩"配套政策有效落实，总出生882人，出生率为6.45‰，死亡1169人，死亡率为8.55‰，自然增长率为-2.1‰。出生男孩484人、女孩398人，出生性别比为1.21。投入6万余元，推动2家3岁以下婴幼儿照护托育机构快速发展。发放奖励扶助资金215.86万元，其中享受国家奖励扶助1155人，独生子女伤残扶助18人，独生子女死亡扶助58人。共享受农村合疗补助8889人，补助资金17.78万元。

【老龄健康】 创建省级老年友善医疗机构11个，创建全国老年友好社区2所，医养结合积极推动，建设医养结合服务中心2个。办理老年人优待证2030人次，发放高龄补贴54207人次、1021.425万元。"老年健康宣传周""敬老月""打击养老诈骗""智慧助老""银龄行动"等多项活动扎实开展，慰问抗美援朝老兵、特困高龄老人、烈士遗属、留守老人等40人，发放慰问金、慰问物资2万余元，开展老年活动宣传、义诊共29场次，发放养老诈骗、老年健康、关注老人口腔、老年病预防等宣传彩页3万余份、智慧助老活动服务受益人群2.5万余人。县卫健局被评为全省老龄宣传通联工作先进单位。

【重点项目】 结合打造"三高三区"新柞水总部布局，修订完善卫生健康事业"十四五"规划，确立全县"十四五"卫生健康重大项目建设体系，扎实推动招商引资和重点项目建设，以实施重点项目建设带动"十四五"卫生健康事业大发展。实施重点项目建设4个，完成投资1.68亿元，签约招商引资项目3个，累计总投资7亿元。被县委县政府表彰为项目建设、招商引资工作先进单位。

（王航撰稿　陈刚编辑）

医疗保障

柞水县医疗保障局

局　　长

朱开艳（2022年1月—12月）

副局长

陈　骅（2022年1月—12月）

周晓砾（2022年1月—12月）

柞水县医疗保险经办中心

主　　任

张水兰（2022年1月—12月）

副主任

王　蕾（2022年1月—12月）

【医保筹资】落实全民参保计划，城乡居民参保135843人，参保率98.3%，城乡居民自缴和中、省、市、县配套资金共计1.26亿元。城镇职工参保12738人，征缴职工医疗生育保险费7154万元。各级参保配套资金由财政部门直接划拨至市医保基金专户。

【医保支付】县域内及县外非联网定点医疗机构城镇职工医保共报销138499人次2436.13万元。其中：基本医保报销6123人次946.58万元，生育保险及生育津贴报销203人次139.61万元，个人账户销户及门诊刷卡132173人次1349.94万元。县域内及县外非联网定点医疗机构城乡居民医保共报销111940人次4117.5万元。其中：住院报销"三重保障"共10286人次3289.78万元，普通门诊报销90936人次450.59万元，门诊慢特病报销5877人次203.02万元，肾透析报销4513人次118.77万元。

【医保扶贫】全县脱贫户13290户41641人，监测户354户1141人，已100%参保，落实参保资助204.32万元；为脱贫人口住院"三重保障"报销3921人次、2068.91万元（其中基本医疗保险报销1501.16万元，大病保险报销254.04万元，医疗救助报销313.71万元）；监测对象住院报销291人次、86.52万元（其中基本医疗保险报销47.06万元，大病保险报销21.72万元，医疗救助报销17.74万元），报销比例均达到80%以上，建档立卡脱贫人口县域内医保"一单制结算"率达到100%；对全县建档立卡脱贫户及监测户住院政策范围内自付费用达到3000元和非建档立卡农户住院政策范围内自付费用达到10000元的纳入因病返贫致贫监测范围，安排专人负责，适时动态监测。对达到预警监测线的住院患者花费情况，建立监测预警台账每月上报，2022年共预警582人次，审核就医花费过高防贫保15人，此项工作受到省医保局通报表彰。

【业务开展】制订药品集中带量采购实施方案，组织医疗机构完成药械招采子系统建设，18家现已正式上线运行，超额完成一至四批集采药品约定采购量，组织医疗机构完成第一至第四批国家组织药品集中带量采购协议期满后接续药品数据的填报，中成药联盟采购相关药品数据填报，第二、四、五批部分集采药品续签采购数据填报工作，中成药联盟采购相关药品数据填报，人工髋关节、脊柱创伤类医用耗材的报量以及口腔种植体、十六省（区、市、兵团）联盟药品集中采购相关数据填报工作；组织医疗机构完成第四批国家及省际联盟集采药品续签、第六批胰岛素专项、第七批集采药品的年度需求数据上报和合同签订工作。对全县14个医疗机构2022年到期的四批药品、二批耗材医保资金结余留用资金进行考核。全县21个医疗机构均已执行2021版服务价格收费标准，3次降低核酸检测价格，现执行单人单检价格每人次为15元，多人混检每人次为3元。各定点医药机构已完成院内HIS系统和信息系统接口改造工作。完成15项医疗保障信息业务编码标准赋码贯标维护、医保三大目录对码、疾病和手术操作对码等工作，力争实现医保各类管理经办、稽核统计、智能监控的信息共享。2家定点医疗机构实现包括门诊费用（5种门诊慢特病）在内的医疗费用跨省直接结算服务。

【安全监管】 把开展"打击欺诈骗保、维护基金安全"作为一项重要任务，2022年4月举行"织密基金监管网，共筑医保防护线"医保基金监管集中宣传月活动启动仪式，组织开展宣传培训活动9场次，座谈交流12场次，现场答疑解惑500余人次，发放宣传资料2万余份，现场解决问题15件，征集意见建议16条，增强正向引导效应，强化监管对象的守法意识，参保对象对医保政策和医保法律法规知晓率显著提升。联合公安、卫健、财政部门制订下发《打击欺诈骗保专项整治工作实施方案》，对全县定点医药机构开展专项检查，发现各医疗机构分别存在超标准收费、重复收费、违规收费、超医保支付等问题23条，及时向3家医疗机构下发整改通知书5份，立行立改问题12个；对民营医院、精神病医院的开展专项治理，全面查处在虚假诊疗收费、虚假患者就医、违规违约等方面存在的各种骗取医保基金行为，检查发现违规使用医保基金2315元，责令医疗机构对基金及时交回到位；对意外伤害住院的报销的整治工作回头看，通过同公安、法院的案件办结和人社部门的工伤报销数据比对，从2015年1月至2021年12月涉及第三方责任外伤人员违规报销13人，共计违规资金212348.18元。目前已追回涉及第三方责任外伤人员违规报销4人次30419.00元，移交公安机关1人，涉案资金37813元，通过民事诉讼法院判决1起，收回资金32643元。

【网络服务】 建立9个镇（办）医疗保障服务站、82个村（社区）医疗保障服务室，配置电脑，开通专网，下放经办权限，下沉经办服务事项，召开3次基层经办业务人员培训会，17名镇级医保专干，82名村级医保经办服务人员全部走上岗位，实现"县镇村"医保三级经办体系建设全覆盖。此项工作得到省医保局的肯定，在陕西省医疗保障局工作动态第11期予以刊发。

（党波撰稿　陈刚编辑）

城乡建设·环境保护

城乡建设

柞水县住房和城乡建设局

党组书记、局长

黄国政（2022年1月—12月）

副局长

田小华（2022年1月—12月）

杨　博（2022年1月—12月）

潘文超（2022年1月—12月）

纪检组长

刘朝辉（2022年1月—12月）

棚改办副主任

谭道云（2022年1月—12月）

消防中心主任

胡德伟（2022年1月—12月）

【概况】县政府组成部门，行政单位编制人数7人，实有人数28人。班子成员7人：机关领导职数局长1名，副局长3名；下属事业单位科级领导4名。内设办公室、城建股、项目股、建管股，下属房产管理中心、棚改办加挂老旧小区改造办公室、建筑工程消防技术服务中心、质安站、建筑节能发展中心、设计室。2022年完成总投资10.17亿元，招商引资争取项目2个，引资10亿元，到位资金7亿元。县城建成区面积由6.5平方千米增加到10平方千米，城镇化率由58.5%增加到59%，县城功能日益完善，建设品位明显提升，综合承载能力显著增强，获得省级城市体检示范县荣誉称号。

【城乡规划】按照《柞水县城市体检方案》，坚持"规划一张图、审批一支笔、建设一盘棋"的原则，完善城乡规划体系，补齐城市短板弱项。成立县城总体规划编制领导小组，按照"五规合一"的要求，制定《柞水县村民建房管理办法》《柞水县城停车场管理办法》《柞水县城中心片区棚户区改造规划》《县城风貌规划》《地下空间利用规划》《县城海绵城市规划》《城市环卫专项规划》《城市供气供热专项规划》《城市消防专项规划》等规划编制，完善城市防灾减灾、公共交通等规划，布局合理的城镇规划体系逐步形成。

【重点工程】完成乾佑街、西新街、临河路等8个街区环境提升，改造老旧建筑外立面35万平方米，对街面架空通信线缆进行地埋和杆线整治。实施柞水高速路匝道及转盘周边环境提升，新建游园2个500平方米。结合"两拆一提升"行动，新建湾潭子、农机路口、迎春路口等小游园22个，新建口袋公园27000平方米，提升改造北关十二生肖园、北三岔口游园，新增公厕19座、停车位250个，新建绿地2.3万平方米。沿城区乾佑河两岸建设休闲健身步道6700米。实施县财政局、电力局、供电局等5个单位拆墙透绿工程，新增停车位188个；新建多功能广场3座，配建停车位1800个。新建交通路、悬月路、城区一中跨河大桥3座，迎宾大道人行天桥1座，提升改造城区跨河桥梁11座。实施城区悬月路、迎春路、交通路等4条横街柔性化（白变黑）改造，湾潭子小区和下梁新城朱家院子道路硬化、阳光花园小区环山道路等工程。已建成智慧步道6千米，布设智能显示屏注册登录机3台，人体数据采集一体机3台、人体运动数据采集一体机2台。建景观绿化带3.6千米、绿化景观节点5处，铺设人行步道3900平方米、硬化园路320米，配建排污管网5.4千米。实施柞水饭店、土产公司、县城中心片区一、二期等棚户区改造项目8个，改造居民房屋2963套。

【安全生产】开展安全大检查6次，检查工程80余项次，下达隐患整改通知书78份，停工整改通知书15份，质量安全隐患整改通知书20份、重大安全隐患停工通知书2份、非法工程责令通知书3份。

【建筑市场】按照招投标管理程序，投资额在100万元以上的工程全部到市招投标交易大厅进行公开交易，受理招投标项目17个，招标率达到100%。建立健全建筑行业诚信体系，严厉打击违法转包、分包、挂靠等行为，规范建筑市场秩序。加强设计、监理等监督管理，对施工单位实行动态监管。

【工程质量】监督在建工程16个，建筑面积34万平方米，投资3.8亿元。节能整改通知15份，验收竣工工程7个，建筑面积19万平方米。竣工验收备案工程3项，建筑面积7.5万平方米；核发预售许可商品房1094套、12073万平方米。严格执行建筑节能标准，建筑节能设计登记备案10家、节能产（部）品备案20家，城镇新建建筑强制性节能标准比例98%以上，绿色建筑占新建建筑的比例达到99%。

【危房改造】完成对全县41624户农户的住房安全鉴定，出具住房安全鉴定表，危房改造、环境治理、营盘镇两河村实施美丽宜居示范户110户取得显著成效。

【人防地震】按照《中华人民共和国人民防空法》要求，加强人防行政监督，规范人防审批流程，严把人防审批关，完成柞水县防空袭方案的编制工作，并报县人武部及市人防办备案。开展人防质监面积2万余平方米，办理人防工程审批3项，结建人防地下室面积约为2500平方米，完成2个人防工程的竣工验收工作。

【提案办理】办理县人大代表建议、县政协委员提案48件，满意率达到99%。

（张宝琴撰稿　张青丽编辑）

城市管理

柞水县城市管理局

党组书记、局长

党海章（2022年1月—5月）

张新军（2022年5月—12月）

副局长

柯亨斌（2022年1月—12月）

汪顺利（2022年1月—8月）

城市管理执法大队队长

朱其富（2022年1月—12月）

【概况】成立于2013年12月，县政府直属事业机构，正科级建制，财政全额拨款，事业编制16人，设领导职数一正两副，实有干部16人。主要负责市政设施、公用事业维护管理、市容环境卫生、园林绿化管理等工作。下设城市管理执法大队，隶属县城管局管理。事业性质，副科级建制，财政全额拨款，事业编制17名，设领导职数1名，实有干部15人。主要负责占用城市道路及公共场地的审批；负责沿街建筑物立面容貌的管理；实施监督管理城区工程施工现场、渣土车辆等市容市貌；负责公共场所车辆停放位置的规划和管理；监督、检查、落实"门前三包"责任制，组织实施县城市容环境的保障和综合整治；负责城市绿化管理方面的查处工作等。

【重点项目建设】县全域污水PPP项目完成管网铺设27.75千米，完成投资8994.868万元。县建筑垃圾综合处理项目，完成项目前期手续办理，建成道路300余米，修建桥梁1座，土地出让手续正在办理。县城（城区）排水防涝示范县建设项目，项目实施方案申报已完成，项目前期编制工作实施中。县固体废弃物综合处置场项目，土地预审和环评手续正在办理。县城乡生活垃圾分类处置项目，可行性研究报告的批复已取得，前期手续正在办理。

【环卫保洁】落实道路标准化作业，实行"五位一体"的道路保洁模式，持续加强机械化作业和城区道路洒水和降尘频次，定时冲洗路面，减少道路扬尘污染，提升道路洁净水平。规范污水垃圾两厂（场）运营管理，全年累计处理污水136.44万立方米，污水达标排放。规范填埋处理生活垃圾约3.14万吨，处理渗滤液12158.5立方米，渗滤液处理率100%。推进城区垃圾公交化运行，实施垃圾不落地，垃圾清运"公交化"，城区共计投入垃圾公交车9辆，垃圾转运车5辆。

【市政设施管护】县局安排专人巡查新老城区市政设施，发现问题及时处置，累计完成市政维修工程91项，其中修补及更换人行道地砖463.8平方米，疏通排水（污）管道27处1.11千米，更换污水井盖、雨水井箅152个，更换汉白玉栏杆75.4米，安装不锈钢果皮箱197个。城区22所公厕的保洁工作做到专人管理，随脏随保洁。全年维修路灯350余盏，更换路灯故障线路2100米，调节路灯时控30余次，新安装路灯38盏，城市主次干道及广场亮灯率达到99%。实施城市绿化、美化工程，2022年以来栽植乔灌木2646棵，补植草花类37912株，铺设草皮300平方米，浇水施肥养护60

余次。城区7座公厕提升改造、县迎春广场立面提升、石镇小区环境提升等项目完成建设。

【排洪防涝】修订《柞水县城市管理局城区防洪排涝应急预案》，采购应急抢险物资，落实人员责任，全面排查新老城区损坏的市政基础设施（城市桥梁、道路、人行道、栏杆、休闲设施），共排查易涝点5处，疏通排水（污）管道2.5千米，清理各类综合井6座。开展市政设施承灾体调查，完成城区25条市政道路和3座市政桥梁的承灾体外业调查，承灾体调查系统数据汇交至市级。

【燃气安全监管】宣传燃气安全使用知识，发放宣传资料1400余份，集中宣传和上门宣传200余人次。开展常态化燃气安全检查，开展节前安全专项检查8次。开展燃气安全生产排查整治，累计出动执法人员330人次，执法检查30次，排查燃气企业3家，餐饮用户1200余家、居民用户600余户，督促安装液化气泄漏报警器231个，天然气泄漏报警器600个，更换软管55根，下发整改通知书25份，立案查处1起，查扣销毁液化气钢瓶13瓶。开展燃气管网设施普查，邀请燃气专家全面检查柞水嘉华天然气有限公司等3家企业场地，共计普查市政燃气管道25千米、庭院管道4.2千米、立管0.9千米、燃气厂站及设施222处、用户设施3132户。修订完善全县燃气安全事故应急预案，提高企业从业人员应急处置能力，督促指导企业开展消防演练6次、应急演练4次。

【市容市貌专项整治】全年开展市容市貌集中综合整治25次，7月7日开展城区环境综合整治"百日攻坚"行动，累计清理乱堆乱放车辆89辆，开展占道经营及流动摊贩治理行动2900余次，开展店外经营治理行动650余次，清理各种乱挂缠绕物4000余条，签订柞水县市容环境卫生门前"四包三禁止"责任书450余份。开展餐饮油烟环境污染治理，重点对城区小吃店及烧烤摊点等餐饮业的油烟排放情况进行排查治理，累计出动执法人员100余人次，出动执法车辆35台次，发放宣传资料850余份，排查餐饮门店、露天烧烤摊点等80余家，分期分批下达餐饮油烟污染治理通知书40余份，并跟踪督办管理。

【市政管理】依法打击违法违章建筑，全年共拆除各类违法建筑125处12959平方米（其中拆除违规自建房34处6931平方米、阳光房彩钢棚等乱搭乱建91处6028平方米），拆除门楼4个、围墙185米、围挡80米。立案查处违规建房89户，下发责令停止违法行为通知书62份，责令改正通知书62份，查封73户。规范管理渣土车运营，减少道路扬尘污染。采取设点管控、机动巡逻的方式检查渣土运输车辆，全面查处渣土运输车辆违法行为。治理在建工地10处，检查运输建筑垃圾车辆150余辆，处罚违规运输车辆4起。

【招商引资】全年完成柞水高速服务区加气站建设策划招商项目1个，完成签约合同，落实到位资金0.2亿元。该项目于12月建设完成。

【乡村振兴】县局选派有基层工作经验的干部3人（第一书记1名，工作队员2名），与县邮政储蓄银行派驻的2名工作队员组成5人驻村工作队，制订驻村帮扶计划和巩固提升帮扶措施。争取产业资金28万元，签订金米村食用菌种植合同40亩，建设木耳大棚50个，带动群众收益50万元。县局投资3万元为群众购买高山良种土豆10000公斤，改良土豆品种，增加土豆产量。推行农业科学种植技术，实施复核套种100亩，整治撂荒现象耕地10余亩。

（兰艳撰稿　张梅玲编辑）

住房公积金管理

商洛市住房公积金管理中心柞水管理部

主　任

胡曾勇（2022年1月—12月）

【概况】成立于1992年10月，与县住房制度改革委员会办公室（房改办）合署办公。2001年11月更名为商洛市住房资金管理中心柞水县代办处，2010年更名为商洛市住房公积金管理中心柞水县管理部，隶属县政府管理的其他事业单位。2013年6月上划商洛市住房公积金管理中心实行垂直管理，更名为商洛市住房公积金管理中心柞水管理部。单位为正科级建制、自收自支公益性事业单位，人员按其身份、供养形式不变执行。现有职工9人，主任1人，副主任1人，综合股1人，归提股4人，个贷股2人。

【住房公积金归集】2022年底，归集扩面工作完成754人，占任务650人的116%，归集缴存11292.67万元，占任务10000万元的112.93%。提取8592.43万元。

【住房公积金使用】贯彻执行《关于实施住房公积金阶段性支持政策的通知》（商政金发〔2022〕25号）文件精神，租购并举满足缴存人基本住房需求，支持缴存人贷款购买首套普通自住住房特别是共有产权住房、适当提高职工租房提取住房公积金支额度等。缴存职工家庭在本县范围内无住房的、租赁公共住房或商品住房的按实际租房金额提取，满足缴存职工支付房租的实际需要。发放贷款163笔6371万元，个贷率较上年度同比增加了5.81个百分点。

【服务工作】严格执行首问负责制、一次性告知制度，采取深入楼盘实地调研等方式，现场解答群众及企业提出公积金缴存及使用的相关问题；针对老弱病残等特殊群体提供上门服务，畅通"最先一公里"打通"最后一公里"。开展"坐窗口、听民声、解难题"便民服务活动，科级领导坐窗口90人次，宣传政策113人次，解答疑问270人次，办理业务116人次，化解矛盾2人次，办理市内跨县业务10笔。

【宣传工作】利用网络平台开展政策宣传，专人管理县公积金对公业务微信群，及时解答咨询、反馈意见，定期发送公积金业务政策以及线上办理业务流程。图文形式开展宣传，制作骗提骗贷行为通告、住房公积金政策图解，摆放在管理部大厅显眼位置对广大缴存职工开展宣传咨询。利用新媒体平台宣传，通过商洛市公积金中心网站、手机App上发布工作动态及惠民举措，发布系列主题文章，了解职工迫切关心的政策与疑难问题，强化线上互动体验。

【乡村振兴】制订沙坪社区乡村振兴发展计划，走工贸兴村、产业帮扶、项目带动、大户带领、社区工厂促增收的新路子。争取40余万元资金用于沙坪村建设，单位拨付经费3万元用于扶持产业发展。依托商贸集镇优势，帮助3户脱贫户从事运输业、2户脱贫户从事商贸、2户脱贫户进入餐饮服务业。推进企业+基地+脱贫户+社区工厂+合作社模式，联系陕西静能公司解决脱贫户10余人就业；联系家福乐超市等企业贫困劳动力就业20余人。协助社区集体经济发展木耳40万袋，增收20余万元。

（张晓琴撰稿　张梅玲编辑）

环境保护

商洛市生态环境局柞水县分局

局　　长

张延安（2022年1月—12月）

副局长

黄　鹏（2022年1月—12月）

方　艳（2022年1月—12月）

【概况】1998年8月经县编办批准，从原县城乡建设局分离出来，成立县环保局，2003年10月上划商洛市环保局垂直管理。2019年3月实行机构改革，商洛市生态环境局柞水县分局挂牌成立，县局重新组建环评与生态管理股、总量与污染防治股两个业务股室以及承担党务、政务、财务、纪检工作的办公室。县分局下属单位2个，分别是环境监察大队、环境监测站。2020年8月25日，根据《关于组建市县生态环境保护综合执法机构的通知》（商编办发〔2020〕50号）文件精神，成立县生态环境保护综合执法大队，局队合一。县局及下属单位共设编制35名，其中局机关5名、生态环境保护综合执法大队20名、监测站编制人员10名，实有在编人员26人，其中局机关5名、综合执法大队12名、监测站编制人员9名。局机关和队、站合署办公，经费统一核算，人员统一调配使用。2022年11月，柞水县获评第六批"国家生态文明建设示范区"，是全市唯一的一地两牌县区（2021年获评全国"绿水青山就是金山银山"实践创新基地）。

【环保工作部署】召开县委常委会5次、政府常务会8次、县委县政府专题会议14次，县人大常委会听取环境保护工作报告1次。县政府印发《柞水县"十四五"生态环境保护规划》、修订完善《柞水县生态环境保护目标责任》等5项考核评价办法，形成1+4考核体系，推动生态环保各项工作落实到位。县委、县政府与各镇（办）、部门签订环境保护军令状，夯实生态环境保护"党政同责、一岗双责"责任。

【环境质量】空气质量优良天数为357天，优良率为97.8%，持续位居全市第一，综合指数为3.12。城市集中式饮用水源地、出境断面水质稳定达到地表水Ⅱ类标准，县域生态环境质量稳定向好。

【环境执法监管】严格执行《环境保护法》及4个配套办法，依法从严查处未批先建、未验先投、非法排污等违法行为，累计出动执法人员703人次，检查企业331家次，立案查处16起，罚款108.19万元，移送公安机关1起，行政拘留1人，办理生态损害赔偿案件3起。

【蓝天保卫战】开展大气污染防治"一县一策"，引进第三方专业团队对县域环境空气质量全天候研判预警，联合多个部门开展应急响应。围绕夏季臭氧污染防治，开展工业炉窑、汽修、餐饮油烟、油气回收、非道路移动机械、柴油货车治理等大气污染专项执法检查，累计开展强化行动78次，出动人员224人次，检查企业197家次，发现并督促整改问题25个，立案查处使用不合格非道路移动机械1起。开展《商洛市大气污染防治条例》学习宣传，办理全市首起违反《商洛市大气污染防治条例》违法案件，罚款2万元。重点涉气企业金正公司完成除尘脱硫设施提升改造，污染物达标排放、监控数据稳定上传。

【碧水保卫战】实施污染防治项目为抓手的丹江等流域污染防治项目7个，总投资1785.15万元。甘沟水源地规范化建设项目完成县级验收，城区饮用水源地应急物资储备库完成主体建设，县污水处理厂出水河道治理项目验收整改到位。策划申报金钱河重点流域水生态综合治理和乾佑河水生态修复项目2个，农村集中式饮用水源地规范化建设项目获得1400万元中央生态环境专项资金支持。

【净土保卫战】县局重点防治土壤排污企业，督导县城垃圾填埋场开展地下水、土壤和污水全年自行监测，完成隐患排查问题整改和核查工作，消除重点源土壤污染隐患。联合县资源局开展"一住两公"建设用地排查，推进符合要求地块开展土壤污染状况调查，组织评审地块5个。会同县农业农村部门加强耕地保护，全年受污染耕地3741亩，安全利用3741亩，安全利用率100%。

【污染总量削减】重点抓减排项目，落实工程减排、结构减排、管理减排三项措施，4个减排项目全面完成，化学需氧量、氨氮分别削减74.21吨和3.53吨，超额完成削减任务。氮氧化物和挥发性有机物、单位GDP二氧化碳排放强度较2021年降低5.3%，均完成预期目标任务。开展温室气体清单2021年报告评审工作，完成17家排污许可证质量核查问题整改，20家持证企业完成2021年度执行报告的上报工作，提交和审核率均达到100%。

【环保"放管服"改革】开展"执法帮扶守底线、优化服务促发展"主题创新活动，重大项目提前介入、主动跟进、全程服务、闭环见效，工业集中区规划环评在全市首个获批。疫情期间采取线上"零接触"评审，累计审批报告表24个、备案登记表90个，县分局被县营商办推选为"县营商环境优秀单位"。

【环境执法监管】严格落实双随机抽查制度，新增企业8家，双随机监管企业达49家，共抽取执法人员228人次，抽查企业81家次，上传双随机笔录114份。建立完善领导接访制度，畅通信访举报渠道，全年调处环境信访90件，办结率100%，兑现有奖举报1起奖励200元。调整优化基层网格化管理人员，各网格员实际在线次数59560次，上报巡查信息共84471件，上报查处企业违法排污线索2起，网格员实际在线率、网格巡查频次完成率均达100%，生态环境网格化管理工作位于全市前列。

【环保宣传】陕西省全国低碳日主题宣传活动启动仪式在县境内牛背梁旅游区举行，首期建设"一都四区"贡献生态环境保护力量专题讲座在县城举办。围绕秦岭保护日、"六五"环境日等重大节点，突出"共建清洁美丽世界""创建国家生态文明建设示范县""当好秦岭生态卫士"等主题，组织开展生态环保摄影展、宣传咨询一条街、环保设施公众开放、政企联建绿色矿山等系列主题活动。"当好秦岭生态卫士环保志愿行"志愿服务项目在全县新时代文明实践工作观摩考评中荣获"优秀"等次。办好公众号、用好自媒体，累计在各类媒体刊物上发布信息350篇。

【秦岭生态环境保护】县委、县政府将4月20日确定为"秦岭生态卫士行动日"，将4月23日确定为"秦岭学习日"。开展"五乱"问题整治回头看及小水电整治、农家乐整治、尾矿库治理、硫铁矿治理等专项整治，巩固和拓展秦岭"五乱"专项整治成果。开展联合执法,加强执法监测、行政司法联动,推进区域执法、交叉执法、精准执法,查处一批典型环境违法案件。完善执法机制,加强线索移交、依法办理、案件督办、会商研判、信息共享等,建立合力共治的秦岭生态环境保护监管执法长效机制。

【环境督察整改】第一轮中省督察反馈问题及信访件全部整改到位;第二轮省委环保督察反馈13个问题整改到位12个,1个正在整改;督察期间交办的20件信访件全部整改到位。提请县委、县政府召开第二轮中央环保督察反馈问题整改推进会3次,中央环保督察期间交办的33件信访件全部整改到位,督察反馈问题7个,1个整改到位,6个正在整改。

【乡村振兴】县局以巩固脱贫攻坚成果为目标,落实帮扶责任,走访调研农户家庭收入、"两不愁三保障"、饮水安全以及刚性支出情况和就医、上学、就业、产业等方面存在的实际困难和潜在风险。四支队伍排查脱贫户448户,一般农户623户,实现排查工作的全覆盖,现场解决问题20余个,办好事实事30余件。做好移民搬迁后续帮扶工作,介绍劳务20余人次,社区工厂吸纳就业5人,木耳产业接纳小区劳动力200余人次,吸纳公益性岗位15人。协助村委会编制项目发展规划,完善项目库,推动形成光伏产业、艾产品产业、木耳产业三大富民增收产业。筹措资金300余万元,种植木耳150万袋,种植艾草600亩,种植烤烟500亩,畜牧养殖600头,玉米、大豆套种350亩,产业基础得到巩固。

(田楠撰稿 张梅玲编辑)

财政·税务

财 政

柞水县财政局

党组书记、局长

李邦余（2022年1月—12月）

副局长

周成蛟（2022年1月—2月）

汪太耀（2022年1月—12月）

蒋国利（2022年1月—12月）

张　锋（2022年2月—12月）

纪检组长

赵　磊（2022年1月—12月）

局属各单位

柞水县政府采购中心

主　任

谈维月（2022年1月—8月）

汪顺利（2022年8月—12月）

副主任

刘一繁（2022年1月—12月）

柞水县国库集中支付中心（柞水县会计结算中心）

主　任

张　涛（2022年1月—6月）

张文炜（2022年6月—12月）

副主任

石　莉（2022年1月—12月）

柞水县非税收入管理中心

（负责人暂空）（2022年1月—12月）

柞水县惠民补贴发放中心（柞水县惠农补贴发放中心）

主　任

牛晓波（2022年1月—12月）

柞水县财政监督检查中心

（负责人暂空）（2022年1月—12月）

柞水县政府债务管理中心

（负责人暂空）（2022年1月—12月）

柞水县财政绩效管理中心

主　任

孟　健（2022年1月—12月）

柞水县机关事业单位国有资产管理中心

（负责人暂空）（2022年1月—12月）

柞水县财政信息中心（柞水县财政干部教育培训中心）

主　任

汪　洋（2022年1月—12月）

【概况】继续保持财政收支平衡，财政总收入为5.01亿元，地方财政收入2.22亿元，分别同比增长16.21、10.43个百分点。向上级争取到位资金

4903.9万元，超任务36.2%。兜牢"三保"底线，一般预算支出完成24.3亿元，用于民生领域支出20.33亿元，有效保障全县乡村振兴、重点项目、民生实事、秦岭保护等重点领域资金所需。评审政府性工程项目121个75485万元，预算和决算评审减率达到15.3%、4.6%，政府采购资金节约率达到4.95%，有效节约财政资金。柞水县为全市唯一一个债务风险等级为绿色的县（区）。荣获全省财政系统科研宣传争先进位先进集体，全市财政收入质量先进集体、政府债务管理先进集体、财政暂付款化解先进集体。

【财政收支】财政总收入完成50134万元，占预算44100万元的113.68%，同比增长16.21%。其中地方财政收入完成22151万元，占调整预算21000万元的105.48%，同比增长10.43%。一般预算支出完成243494万元，占调整预算241471万元的100.84%，同比增长14.28%。县本级地方一般预算收入完成22062万元，占调整预算的105.05%，同比增长11.23%。县本级一般预算支出完成227322万元，完成调整预算227271万元的100.02%，增长14.94%，实现收支平衡目标。

【税收征管】协调金融机构向企业发放信贷资金7.8亿元，为企业争取上级奖补资金1.2亿元，全年累计减税降费6535万元，降低实体经济经营成本。引导和支持县级部门向上争取财政专项资金11.5亿元，占年度计划10亿元的115%，争取政府专项债券3.3亿元，盘活单位存量财政资金3998万元。

【重点保障】拨付直达资金67036万元，直达资金执行率达100%。压缩"三公经费"支出，兜实兜牢"三保"底线，坚持把保基本民生、保工资发放和保运转摆在财政优先保障位置，三保支出131545万元。教育支出36522万元，增长13.49%；公共安全支出7385万元，增长26.02%；灾害防治及应急管理支出2924万元，增长7.74%。安排专项资金19787.22万元，用于重点生态功能区建设和秦岭生态保护修复。

【民生投入】用于民生领域支出4.34亿元。落实城乡低保、临时救助、特困救助、残疾人、城乡居民养老保险金等生活补助资金15029万元；拨付机关事业单位离退休人员养老金及取暖费13587万元；改善基本公共卫生服务及能力提升投入资金3085万元，落实城乡居民基本医疗保险基金县级配套资金741.34万元，拨付疫情防控县级补助资金6100.85万元；落实稳岗就业政策，促进就业创业资金2630万元，为妇幼保健院争取专项债券资金2200万元。聚焦"高质量项目建设年活动"，发挥项目前期经费的引导作用，多方筹措资金5755万元，用于西康高铁、两拆一提升、河西休闲长廊等重点领域建设。

【乡村振兴】筹措巩固拓展脱贫攻坚成果同乡村振兴衔接资金18850万元，其中县本级投入2880万元，有效支持产业发展、农业基础设施建设、农村集体经济发展壮大。积极推进财政涉农资金整合，整合3大类235个项目，其中：产业发展类项目117个13151万元，基础设施类项目103个12509万元，其他类项目共15个3038万元，安排财政奖补资金3295.3万元。

【财政改革】实行"零基预算"，将部门所有收入纳入预算，统筹安排支出，形成资金合力。落实政府"过紧日子"的要求，厉行节约、精打细算，确保"三公经费"只减不增，降低行政运行成本。全面启用非税收缴电子一体化系统，实现收缴全程无纸化、渠道多元化和入账电子化管理，率先在教育系统实行"非税收入收缴电子化"改革试点，解决群众缴费难、多跑路等问题。在部门预算编制中，对属于政府采购范围的项目做到"应编尽编、编实编细",确保按照批复的预算采购,实际采购业务1197批次,采购2.6亿元,节约率4.95%。做好资产管理系统与预算管理一体化系统的有效对接,完成183个预算单位用户创建信息的采集上报工作,对全县行政事业单位国有资产全领域、全口径、全覆盖清查,为优化公共资源配置、盘活存量资产资源提供基础。

【财政监管】牵头协调配合有关部门重点围绕强农惠农、会计信息质量、"一卡通"治理等影响程度高、资金规模大、领导重视、社会普遍关注的热点、难点问题开展系列专项检查拓宽财政监管广度和深度,将财政监管水平提升一个新高度。聚焦贯彻落实减税降费政策、政府过紧日子、涉农资金管理等7个领域、44项专项整治内容,重点整治各类违规问题12项,强化财经纪律刚性约束。全年完成"一卡(折)通"兑付系统发放城乡低保、生态补偿、扶贫产业奖补等70项310批次2.6亿元,兑付率100%。

(汪洋、李鹏撰稿 陈刚编辑)

税 务

国家税务总局柞水县税务局
党委书记、局长
邓建波(2022年1月—2月)
杨晓勇(2022年2月—12月)
党委委员、副局长
蔡宇平(2022年1月—12月)
徐孔林(2022年1月—3月)
殷汉君(2022年1月—6月)
蒋国友(2022年1月—6月)
程晓飞(2022年1月—6月)
李 军(2022年7月—12月)
黄晓湖(2022年2月—12月)
党委委员、纪检组长
洪 波(2022年1月—2月)
王 博(2022年2月—12月)

【概况】国家税务总局柞水县税务局现设13个机关股室和1个事业单位,下辖6个派出机构。现有干部职工123人。2022年,县局先后获得全省"五四青年团支部"、全省税务系统模范职工之家、全省五星级离退休干部党支部、陕西省无烟党政单位等荣誉称号。

【税收收入】截至11月底,扣除增值税留抵退税因素还原后,共组织税费收入102128万元,同比增长66.2%。其中税收收入38912万元,同比增长22.57%;社保非税收入63216万元,同比增长112.84%。按自然口径计算,组织税收收入35810万元,同比增长12.8%。

【减税降费】落实新的组合式税费支持政策,累计为纳税人缴费人兑现税费优惠6287万元。其中增值税留抵退税3122万元,新增减税降费2500万元,制造业中小微企业缓缴税费665万元。

【税收预测】扣除增值税留抵退税因素还原后,预计全年能完成税收收入42800万元,同比增长21.83%。按自然口径算,预计全年能完成税收收入39700万元,同比增长13.42%。全年平均预测准确率居全市前列，1月、3月和10月税收预测准确率获省局通报表扬。

【征管改革】起草印发《柞水县税费保障办法》，搭建"政府主导、税务主管、部门协作、社会协同"的税费精诚共治平台，开展"一局一品"改革创新活动，探索5C监控评价"县级监控评价分局"和半年制通报工作机制，建立"绿、黄、红"三色工单提醒制度，与县法院、检察院、公安局、司法局签署合作联动框架协议，打造"税务+公、检、法、司"精诚共治的合作模式，营造公平正义、互联互动、共治共赢的税收治理"新生态"。

【依法治税】落实"首违不罚"制度，坚持"柔性执法+刚性执法"理念，68户纳税人因符合"首违不罚"条件而被免予处罚。加强税收法制审核，全年完成法制审核69件，依法采集执法视频、图片等18条，对外定期公开信息430户次。常态化开展四大行业等重点领域的线索摸排，配合政法机关对涉黑涉恶案件开展"打财断血"工作，1人获得"市扫黑除恶先进个人"荣誉。

【数据管税】构建"大数据+大风险"格局，破题"智慧税务"建设，开展"以数治税"这项系统性工程，与27个县级部门签订涉税涉费数据共建、共享、共治协议，整合各业务模块数据、归集办税行为数据、关联第三方有效数据，创建涵盖46张共享数据表和544个数据项的标准化税费数据共享资源目录，累计获取第三方涉税数据41.7万条，转换匹配并按户归集36.4万条，形成"一户式"查询、"一库式"分析的涉税大数据资源库。

【风险应对】完善"数据采集—风险识别—任务推送—分类应对—结果反馈—成效复查"的风险管理闭环链条，统筹下发总局、省局各批次风险应对任务，组织开展全面风险应对42户，实时风险应对281户，一体式推送风险应对50户，应对入库税款471.83万元。开展风险建模工作，研发的"创客风险监控指标"被省局加载运行。选派优秀业务骨干参与总局"金税四期"集中办公，推进全电发票改革试点，完成所得税年度汇算、土地增值税审核清算、推进成品油专项整治等各项工作。

【营商环境】广泛开展"我为纳税人缴费人办实事暨便民办税春风行动"，落实落细5大类20项121条便民办税缴费措施，推进"非接触式"办税常态化改革。优化办税窗口服务职能，精准聚焦纳税人缴费人的急难愁盼问题，推出"今日办税缴费系列问答"税宣"视频号"，创新"互联网+税收+金融"合作模式，推进"税银贷"牵线补链，为28户纳税人投放诚信纳税贷1644.9万元。成立"局领导+骨干"税务管家团队，探索建立"两个一"项目电子管家工作台账，编写《柞水税务"项目管家"政策汇编》，精准对接、服务全县131个重点建设项目。与9户涉税中介机构建立常态沟通联络机制，引导涉税服务机构发挥优势服务税费监管，纳税人满意度调查进入全省前50名，较上年提升31个位次。

【队伍建设】健全完善《全县税务系统青年干部积分激励管理办法》等一系列干部成长、激励鼓励制度机制，创新干部教育培训，完善"日学周讲月练季考年比"的大学习、大练兵、大比武机制，举办"柞水税务大讲堂"32期。1名同志被选拔确定为全省税务系统"青年才俊"，2名同志在2022年度全省税务系统练兵比武考试中分别位列财行税条线和资源环境税条线第6名、第8名。撰写各类税收分析报告26篇，获得地方党政领导的肯定性批示19次、市局领导批示3次、省局领导批示1次。1篇税收分析报告在总局《每日动态》刊登，2篇税收类分析报告在省局《每日要情》刊登。在市级以上主流媒体发表新闻报道 90 余篇。与县人社、财政、发改、自然资源局等部门构建常态"互学联建"机制，打造的"红石榴·柞先锋"品牌得到市县领导肯定。

(李尚文撰稿　张梅玲编辑)

金融·保险

中国农业银行柞水支行

中国农业银行柞水支行

党委书记、行长

尤虎存（2022年1月—4月）

胡　丹（2022年4月—12月）

党委副书记、纪委书记

黄绵良（2022年1月—12月）

党委委员、副行长

汤长学（2022年1月—9月）

赵　婷（2022年1月—12月）

张　彬（2022年1月—12月）

【概况】下辖营业部和中街支行2个物理网点，5个离行式自助网点，员工43名（其中党委班子成员4人，一般员工39人）。办理银监局及人民银行许可范围内的吸收公众存款、发放贷款、办理国内外结算、办理票据承兑与贴现、代理等业务。

【年度概述】各项存、贷款较年初增加2.4亿元、1.5亿元，占计划6000万元的400%、250%。实现净利润4300万元，占计划3000万元的143%。存贷比为76.9%，贷款不良率为0.02%。发放重点项目贷款1亿元，小企业贷款6545万元。农户信息建档和惠农e贷实现镇（办）、行政村全覆盖，惠农e贷余额达6859万元；获商洛市"平安金融机构"称号；荣获全省农行平安农行奖。荣获省行"2022年信贷双基管理示范支行"。

【思想政治工作】坚持党中央决策部署到哪里，政治监督就跟进到哪里。紧紧围绕上级行党委决策部署，扎实开展金融服务实体经济、乡村振兴、普惠金融、常态化疫情防控等工作监督。按照对"一把手"和领导班子监督工作指引加强班子监督，支行综合绩效考核跃进全市第一，支行党委班子荣获全市农行"四好领导班子"荣誉称号。

【服务乡村振兴】农村信息建档行政村覆盖率达100%，富民贷净增2858万元。向292户农户投放木耳"富民贷"3072万元，向木耳产业龙头企业——中博菌业发放流动资金贷款500万元。农户信息建档和惠农e贷实现9个镇（办）、81个行政村全覆盖，贷款当年净增2858万元，余额6859万元。优选2个镇（办）和2个村创建"乡村振兴"示范村镇；选派1名优秀干部到乡村振兴重点县挂职帮扶；抽调2名业务骨干组建驻村工作队，常年开展驻村帮扶。对柞水县乡村振兴的工作做法受到农业银行谷澍董事长11月24日批示肯定：很好，望继续努力，为革命老区振兴发展贡献农行力量。

【招商引资】向省级重点项目孝义文化厅投资96万元，建设集票务、收单、门禁等一体化的BMP系统；争取农业银行总行捐赠资金，向金米村捐赠资金18余万元，捐赠物资5万余元；累计向瓦房口镇大河村捐赠资金4.5万元，帮助该村完善基础设施建设。

（郑宗霞撰稿　余锡政编辑）

陕西柞水农村商业银行

柞水农商银行

党委书记、董事长

刘志明（2022年1月—11月）

刘建成（2022年11月—12月）

党委副书记、行长

王春来（2022年1月—11月）

李　明（2022年11月—12月）

党委委员、监事长

李　珺（2022年1月—12月）

纪委书记、监事长

朱　博（2022年1月—12月）

党委委员、副行长

李晓龙（2022年1月—12月）

何金星（2022年9月—12月）

汤景宝（2022年10月—12月）

【概况】2013年12月30日，《中国银监会关于筹建陕西柞水农村商业银行股份有限公司的批复》同意"柞水县农村信用合作联社"实施筹建"陕西柞水农村商业银行股份有限公司"（以下简称柞水农商银行）；2014年2月17日，柞水农商银行召开创立大会；2014年8月12日柞水农商银行正式对外挂牌开业。现有职工247人，营业网点25个。

【金融业务】存款余额574696.03万元，较年初净增60623.74万元；实体贷款余额为271533.22万元，较年初净增22808.09万元；表内不良余额15702.71万元，不良贷款占比4.59%，资本充足率10.53%；拨备覆盖率106.45%；互联网数字银行客户较年初净增9373户；收单商户总数为4136户；场景类商户总量为119户；实现各项收入26296.78万元，其中贷款利息收入22609.34万元，往来收入3113.23万元；实现拨备前利润为4455.92万元；实现净利润89.14万元。

【党建工作】建立班子成员基层党建联系点制度和联系点任务清单，将领导班子党建责任区与业务责任区同部署、同安排，做到党建与业务经营两手抓、两手硬。下发党建工作安排意见，与各支部书记签订党建工作目标责任书，印发《柞水农商银行"百名党员结对子"实施方案》。调整基层党支部书记3名，督导检查基层党支部4轮。开展"我为群众办实事"，向颜家庄村捐赠口罩、消毒液、方便面等2.9万元物资。征订《习近平谈治国理政》等各类书籍500余册，理论学习中心组全年集中学习研讨12次，撰写心得体会4篇。开展"信合党旗红"品牌创建工作，乾佑支行党支部基本达到"五星级党支部"标准，下梁、曹坪、营盘支行党支部和机关党支部基本达到"四星级党支部"标准。开展主题党日活动12次，培养4名预备党员，

2名预备党员按期转正。设立"党员先锋岗",组织职工到平安小区疫情防控卡点、核酸检测点等抗疫一线参与疫情防控工作。每人撰写作风建设专项行动心得体会2篇,开展专题研讨2次,专题测试1次。开节前廉政提醒会议4次,开展节前提醒谈话3次,发送廉政短信270条,下发廉洁纪律通知7份,运用第一种形态处理49人,其中通报批评38人,提醒谈话8人,谈话提醒3人,运用第二种形态处理11人(其中警告6人、记过3人、记大过1人、留用察看1人)。

【营销服务】恢复蔡玉窑、柴庄2个偏远网点信贷业务,制订3个网点恢复营业工作计划,推出"木耳贷""乡村V贷"等乡村振兴系列产品和"秦e贷""秦V贷"两大线上产品,存量涉农贷款余额24亿元,占实体贷款余额89%,其中普惠涉农贷款余额14.5亿元。实施农村信用户、信用村和信用乡镇评定工作,制订《全面建档评级授信暨信贷营销"125"增量扩面工程实施方案》,采集农户信息35466户,授信签约12051户,较年初净增1410户,授信金额达11.21亿元,完成西川村等5个信用村创建工作。存量脱贫人口小额信贷0.53亿元,较2021年同期增加0.13亿元,信贷总量和覆盖率均超过上年度,逾期率始终控制在0.5%以内,有效信贷需求申贷获得率始终保持为100%。政府性融资担保公司存在担保余额180万元。推进特殊资产清收"四级联包"责任制,清收特殊资产3109.94万元,完成基础任务2550万元的121.96%,清收万元以下不良贷款441.89万元,完成任务375万元的117.84%;清收零余额不良贷款欠息470.85万元,完成任务450万元的104.63%;处置抵债资产391.20万元,完成任务120万元的326%。

【内控管理】组织开展四次"综合大检查"和案件风险排查,着重对门柜业务、信贷业务及电子银行业务关键环节进行拉网式排查,突出对员工参与网络赌博、民间融资、充当资金掮客、经商办企业等行为的重点排查;持续加强反洗钱管理和扫黑除恶专项斗争;开展自助设备、信息系统以及网络安全巡检工作,保证网络安全,保障业务连续性。开展反洗钱管理、征信管理等19个专项审计;加强值班管理,严格认真落实夜间及节假日值班、守库工作;充分发挥远程视频监控中心作用,加大安全检查频率和力度,扎实开展定期、不定期检查。

【企业文化】设立国库集中支付专柜,代理全县社保、电费收缴等业务,满足广大居民的各类金融需求;按照网点规划,对凤凰、杏坪、曹坪等网点进行改造,改善员工的工作、生活环境,提升企业外部形象。走访慰问退休及困难职工,为全员购买职工意外保险,给予员工真切的关爱和温暖;召开退休职工座谈会,利用特殊节假日开展职工慰问活动,增强员工归属感。开展"高考免费送水"等爱心志愿活动,号召机关党员参加"疫情防控点"值班、下沉到"三无"小区治理,践行社会责任。开展"春季植树绿化家园"主题党日活动,利用"打击整治养老诈骗""防范非法集资""八五"普法等宣传日,开展公益宣传50余次,普及金融知识。

(党显书撰稿 余锡政编辑)

柞水县农业发展银行

中国农业发展银行柞水县支行

行　长

刘　强（2022年1月—5月）

陈　夏（2022年6月—12月）

副行长

陈　夏（2022年1月—5月）

倪　婷（2022年11月—12月）

【概况】中国农业发展银行柞水县支行内设综合部、客户部，现有职工15人。

【工作概况】投放贷款27342.52万元，收回贷款11484万元，贷款余额35139.17万元，较年初增加15858.52万元。完成县政府下达10000万元任务的158.59%。存款余额24503.40万元，较年初增加21947.80万元。存款日均余额14332.70万元，较年初增加8382.52万元。完成企事业单位存款5000万元任务的286.65%。应计贷款利息868.12万元，实际收回868.12万元，综合收息率为100%。清收地方财务挂账利息25.47万元，市县级储备粮贷款利息14.93万元。

【党建工作】组织全体员工深入学习党的二十大精神，制订学习方案和学习计划，安排学习内容、篇目和学习时间，职工按照学习计划做好自学、写好心得体会。采取"三会一课"和主题党日等形式，开展党建活动，9月份组织全体员工前往柞水县廉政教育基地开展廉政教育活动。在办公区域开展党建宣传牌，党员承诺牌上墙，践行每名党员就是一面旗帜，发挥党员先锋带头作用，激发党员干部担当作为精神。

【粮油信贷业务】做好夏粮收购前预测工作，组织人员与县农业局、统计局、粮食局等部门进行沟通联系，对柞水县夏粮的种植面积、产量等情况进行全面调查摸底，把握夏粮产销的总体情况，做到心中有数。成立领导小组，实行"一把手"负责制，实行夏粮收购值班制度，及时核查企业仓容情况，迎接夏粮收购，及时调度资金，提高服务质量和水平。做好粮油储备贷款展期、轮换和收购资金供应不出问题，确保粮食市场平稳。

【产业帮扶和支持小微企业】主动对接、积极营销，努力跟进贷款项目，贷款投放27342.52万元。

【项目储备和项目库建设】已批待放项目3941万元。牛背梁国家森林公园红色教育基地提升改造项目33000万元、商洛市全域污水处理PPP项目（柞水县）拟在柞水县支行申请改善农村人居环境贷款（项目）34500万元，柞水国家储备林项目48000万元。

【支农资金筹集】开立存款账户126户，年均超过20万元以上存款客户7个，目标任务6个，完成任务116.67%，年日均超过100万元客户6个，目标任务1个，完成任务600%。

【定点帮扶】派驻专职工作队员2名，全行12名职工帮扶群众42户，按时、保质保量开展帮扶工作。

【环境优化】办公大楼外立面改造和亮化，办公楼内部环境进行整治和绿化，提升办公环境和企业文化形象。

【解决遗留问题】完成闲置资产处置，办公楼办理不动产权证事宜完成。

（邵培东撰稿　余锡政编辑）

柞水县人寿保险

中国人寿保险股份有限公司柞水支公司
支部书记、经理
谢敏娟（2022年1月—12月）
副经理
侯丹阳（2022年1月—12月）
经理助理
汪　炜（2022年1月—12月）

【概况】公司内设大个险部、机构业务部、客户服务中心、综合部，大个险部设置营销发展部、收展发展部、个险培训部，机构业务部设置团体业务部、银行保险部。辖红岩寺、凤镇、下梁、曹坪、营盘5个营销服务部。实现总保费4779.95万元，完成年度计划4387万元的108.95%。其中个险首年期交保费收入1108万元，完成年度计划1087万元的101.93%。大团险渠道业务收入302万元，完成年度计划300万元的100.67%。银保期交保费收入208万元，完成年度计划200万元的104.00%。续期保费收入3161.95万元，完成年度计划2800万元的112.93%。客户服务工作综合考评位居全市第一。

【个险业务】城区部全年创绩644万元，城区华荣琴创绩27.94万元，李枝芳创绩45.38万元，白小花创绩52.98万元，陈永彩创绩38.49万元，凤镇张淑娅创绩30.95万元。李枝芳、白小花、陈永彩、华荣琴、张淑娅等业绩突出的业务员，荣获市、县公司奖励。2022年营销队伍稳定在160人，为解决人员就业和推动业务发展，有力推进县域经济发展、社会稳定起到积极作用。

【团险、银保业务】主抓学平险，农小险、女康保险、法人单位及其他汇交业务，承保质量较好。深化农行、邮政、长安银行合作，推进代理渠道业务。以代理自营，"两手抓，同推进"的销售模式，加大期交转型，在力保总量规模的同时促转型发展。

【服务管理】开展从业人员职业道德、诚信教育，业务素质、服务技能培训，增强诚信服务意识。召开客户回馈活动、成果分享会议，宣传公司产品，扩大群众知晓率。当年给付案件847起，结付金额715.20万元，结案率99%。

（侯丹阳撰稿　余锡政编辑）

柞水县财产保险

中国人民财产保险股份有限公司柞水支公司
经　理
康　召（2022年1月—12月）
业务主管
王亚迅（2022年1月—12月）
张　好（2022年1月—12月）

党支部书记

康　召（2022年1月—12月）

【概况】完成保费收入2123万元，同比净增保费421万元，增速24.75%，综合赔付率61.08%。实现利润228万元，市场份额32.54%，同比增长7.79%，保持市场第一。

【经营情况】车险同比增长125万元，增速12.14%，市场份额29.69%，领先主要竞争对手7.5个百分点；参保村集体经济13个，养殖大户68户，实现大户全覆盖。赔款169万元，无一投诉。市场份额37.05%，领先主要竞争对手8.96个百分点。

【纳税大户】中国人民财产保险股份有限公司柞水支公司被中共柞水县委柞水县人民政府授予"2022年度纳税大户"。

【获得荣誉】党支部书记康召同志被省公司评为"优秀共产党员"，委员邢光贤同志被省公司评为"优秀党务工作者"、被驻点社区评为"优秀共产党员"。

（茹官旭撰稿　余锡政编辑）

柞水县中华财险

中华财险柞水支公司

经　理

李印平（2022年1月—12月）

【概况】完成保费收入865.97万元，同时代收车船使用税105.74万元。

【业务工作】超额完成保费任务850万元，年保费收入865.97万元，其中车险671.67万元，责任险35.67万元，财产险5.04万元，意外险54.47万元，健康险4.99万元，政策性农险94.13万元。理赔指标控制在上级下达的指标之内，赔付赔款577.76万元，其中车险赔款439.47万元，意外险赔款18.13万元，责任险赔款2.16万元，财产险赔款82万元，健康险赔款0.9万元，政策性农险赔款35.1万元。

【党风廉政建设】组织员工认真学习《党章》《中国共产党廉洁自律准则》《中国共产党纪律处分条例》等，围绕雷雨、陆邦柱、刘春茂、崔华锋严重违纪违法典型案例进行对照检查，查摆剖析问题。对现有的制度进行全面审查，围绕重点领域、重点岗位和关键环节排查廉政风险点，构建防控体系。

【反洗钱工作】未发生协助行政调查情况，未受到人民银行或其分支机构反洗钱现场检查及处罚，未接受人民银行或其分支机构约见谈话、监管走访等日常监管情况，未承担人民银行或其分支机构反洗钱有关工作任务或调研任务情况，未发生洗钱风险事件，严格遵守反洗钱各项规章制度，不存在违规事项。

（霍毅撰稿　余锡政编辑）

信息业

电 信

中国电信柞水分公司

总经理

孟谋勋（2022年1月—12月）

副经理

倪一鸣（2022年1月—12月）

吴远栋（2022年1月—12月）

纪检组长

倪一鸣（2022年1月—12月）

【概况】主营收入完成全年目标102.26%，建设项目投资完成目标101.47%；收入份额达到31.85%，较上年末提升2.91%；移动用户达到份额29.03%，较上年末提升1.48%；宽带达到份额为42%，较上年末下降5.54%。

【维护建设】完成区域内基站建设调优51处；完成光网建设114处FTTH补盲扩容，共补配514个光分箱，扩容4112个OBD；累计完成网络隐患整治26处；人盯人+平台开通完成9个镇（办）、82个村委会（社区）。

【自身建设】开展"党的二十大"主题教育活动，召开民主生活会和组织生活会4次，召开党员大会12次，谈心谈话72人次。

【党员管理】加强党员管理，推进"学习型"的组织建设，组织支部现有12名党员每月开展一次思想学习，并将信息录入到柞水县党员信息库，由党支部书记牵头，邀请党员入群，建成"柞水分公司党建易信群"。

【深化改革】贯彻落实地方政府基础服务建设，配合各项工程迁改、城市建设等重要工作，把握数字经济机遇，紧抓窗口期，实现高目标牵引的高质量发展。

（孔军撰稿　余锡政编辑）

移动通信

中国移动通信集团陕西有限公司柞水分公司

总经理

赵郡明（2022年1月—5月）

李　晖（2022年5月—12月）

【概况】内设4个部门，下设1个城区分局、4个农村分局，在职员工39人。

【经营业绩】通信服务收入增幅3%，通话客户总数超8万户，企业规模和效益持续提升。

【通信业务】宽带净增份额79%全市第一，集客产品收入超目标进度6.6PP，全市第二；渠道日均核心产能较一月定比提升66PP，全市第一；宽带装机履约率99.18，全市第一；信息化累计拿单年化金额占比84.1%，全市第一。被商洛移动分公司评为先进集体。

【通信服务】围绕服务质量提升，聚焦重点群体，改善客户感知，确保服务领先。抓核心客户、渠道检测、流程优化、投诉管控，始终保持领先优势。围绕客户感知，完善"办理便捷、使用顺畅、资费适配、提醒及时、响应迅速"全流程体系；提升政企客户满意度。加强客户投诉管控，通过压力传递、预警机制、营销监管、焦点问题治理等措施，强化业务不知情定制管控，加大客户权益保护，做实不明扣费管控，确保客户知情、安心消费。

【企业建设】坚持"陕亮"党建品牌牵引，强化现代管理工具在党建工作中应用，深化党建经营深度融合，推动公司党建高质量发展持续向前。坚定政治立场，认真学习宣贯党的二十大精神，开展多种形式学习宣讲活动，制订实施方案和任务台账，推动党的二十大精神贯彻落实。加强党业融合，"和格行动"狠抓核心工作落实，网格自有党员覆盖率提升至80PP，党建指导员作用进一步显现，网格各项重点指标均较好完成。建立"三个一"宣传机制，打造一支队伍，完善一套制度，瞄准一条主线，成效推广更加显著。

【履行责任】完成投资1319.5万元。新建DUCU机房1个，建设2.6G频段5G基站4个、700M频段5G基站63个，建成ICT项目5个、专线61条，完成3100线有线宽带建设。完成县内隔离酒店客房智能门磁安装1412台，完成柞水县七彩山水营地600个房间宽带+Wi-Fi+电视盒、100个固定电话、165个点位监控，视频监控机房装修及平台建设。完成柞水县城区临河路区域智慧城市建设项目，提供应急广播系统、智慧步道监测系统、LED显示宣传系统、大数据管理中心平台系统。完成城区、石镇、营盘架空光缆落地工作，布放光缆121.71皮长千米，新立光交箱34台，安装分纤箱192个，新增ODF架4台。完成安沟村、瓦房口、银碗村、云蒙村、杏坪、曹坪、李家砭7处大型市政建设项目线路迁改工作，新建杆路6.406杆程千米，布放光缆18.75皮长千米。

（刘帆撰稿　余锡政编辑）

联通公司

柞水联通

总经理

周　锐（2022年1月—12月）

【概况】柞水联通有职工24人，内设政企公众2个业务班组。发展移动网用户完成年度计划的115%；营业收入完成年度预算的105.8%，营业收入同比增长5.8%；发展宽带用户完成年度计划的105%；完成投资1250万元，新建4G基站52座、5G基站43座，新建光缆165皮长千米，新建宽带端口7500线。配合西康高铁建设、云山湖等县上重点项目建设，迁移杆线22千米。完成主城区"四纵六横"和石镇街道线缆落地工作。

【党建与企业文化】执行"三会一课"制度和主题党建活动，组织党员干部集中学习12次，讲党课4次，主题党日12次，专题组织生活会2次，开展警示教育12次，开展扶贫帮困集体活动，开展志愿活动一次，特色党建活动1次，参加率均达到100%。党员通过联通先锋平台、"学习强国"平台、党员大会及自学等形式开展学习，做到理论联系实际，学以致用。加强党建与经营工作相结合，践行基层帮扶活动。每月拜访集团单位，了解客户需求，搭建良好的客情关系；走访渠道，对渠道进行业务培训及指导，解决渠道业务发展中的难题；组织全体党员深入一线，走村访户，为贫困户解决生产生活中的难题，配合村"两委"落实乡村振兴举措。

【服务用户】设立用户服务热线10010；建立用户投诉快速响应机制，实行首问负责制；持续开展"百倍用心10分满意"服务活动。聚焦网络、业务、服务质量提升，提升各专业与服务触点人员的主动服务意识，对外传递高品质服务。不断优化自助服务功能，进一步加快客户服务向大流量App服务迁移，增强用户的服务感知，全场景客户实时体验满意度提升10%。营业厅开展"科技助老"20多次，帮扶老年人提高防诈意识。

【网络建设】投资1250万元，新建4G基站52座、5G基站43座，新建光缆165皮长千米，新建宽带端口7500线。配合西康高铁建设、云山湖等县上重点项目建设，迁移杆线22千米，投资约186万元。完成主城区"四纵六横"和石镇街道线缆落地工作。投入资金286万元，调动8个工队，实行分段施工，24小时轮流作业，确保工程进度。建设宽带资源端口7500线，其中城区3000线、乡镇4500线，县域内总端口数量突破32000线，增加覆盖30个居民小区及12个行政村，乡镇网络覆盖提升20个百分点；新建设千兆宽带小区5个；进行带宽升级，提升网络速率，提升用户感知。

【助力乡村振兴】派驻党员王维友和方英明2位同志长期驻村，同时抽调业务骨干人员5人轮流下乡驻村，进村入户，开展实地帮扶工作，积极参与帮扶贫困户产业规划制订、宣传各类帮扶政策，全力配合做好乡村振兴工作。县分公司总经理周锐多次入中庙村，与村"两委"班子商讨产业发展和村组信息化建设。投入60万元，一是新建4G基站1座，新建光纤宽带端口400线，有效解决老百姓手机上网和宽带上网需求，有力促进乡村信息化建设。二是新建木耳智能大棚1座，解决村集体经济木耳大棚智能监测。三是为68户村民安装了联通宽带，让老百姓在家里就能了解国家大事，上网直播带货。

（刘奋强撰稿　余锡政编辑）

广电网络

陕西广电网络传媒（集团）股份有限公司柞水县支公司

支部书记、副经理（主持工作）

程磊（2022年3月—12月）

副经理

汪庆林（2022年1月—12月）

王兴卫（2022年7月—12月）

经理助理

王兴卫（2022年1月—7月）

唐少君（2022年1月—8月）

【概况】陕西广电网络传媒（集团）股份有限公司柞水县支公司是陕西广电网络传媒（集团）股份有限公司的非法人分支机构，隶属于商洛分公司。有正式人员15人，非正式人员9人，代维人员8人，全县设置9个网格，每网格1人。公司本级设置财务物流部、综合管理部、大众业务部、工程建设运维部、集团业务部。有线数字电视在线用户11514户，5G卡销售979户，建设全县公安专网、信访专网，县级融媒体平台1个，县级应急广播覆盖9个镇（办）81个村。

【队伍建设】以党建引领公司全局，加强学习，提升干都队伍建设，重视思想政治学习和安全生产教育工作，贯彻落实党的二十大精神、习近平新时代中国特色社会主义思想和习近平总书记来陕考察重要讲话精神，开展党史学习教育活动和干部纪律作风建设整治，落实全面从严治党主体责任，抓好行风整治，发展广电5G及融合业务，推进广电网络事业发展。

【业务工作】完成在册贫困户7623户的数字电视续费工作，完成无线Wi-Fi热点85个点的续费工作，完成乡村振兴各项包扶工作任务，提升脱贫户的文化生活水平；及时做好县公安专网、信访专网、融媒体中心平台、应急广播等维护工作确保正常运营；广电网络限时服务，精准施策，提升服务水平，树立服务品牌意识，提升用户满意度。

【招商引资】策划招商项目柞水县医院医疗服务信息化建设项目及柞水县梨园村数字乡村项目2个，落实到位资金30余万元。

（王景平撰稿　余锡政编辑）

镇·街办概况

乾佑街办

中共乾佑街道工作委员会
乾佑街道办事处

党工委书记
袁　锋（2022年1月—5月）
张　斌（2022年5月—12月）

副书记、办事处主任
张　斌（2022年1月—5月）
赵　鹏（2022年5月—12月）

人大工委主任
田　艳（2022年1月—12月）

党工委副书记
陈阳运（2022年1月—12月）

办事处副主任
肖青坪（2022年1月—12月）
吴　飞（2022年1月—12月）
党　菲（2022年1月—12月）
刘　康（2022年1月—12月）

纪工委书记
张成有（2022年1月—12月）

武装部长
汪光波（2022年1月—12月）

组织委员
周　雯（2022年5月—12月）

政法委员
王维成（2022年1月—12月）

【概况】地处柞水县委、县政府所在地，机关内设党政综合办公室、党建工作办公室、城市综合管理办公室、社会事务和社区发展办公室、平安建设和应急管理办公室、生态环境保护办公室，下属党群综合服务中心、网格化管理服务中心、农业农村综合服务中心。街办机关共有编制87名，实有80人，其中班子成员12人，站办负责人7人。街办下设党组织15个，其中机关支部1个，村（社区）党组织8个，非公企业支部共6个。全年精准招商引资7.2亿元，争取财政专项资金794.7万元，3个重点项目完成投资8100万元，成功纳统进库项目6个，完成投资1.26亿元。农村居民人均可支配收入达到14528元，农业总产值1.99亿元，工业生产总值18.01亿元。乾佑街道2022年荣获陕西省年度耕地保护激励先进单位、商洛市优秀先进基层党组织、市基层信访工作先进集体、市级文明镇、县森林防火工作先进集体、县河长制考核优秀、县工会工作先进集体、县劳动维权工作先进集体、县大气污染防治工作先进集体、县"七五"普法工作先进集体、县"五上"企业纳规及投资入库工作先进集体、县服务工业暨民营经济发展工作先进集体、县乡村振兴工作先进集体、县疫情防控工作先进集体、县武装工作先进集体、县信息宣传工作先进集体、县党风廉政建设目标责任制考核优秀镇（办），乾佑街道梨园村被创建为省级乡村旅游示范村，乾佑街道马房子村民宿入选全市精品民宿。

【党的建设】优化城市党建"三四五"工作法，成立"三无"小区党支部，实施共驻共建"四季行动"，落实"网格化+五长制"，累计开展"红色为民代跑""常态化疫情防控""人盯人+""环境整治"等活动230余场次，争取包抓单位资金近千万元用于小区面貌改造。开展基层党组织"对标建强"百日攻坚活动，完成村级党组织活动场所规范化建设，确保标识统一、制度统一、功能统一。建立乾佑街道办奖惩激励制度，机关领导、干部建立廉政档案84人，村社干部建立廉政档案67人。2022年，运用"四种形态"19人次，运用第一种形态12人次，通报批评5次，提醒谈话2人，约谈干部10人，7名党员、干部受到党政纪处分。

【乡村振兴】发展木耳214.8万袋，车家河村东沟百美村宿开业运营，月收益达15万元以上，梨园村省级乡村旅游示范村获得命名，北关至车家河沿线乡村振兴示范带建设已完工，同时开展石镇、马房子沿线基础设施提升工程，实现街道办全域优化提升。

【城乡建设】做好石镇三角带小游园、桃园地下停车场、北关水文站等城市整治和城区立面改造、线缆落地、绿化提升和沿街亮化的环境保障。拆除什家湾租售站、洗衣房、煤场、乐苑农家、锦阳租售站、七里沟废品收购站以及城区楼顶彩钢房、玻璃棚等违法违规建筑119处6842.22平方米、广告牌671处1832.5平方米，建设秦岭山水乡村示范村3个，改造公有产权村级卫生室4个，实施农村改厕220户、农户住房改造447户，新建便民桥4座、通组路7条10.14千米。

【疫情防控】派出街办、村社1380人次参与"两站一口"卡点值带班工作，坚持常态化核酸检测和实战演练。先后开展区域及全员核酸检测42次，参检人数147万人次，开展疫情防控演练6场次。加强人员排查，利用"人盯人+疫情防控"排查境外返回人员18人，省外来返人员18700人次、省内市外32469人次。累计管控居家隔离7375人次、健康监测19800人次首针接种率86.93%，第二针接种率87.37%，加强针接种率95.95%。

【项目建设】招商到位资金7.2亿元，争取财政专项资金794.7万元。3个重点项目完成投资8100万元，占年计划的110.96%。做好企业"纳规入统"工作，成功纳统进库项目6个，完成投资1.26亿元，占年计划的173.29%。

【生态保护】配备生态网格员40名，每日巡查，加强日常监管，发现、整改、销号问题12个。对辖区重点区域安装监控6个，确保及时发现问题调查取证。全年共组织开展专项巡查检查11次、联合巡查检查3次，配合上级部门巡查检查8次。累计向秦保局、水利局、资源局等执法部门移交线索3件。省市县反馈疑似图斑销号8个、省审计厅检查组反馈疑似图斑销号1个、县检察院反馈问题2个均整改到位。

【民生福祉】按时按标发放低保、五保等补助资金530.1元、慰问优抚对象15人，发放重点优抚对象91人抚恤定补135.9万元，年满60周岁农村籍退役士兵21人老年生活补助6.9万元，为退伍退役军人办理优待证895人。组织30余人次开展辖区学校安全监管、食品抽样等专项检查20余次；新建改造公有产权村级卫生室4个。抓好农民工、退役军人、高校毕业生等重点群体就业，转移就业2489人，自主创业15人，开发特设乡村振兴公益性岗位26人，开发公益岗143人，开展实用技术培训4场次560余人次。

【社会治理】排查整治"三小"场所475家，安装智慧消防智能无线烟感340个，排查烟花爆竹、在建施工等280家次，排查安全隐患28处，其中当天整改24处，限期整改4处，隐患整改率达到100%。推进自建房排查整治，摸排自建房3518栋，排查安全隐患117栋，其中有安全隐患的经营性自建房13户。设立平安稳定信息研判中心，建立137个网格，9个网格管理微信群，组织各类检查180余次。受理信访件44件，办结42件，其余案件都在积极化解中。常态化运行"人盯人+八抓八防"市域社会治理创新机制，划分片区213个，选配片长213名，推进党建引领25个"三无"小区治理工作，争取包抓单位投资近千万元，新装门禁36个、监控140套，硬化道路及场地3300多平方米，新设规划车位880个，打造居民小游园30多处，拆除违章建筑6200平方米，立面改造27.1万平方米。

（王楠撰稿　张青丽编辑）

营盘镇

中共营盘镇委员会
营盘镇人民政府
党委书记
吴启辉（2022年1月—2月）
严文军（2022年3月—12月）
党委副书记、镇长
毛　嵩（2022年1月—12月）
人大主席
樊　杰（2022年1月—12月）
党委副书记
王希林（2022年1月—12月）
副镇长
王德斌（2022年1月—12月）
李　楠（2022年1月—12月）
纪委书记
索文瑛（2022年1月—12月）
武装部长
姚　武（2022年1月—12月）
政法委员
张明琦（2022年1月—12月）
组织委员
唐玉婷（2022年1月—12月）

【概况】地处秦岭南麓，是柞水县的北大门，距县城17千米，距西安54千米，素有"终南首邑""秦楚咽喉"之称。流域面积614平方千米，辖9个村（社区），37个村民小组（小区），共3732户11509人。实现工业生产总值42460万元，工业增加值4110万元，增幅10.7%；农业生产总值19240万元，增幅12.6%，实现年度计划的100.63%；农民人均可支配收入达到17929元，同比增长10.3%。文化和旅游部授予营盘镇为第四批全国乡村旅游重点镇荣誉称号、牛背梁旅游度假区为国家级旅游度假区；营盘镇朱家湾村被住房和城乡建设部评定为第六批中国传统村落名录村落；营盘镇秦丰村被陕西省住房和城乡建设厅选定为美丽宜居示范村。营盘镇被柞水县委、县政府授予木耳产业发展突出贡献、项目建设、招商引资、夺旗抱奖牌、纳归入统、服务工业暨民营经济发展、疫情防控等七项先进集体荣誉称号。全省秦岭生态环境保护现场会、全省的宅基地改革现场会、全省旅游景区应急演练、全省低碳日主题宣传活动启动仪式、全市康养产业现场会、全市重大项目现场会、全县亮点工作观摩会、全县乡土人才工作室现场观摩会、全县新时代文明实践现场观摩会10余场次省市县现场会在营盘镇召开。

【乡村振兴】把全镇3477户监测对象划分为164个监测网格片区，纳入重点监测对象54户154人，采取兜底保障、稳岗就业等多重帮扶措施，稳定消除风险32户102人。谋划示范镇（村）建设项目14个，总投资52197万元，完成投资81610万元，完成率达156%。以产业促增收、就业保增收、创业带增收"三措并举"，鼓励436户群众发展中华蜂养殖3100箱、生猪养殖等特色养殖1600头，种植中药材1100亩。累计解决群众就业687人。依托旅游资源，带动群众创办农家乐、农产品经营等各类门店96家，新建中高端民宿14家，群众收入稳步提升，脱贫人口收入增长幅度达到13.5%。

【项目建设】建立推行项目建设"六包"责任制，组建招商小分队1支，谋划招引涉游项目3个，总投资10400万元，年度规划的云山湖、盘谷山庄、孝义厅等14个项目已全部开工，开工率达到100%。七彩山水营地、孝义厅文化体验等11个项目全部建成并投入运营，完成年度固定投资101610万元，占全年计划投资的156.3%。完成"五上"企业纳规任务4个，占年度任务200%；完成3个项目的投资纳规任务。全市康养产业现场会、重大项目观摩活动先后在营盘镇实地观摩云山湖森林康养产业园、七彩山水营地、终南山寨康养民宿街区、孝义厅文化体验园4个项目。

【乡村旅游】启动秦楚古道4A级景区创建、孝义厅A级景区创建，开展秦岭地区农家乐综合整治工作30余次，下发整改通知书268份，依法关停整改农家乐17家，升级改造高端民宿120家。会同县文旅局，开展农家乐经营培训20余场次，开展民宿授星定级活动，评定星级民宿11家，游客投诉率较上年度下降19.8%。成功创建全国乡村旅游重点镇，牛背梁度假区成功创建为国家级旅游度假区，朱家湾村被联合国世界旅游组织纳入"世界最佳旅游乡村"名录储备库，获评中国传统保护村落。

【民生福祉】保障低保、五保户、残疾、临时救助1220户1798人，发放补助资金639.23万余元。居民养老保险参保4903人，达到98.10%；居民医保参保人数10073人，达到98%。向省市县争取各类项目建设配套资金1.797亿元，完成4条7.87千米村级道路硬化，全力推动G211柞水县大坪至营盘公路"三改二"改扩建项目和云山湖大道改扩建项目，累计实施里程达18.4千米。推进示范村"厕所革命"工程，超额完成330户"厕所革命"任务。

【特色产业】探索木耳产业"集体+公司+农户"种植新模式，引进木之光农业有限公司，从生产管理端、包装销售端全程参与。注册柞水木耳—小耳农场子品牌。全年发展木耳474万袋，产木耳44.3万斤，北河村、丰河村、两河村木耳基地荣获全县通报表扬。组建木耳销售合力团，拓宽线上线下销售渠道，采取帮扶单位销、驻镇企业销、旅游景区销、网络带货销等模式，各级帮扶单位办帮销4.5万斤。线上对接"东方甄选"直播带货4场次，销售木耳19.6万斤，销售价格达69.9元每斤。引进林麝人工繁育养殖项目，总投资1500万元，带动丰河、北河村集体以圈舍租赁的方式，年增收20万元，带动200余户群众以饲草、务工等形式，户均增收3000余元。

【社会稳定】新冠疫苗加强针接种率达到99%，筑牢全民免疫防线。开展安全生产检查整治35次，消除安全隐患。按照"人盯人+"基层社会治理总体要求，探索推行"三线管控、四网排查、五步联调"矛盾纠纷多元化解工作机制，排查各类矛盾纠纷35件，已成功化解33件，调处成功率达97%。完成"六好"司法所创建任务，法治政府建设示范镇顺利通过上级评估复验，成功创建朱家湾村市级民主法治示范村、药王堂村和秦丰村县级民主法治示范村。

【生态保护】投资150余万元，建立秦岭生态保护智慧管控中心，安装和接入各类监控81个，通过"人盯人"+大数据管控平台和视联网可视系统，实现立体化管控、高效化处置，绿色化发展和全天候一体监测，该做法接受全省秦岭"五乱"现场观摩，并受到一致好评。

【党的建设】以党的二十大、习近平总书记来陕考察重要讲话及省、市、县会议精神为重点，累计开展集中学习研讨、线上线下培训161场次，各级讲党课21次；规范届中调整村干部4人，培育后备干部18人，发展"双带"型农民党员25人，培养入党积极分子18人，规范9个村级活动场所建设。明确"千名头雁带富领飞""千名党员驻村兴农""千名人才创新创业"示范点3个，实施学历提升计划4人，头雁带富领飞3人，建立"乡土人才工作室"1个，并在全县人才工作室观摩中取得第一名的优异成绩。落实全面从严治党主体责任，执行落实"三重一大"集体决策程序，落实"一岗双责"，全年开展督促落实生态环保、成果巩固、疫情防控等工作43次，在重大节假日前夕召开干部廉政过节集体谈话会，签署廉政过节承诺书180余份。

（陈明亚撰稿　张青丽编辑）

下梁镇

中共下梁镇委员会
下梁镇人民政府

党委书记
舒　涛（2022年1月—12月）

党委副书记、镇长
李沛峰（2022年1月—12月）

人大主席
王晓珍（2022年1月—12月）

党委副书记
付侨鹏（2022年1月—12月）

副镇长
刘　鹏（2022年1月—12月）
周煜翔（2022年1月—12月）

纪委书记
陈迪苗（2022年1月—12月）

武装部长
寇正擎（2022年1月—12月）

组织委员
张　斌（2022年1月—12月）

政法委员
陈敬锋（2022年1月—12月）

【概况】镇机关内设党政办公室、人大政协办公室、经济发展和镇村建设管理办公室、维护稳定办公室、宣传科教文卫办公室，下辖农业综合服务站、社会保障服务站、公共事业服务站、便民服务中心。编制92人，现有干部88人，其中机关公务员45人，事业单位干部43人。荣获全省农村集体经济产权制度改革先进集体、省级镇域生活垃圾治理试点镇、商洛市"十四五"期间乡村振兴示范镇、全县乡村振兴先进集体、项目建设先进集体、招商引资先进集体、纳规入统先进集体、服务工业暨民营经济发展工作先进集体等荣誉称号。

【乡村振兴】全面夯实五级书记抓乡村振兴责任，加强233名网格员管理，落实2201户7202人的联系帮扶责任，保障各项工作稳步推进。规范落实"八个一批"衔接政策，开展实用技术培训12场320余人次，兑付奖补资金105.055万元、生态林补贴1865户75.8131万元、发放小额信贷55户25.77万元，适龄儿童无辍学现象，脱困人口合作医疗、养老保险缴费达到100%。做好"百日提升""百日督帮"行动问题大排查大整改大提升行动，累计整改各级反馈和自查的16批次问题85个，嘉安社区、金盆村顺利通过省级第三方评估，老庵寺、石瓮子社区被评为全县乡村振兴十强村。

【疫情防控】压实"四方"责任，做好重点对象管控、全员信息排查、重点区域核酸检测、全民疫苗接种、全天卡点值守5项重点工作，累计排查核实重点对象3769人次、实施规范隔离监测4200人次，适宜接种人群疫苗接种率达到98%。

【招商引资】选定西川村宽地医药中药材加工、金盆村鸸鹋油提取加工、石瓮子社区"秦岭宿集·山水庭院"、野森林"千企千镇"木耳小镇等7个重点招商项目，累计签约资金11.6亿元；年度"五上"企业纳规入统2个，完成申报验收3个，完成固定资产投资1.35亿元。推进溶洞景区古道岭二期开发、沙坪社区幸福林带、石瓮子社区"三产"融合、老庵寺村"金柞水"木耳深加工等重点项目建设，顺利迎接市县多次现场观摩。

【生态环境保护】推行生态环保周巡查、森林防火App管理，落实河长制、田长制、林长制责任，织密纵向到底、横向到边的监管网格。开展长江流域十年禁渔、违规占地建房专项清理、秦岭生态环境突出问题专项治理系列行动，累计清理"五堆""五乱"213处、拆除违规建构筑412栋，改厕950处，全镇6个村均通过全县秦岭山水乡村第二轮验收。建立人盯人+生态保护、人盯人+环境整治监管机制，签订下梁镇五美庭院创建及"门前三包"责任书5000多份，结合无职党员设岗定责，设立党员巡查岗176个，保洁责任区286个，建立共治共管共建共享的责任体系。2022年成功创建为省级镇域生活垃圾治理试点镇，沙坪社区、明星社区为省级绿色社区。

【社会事业】做好城区三幼扩建、石瓮子中心校校舍改造项目协调，常态化开展校园周边"五小""五乱"专项整治，城区三小、二中教育质量持续保持全县前列。落实基本公共卫生均等化服务，密切配合县中医院迁建入驻，持续提升镇卫生院、卫生分院服务能力和村卫生室标准化建设，做好妇女"两癌"救助、二代残疾证换发、心脏病儿童救济等工作，全国卫生镇顺利通过复验。落实各项社保政策，全镇新型农村合疗、城乡居民养老保险参合、参保率95%以上；成立下梁镇社会工作服务站、嘉安社区社工室，创建2个慈善协会幸福家园；开展惠农资金专项治理，及时足额发放低保金420万元，五保金94万元，临时救助235户22.8万元。

【社会治理】开展安全生产专项整治三年行动，做好道路交通、城乡消防、特种设备、建筑矿山4个领域安全生产专项整治，累计开展安全生产大检查30余次，下达安全生产整改意见书16份，消除安全隐患16处。推行人盯人+基层社会治理体系，规范镇村综治中心及警务室、人盯人+基层社会治理指挥部（所）建设，常态化做好县长信箱、12345政务热线管理，开展矛盾纠纷排查调处及领导干部接访下访工作，及时回应群众诉求83件次，妥善解决信访案件9件次。推动数字化乡村建设与平安创建深度融合，率先完成老庵寺村"雪亮"工程和嘉安社区"智慧社区安防"行动，推进"国家反诈中心"App安装工作，强化"三官一律"和调委会作用发挥，开展扫黑除恶专项斗争，社会大局平安稳定。

【基层党建】优化调整基层党组织9个，培养积极分子20人，新建党建示范点6个，开展党史学习教育和党的二十大精神宣传80场次，制作宣传标语60余条，评选表彰各类先进典型40人次。开展标准化动态管理、软弱涣散党组织排查整顿，常态化为群众办实事2000余件次。结对培养年轻干部10名、参与学历提升行动28人，推荐科级领导4名、职级等级晋升14人。京东云仓红色驿站被命名为全省新业态党建品牌示范点。

（朱洁撰稿　张青丽编辑）

凤凰镇

中共凤凰镇委员会
凤凰镇人民政府

党委书记
王玉锋（2022年1月—5月）
李开东（2022年5月—12月）

党委副书记、镇长
李开东（2022年1月—5月）
张大雷（2022年5月—12月）

人大主席
但正浪（2022年1月—12月）

党委副书记
刘书博（2022年1月—12月）

党委副书记（挂职）
常　江（2022年1月—7月）
袁正博（2022年7月—12月）

副镇长
阮　东（2022年1月—12月）
赵　文（2022年1月—12月）

纪委书记
冯开君（2022年1月—12月）

武装部长
王小东（2022年1月—12月）

组织委员
孟小云（2022年1月—12月）

政法委员
刘国恩（2022年1月—12月）

【概况】现有领导干部职工84人，领导职数13个，非领导职数71个。党政班子成员9人，行政工作人员25人，事业单位工作人员38人，三支一扶工作人员6人，工勤岗位工作人员6人。凤凰镇人民政府属国家行政机关，执行全镇的社会和经济发展计划、预算，管理本镇内的经济、教育、科技、文化、卫生、体育事业和财政、民政、治安、人民调解、安全生产监督管理、移民开发、计划生育等行政工作。

【党的建设】学习贯彻党的二十大精神等，开展党委理论中心组学习31次、专题学习96次，开展各类宣讲30余次，举办各类培训8期，培训干部175人次；培养入党积极分子21人，发展党员8人，开展迎"七一"系列活动2期，发放"光荣在党50年"纪念章9人；新建党代表工作室、"老党员之家"和"红色驿站"，构建镇级"一室一家一站"综合性党群服务阵地，新改扩建村级党群服务中心2处700余平方米。

【项目建设】实施基础设施建设项目11个，累计完成投资1.72亿元，新建古镇民宿2院；古民居修复9户；完成高速沿线民居提升美化工程1120座；建设标准化木耳大棚110栋，金凤木耳全产业链项目建成投产，全市重点项目观摩团实地观摩；凤凰古镇环卫设施建设、金凤生鲜物流产业园2个项目完成固定资产投资3420万元，完成年度投资任务的114%；2个"大个体"纳规入统工作通过市级验收；成立3支队招商小分队，与浙江建筑设计研究院等公司展开洽谈对接，新引进木耳产业资源综合利用、百里药谷等招商引资项目2个。

【乡村振兴】落实"四个不摘"工作要求,及时调整镇、村工作机构,193名网格员常态化开展防返贫监测,新纳入监测对象13户16人;聚焦"两不愁三保障"和安全饮水、产业帮扶、稳岗就业、资金项目管理等十大行动,巩固成果工作代表全县顺利通过省级评估;制订《凤凰镇乡村振兴示范镇建设实施方案》,5个规划高标准通过省级评审,建成清水、金凤乡村振兴示范村2个。

【特色产业】发展木耳477万袋,产干木耳25.3万斤,销售收入713.5万元,建成清水村农产品交易中心,全县木耳产业推进会在凤凰镇召开;粮食播种面积24000亩,粮食产量5100吨,蔬菜产量6500吨,散养土鸡2.9万只、生猪存栏5652头、禽蛋产量320吨、养蜂630箱,肉类总产量932.2吨,蛋类总产量1478.3吨,全年发展乌红杂交天麻等中药材1000余亩、人工培养兰花30亩、种植魔芋300亩、形成"一主多辅"的农业产业格局,重大动物疫病防控、建档、挂标100%;清水村建成市级大豆玉米带状复合套种核心示范区246亩,建立县级示范区8个,带动农户种植大豆玉米带状复合套种956户1243.52亩。

【城镇建设】镇区幼儿园、自来水改造项目竣工投用;农村太阳能路灯累计修复400余盏;新建通组水泥路5.7千米;推进"两拆一提升"行动,共拆除墙体立面广告、竖式广告、商业门头、灯杆及护栏广告等330块,拆除违法建筑物79处3328.7平方米;开展"秦岭山水乡村建设",固定每周三为秦岭山水乡村建设主题活动日,累计清理农村生活垃圾490吨,清理河道40余千米,清理自然形成的"村口垃圾场"12个,拆除废旧厕所猪圈25个,清理房前屋后乱堆乱放1200余处,打造五美庭院29户、景观小品3处,清水村黄花沟农房示范片区受群众认可,金凤村被评为"省级美丽宜居示范村"。

【民生福祉】实现农村劳动力转移就业4760人,创经济收入7800万元;城镇新增就业215人,失业人员再就业41人,就业困难人员就业14人,发放就业交通费补贴312人26万元;落实控辍保学"镇长、村长、家长、师长"责任制,学前教育入园率达98%以上,义务教育入学率、巩固率均达100%,年度辖区内教育教学质量位居全县前列,学校(幼儿园)无重大安全事故发生;始终坚持低保、五保、残疾救助、临时救助、大病保险救助统筹实施,发放各类补贴1687人588.52万元。

【社会治理】创新"片长—村干部—镇干部—包案领导"四级矛盾纠纷调解工作机制,推进平安创建工作,平安建设知晓率排名全县前列,排查矛盾纠纷102件,化解积案和其他案件98件,调处率达到100%,化解率达到96%以上,全年无越级赴京访事件发生;做好自建房排查整治工作,共排查全镇范围内自建房屋3737栋,其中经鉴定为危房的经营性房屋4户已制订一户一方案。印发《凤凰镇防汛救灾"人盯人·人帮人"防抢撤预案》,汛期共计撤离群众1056户3782人;组织动员696人,组建巡逻队9个,全天候开展森林防火工作,查处违法野外用火7起;成立"镇—村—组"三级监督巡查小组9个,围绕辖区学校、超市、酒店、餐饮店等重点场所,不定期开展安全隐患排查整治工作,无不安全事故发生。

(王洁撰稿　张青丽编辑)

小岭镇

中共小岭镇委员会
小岭镇人民政府

党委书记

陈永富（2022年1月—12月）

副书记、镇长

孙贤政（2022年1月—12月）

人大主席

王　礼（2022年1月—12月）

副书记

邹亚军（2022年1月—12月）

副镇长

管　宁（2022年1月—12月）

王乐乐（2022年1月—12月）

纪委书记

杜德涛（2022年1月—12月）

武装部长

方翔宇（2022年1月—12月）

政法委员

黄国君（2022年1月—12月）

【概况】地处柞水县城东部，社川河上游，距县城37千米，水阳高速和315省道穿境而过，镇域面积111.1平方千米，有耕地8370亩，下辖1个社区、4个行政村，3297户11642人。镇党政班子成员9名，站办所长（主任）4名，一般干部61名（机关公务员28名，事业单位工作人员33名）。镇内有大西沟铁矿、陕西银矿、博隆矿业等规模企业17家，有银、铁、铅、锌、铜等矿藏20余种，大型矿床4个，铁矿矿石总储量3.02亿吨，居亚洲第一。

【乡村振兴工作】成立脱贫攻坚成果巩固与乡村振兴有效衔接领导小组，设立16个专班工作组，分别由班子成员担任组长，牵头负责行业扶贫、资金保障、督查检查等专项工作。建立防止返贫监测和帮扶机制。按照"农户申请、入户核实、村评议公示、乡镇审核、县级比对审定"的程序进行。全镇现有重点监测户30户，其中新增纳入重点监测户10户。

【工业经济】重点项目建设任务1个，总投资4000万元，年度计划完成投资3000万元，已完成投资4000万元，占年度计划任务的133.33%。固定资产投资纳统项目1个，完成固定资产投资8521万元，占年度计划任务的284.03%。项目建设投资和固定资产投资完成情况在各乡镇中均位列第一名。

【产业发展】粮食功能区面积完成11100亩，粮食总产量2430吨，发展养猪1830头、养牛125头、养羊556只、家禽19300只，预计户均增收1800余元。结合村情实际，优化林下梯田经济，种植毛知母、白芨等药材2010亩（示范基地300亩、普通基地340亩），养殖土蜂471箱，种植花椒220亩、核桃585亩、板栗650亩。有发展能力的贫困家庭实现中长期产业覆盖率达到100%。推进全镇4村1社区木耳产业发展。先后引进农业龙头企业5家、旅游企业2家，建成木耳大数据中心、年产2000万袋的木耳菌包生产厂和1000吨的木耳分拣包装生产线。共栽植菌包524.84万袋，其中岭丰村22.5万袋、罗庄社区20万袋、李疙村18.5万袋、金米村381.2万袋（春耳311万袋、秋耳70.2万袋）、常湾村82.64万袋。

【生态治理】 落实或建立环境卫生整治"门前三包"机制960户，财政专项用于村庄清洁行动资金20.52万元，社会力量投入村庄清洁行动资金14.3万元。清理沟渠220千米，清理村内淤泥数量494吨，清理村内断壁残垣86处，清理村内乱搭乱建33处，清理村内通村道路75.5千米，清理粪污等农业生产废弃物数量645吨，其中厕所粪污78吨。开展进村入户宣传教育4948场次7320人次，发放宣传资料6558份，张贴宣传标语数量1892条。卫生厕所计划改造200户，无害化厕所185户，已全部完成205座。开展生态环保问题专项检查巡查20余次，发现问题14个，下发停工整改通知书11份，实行销号式管理。开展"牢记嘱托、守卫秦岭""当卫士我先行"等活动，紧扣"秦岭山水乡村"建设和"两拆一提升"工作，累计清理农村"五堆"214.5吨，清理"五乱"113处，拆除广告牌54个，深入辖内工矿企业，开展污水、扬尘、噪声、震动集中治理行动，开展砂石车防尘整治，人居环境持续改善。

【民生事业】 组建科普宣传队5个，组织开展技术、技能培训36场3400余人次，赠送资料8500余份。利用各村及黄金移民小区文化舞台，开展文化活动38场次，参加人数1500人次。发放低保204.71万元，五保金79.49万元，实施临时救助83人26.571万元万元。发放残疾人补助金46.8725万元。

【社会治理】 召开法治报告会7场次，发放宣传资料500余份、宣传手提袋200个，出动宣传车20台次，开展法治文艺演出8场次。扫黑除恶知晓率、参与度进一步提升。在各村（社）和重点行业开展地毯式线索摸排，深挖细排涉黑涉恶犯罪线索，摸排疑似线索10条，利用公众号、网络、手机彩铃和短信等形式，加强平安创建和普法宣传，发放法治宣传册6000余册，做好案卷评查、社区矫正、律师签约服务、巩固法治示范单位建设成果。坚持"一周一排查一化解"矛盾纠纷排查调处机制，严格实行"零报告"和领导坐班制度，积极化解信访积案，确保全国两会、党的二十大期间无非访发生。全年共排查矛盾纠纷79件，化解78件，其中网上信访24件，全部结案。

【党的建设】 开展党委理论学习中心组24次。全镇7个基层党支部通过强化中心组理论学习、大讲堂会集中学习、站所村社团体学、两微一端推送学、老党员上门庭院学等多种方式，加强政治理论学习教育，镇机关支部与5个村支部同时开展"我为群众办实事"微心愿征集活动，每名党员干部认领微心愿2~3个，现已办结490余条。发挥龙头企业的带动作用，采取联合组建的方式，凝聚发展合力，新建产业党小组37个，扶贫车间4个。大力推行"党支部+合作社+贫困户"党建领航脱贫模式，采取"借袋还耳""借苗还药"模式发展木耳590万袋、种植中药材800余亩，产业规模逐步壮大。召开会议研究部署2022年党风廉政建设和反腐败工作，听取工作汇报8次。共立案审查调查7人，给予党纪处分2人，政务处分5人，诫勉谈话3人，提醒谈话4人，按照"三色预警"工作机制，发出橙色预警2份。

（张雷撰稿　张青丽编辑）

杏坪镇

中共杏坪镇党委
杏坪镇人民政府
党委书记
阮　鹏（2022年1月—12月）
党委副书记、镇长
张　涛（2022年1月—12月）
人大主席
任湘湘（2022年1月—12月）
党委副书记
杨　洋（2022年1月—12月）
副镇长
刘明华（2022年1月—12月）
吴龙龙（2022年1月—12月）
张　力（2022年1月—12月）
纪委书记
房　青（2022年1月—12月）
武装部长
冯　立（2022年1月—12月）
政法委员
黄　昊（2022年1月—12月）

【概况】地处柞水县东南部，地跨金井河、金钱河、社川河三大流域，东邻山阳，南接镇安，西靠凤凰镇、北抵瓦房口镇。水阳高速、312省道穿境而过，交通便利。总面积251平方千米，耕地总面积20098亩，林地311279亩。辖12个村2个社区，全镇户籍人口7391户25223人。现有在编干部65人（公务员26人，事业单位39人），其中党政领导班子10人，镇长助理1人，站所长4人。2022年农村劳动力转移就业5126人，创经济收入8420万元，农业生产总值2.1亿元。被评为全国"一村一品"示范镇，被认定为2022年市级现代农业园区。

【项目建设】重点项目建设任务2个，总投资0.61亿元，年度计划完成投资0.61亿元，已完成投资0.61亿元。固定资产投资纳统项目2个，完成固定资产投资1.3736亿元，占年度计划任务的225.18%。

【特色产业】杏坪镇以木耳产业、茶产业为主，特色种植、养殖为辅的产业发展思路，成立6个产业包抓专班，推进产业发展。春季筹措木耳菌包资金1180万元，在肖台、党台、严坪、中台、杏坪社区、柴庄社区发展木耳590万袋，秋季筹措木耳菌包资金260万元，在肖台、党台、严坪、中台、杏坪社区、柴庄社区发展木耳130万袋。累计投入苏陕协作资金1470万元，建成标准化生态茶园2390亩，2022年春季采收茶叶1074斤，并成功举办云蒙山茶园第一届茶叶开采节。在联合、严坪、中山、柴庄等村（社）发展白芨、丹参、玄参、连翘等中药材2500余亩，联合、天埫等8个村发展烤烟1346亩。种植艾蒿440亩，生产艾产品3万件；生猪存栏4340头，肉牛存栏283头。投资166万元，在油房村建成猪肉加工厂1座，投入运营，成功注册香辣坊商标。

【乡村振兴】 落实"分级管理、三色预警"防返贫预警监测机制，全面压实"四支队伍"及351名防返贫预警监测网格员作用，每名网格员每月对网格内所有农户至少走访1次，研判确定重点监测户52户，逐户落实帮扶措施，消除致贫返贫风险15户。落实控辍保学"七长制"责任，按时发放国家助学金、学前低收入家庭生活补助金、义务教育低收入家庭生活补助金；落实先诊疗后付费、慢病签约服务等制度，签约慢病服务1069人，报销合规费用553人次48.44万元，报销率达到87.56%。实施危房改造21户；兑付产业奖补资金58.32万元；发放小额信贷贴息贷款1024.83万元，兑付贴息资金39.22万元。

【民生福祉】 整合资金，加强道路、水利等基础设施建设，晨光村康家沟等20条通组路全部竣工验收，修复水毁河堤4处1264米。按时足额发放低保金569户1308人626.29万元，五保金393户395人149.06万元，临时救助389户1362人次111.75万元，落实残疾人"两项补贴"681人次85.61万元，救助孤儿3人3.38万元；按时完成2091人养老金年审工作，足额发放养老金和高龄补贴。

【环境保护】 落实河长制、林长制、田长制责任，实现镇村两级环境保护网格化全覆盖。召开专题会议研究生态环境保护工作11次，镇村两级河长定期累计开展巡察3280次，解决河道问题66个，制止非法采砂9次。落实属地管理责任，加强全镇14个饮用水源地保护。加强农村面源污染，对全镇22个养殖场，定期开展检查，严厉打击粪污乱排等违法行为。对中央环保督查反馈问题整改工作进行"回头看"，坚决防止类似问题再次发生。对省、市反馈的疑似图斑进行现场核查，逐个制订整改方案，已全部整改到位，并销号。对水阳高速、312省道及人口聚集区为重点，全面推进人居环境整治。累计动员镇村干部、护林员、公益岗位656人次，投入各类机械45台次，拆除户外广告牌184处、违法建筑及乱搭乱建81处，清理残垣断壁22处、"五堆"38处，清理各类生活垃圾126吨，整治房前屋后乱堆乱放467户，清理畜禽养殖粪污等农业废弃物43吨，完成联丰村、严坪村等村130户改厕任务。累计动用工队101个1208人，对水阳高速沿线1034户房屋立面进行提升，涂白189820.1平方米。14个村（社区）秦岭山水乡村建设工作顺利通过市级验收。

【社会治理】 结合大走访大排查活动，大力宣传平安创建，发放各类宣传彩页7000余份。常态化开展矛盾纠纷排查化解，摸排梳理各类矛盾纠纷121件，化解到位104件；网上信访案件37件，办结35件。建立"人盯人+"基层社会治理体系，全镇14个村（社区）划分片区315个，整合护林员、保洁员、村干部、公益岗等选拔片长315人。全年开展安全大检查3次，消除安全隐患12处，并全部整改到位；压实护林站长及172名护林员责任，全天候开展巡查，安全度过森林防火期。

【党的建设】 按照选优配强村"两委"班子要求，选出"双好双强"村干部65人。全年发展党员18名，培养入党积极分子22人。开展作风建设活动，召开推进会、座谈会、点评会8次；通过发放征求意见表等多种形式，及时收集意见、建议，先后2次召开作风建设问题检视剖析研判会，共梳理领导班子问题22个，班子成员问题132个，一般党员干部问题522个。目前已整改到位，20个问题长期坚持。开展理论中心组学习22次，开展研讨交流8次；开展"会前半小时"学习20场次，镇村召开党史专题推进会、宣讲会42场次，各支部累计举办读书班90余场次。

（周鑫撰稿　张青丽编辑）

红岩寺镇

中共红岩寺镇委员会
红岩寺镇人民政府
党委书记
  李 茜（2022年1月—12月）
副书记、镇长
  宁江平（2022年1月—12月）
人大主席
  邹 涛（2022年1月—12月）
党委副书记
  李 明（2022年1月—12月）
副镇长
  仝 睿（2022年1月—12月）
  王 浩（2022年1月—12月）
纪委书记
  张春民（2022年1月—12月）
武装部长
  舒亚力（2022年1月—12月）
组织委员
  徐启平（2022年1月—12月）
政法委员
  程 璐（2022年1月—12月）

【概况】位于柞水县东北部，镇政府驻红岩社区，镇机关内设党政办公室、人大政协办公室、维稳办公室、市场监督管理办公室、宣传科教文卫办公室、经济发展和镇村管理办公室；下属公用事业服务站、农业综合服务站、社会保障服务站、便民服务中心；编制92人（机关编制48人，事业编制44人），现有在编干部75人（公务员35人，事业单位34人，三支一扶6人），其中党政领导班子10人，站所长9人。荣获市级征兵工作先进集体，县级木耳产业发展先进集体、信访工作先进集体、武装工作先进集体、"柞水先锋"信息宣传工作先进集体及最美志愿服务组织、优秀妇联组织等多项荣誉称号。

【乡村振兴】围绕"五大振兴"总要求，纳入重点监测户30户78人，全面落实帮扶措施，消除风险5户。认领中省市县督查考核反馈问题14个批次50个问题，按照"七有"要求，全部整改到位。探索党建引领集体经济发展新模式，10个村（社区）集体经济年度收入均达到5万元以上，全镇1356户脱贫人口人均收入增速均达到14%以上。

【产业发展】做强做优连翘产业，建成连翘基地1.8万余亩，人均连翘达到1亩以上，连翘产业促进群众增收被陕西电视台、《当代陕西》杂志社、"学习强国"等主流媒体报道。种植木耳230万袋，年度净增190万袋，新建木耳大棚99个2万平方米，木耳工作连续5次获得全县流动红旗，在全县率先完成木耳销售，多次受到表彰奖励。发展北美冬青100亩，种植车厘子40亩，种植瓜蒌60余亩、无刺花椒200多亩，红安村中药材育苗10余亩260多万株，蜂蜜、桃仁、松籽、粉条、腊肉等特色产业持续壮大，一村一品特色产业格局初具规模。

【项目建设】红岩寺饰面花岗岩项目完成花岗岩荒料加工厂建设并投产，盘龙寺村燕窝沟口至正沟村公路完成土路基建设 2.4 千米；废旧轮胎回收利用项目启动建设；红岩社区烈士陵园扩建和本地湾村谷子沟五星县委遗址修复项目完成规划设计即将启动实施；盘龙寺村乡村振兴示范村及兰家湾公共设施建设项目全面完成，盘龙寺马铃薯加工厂主体建设已完工，镇中心幼儿园已于 2022 年 9 月正式投入教学；硬化产业路 7.2 千米、通组路 8.9 千米，修复水毁道路 108 处 11.3 千米、便民桥 6 座，6 个村修建高标准农田 1.1 万亩，更换安装太阳能路灯 500 多盏；盛海服饰加工厂、红岩寺镇电子商务中心、西安木耳专卖店建成运营。

【环境整治】推进"两边一补齐"和"两拆一提升"专项行动，在 307 省道两侧抓点示范，清理农村生活垃圾 85 吨，清理河道沟渠 81.9 千米，清理残垣断壁 62 处、清理畜禽养殖粪污等农业废弃物 48.5 吨，清理整治农户房前屋后乱堆乱放 1000 余户，组织开展环境卫生集中整顿活动 40 余次，出动人员 320 余人次，整治各类问题 60 余个，清理破损垃圾箱 30 多个。

【民生保障】转移就业 4235 人，落实交通补助 753 人。落实各项社会救助政策，落实低保 370 户 812 人、特困供养 152 人、残疾补贴 532 人，临时救助 423 户 1363 人。

【招商引资】完成项目纳规入统 2 个，固定资产投资 2.15 亿元，新引进项目 3 个、开工 2 个，签约合同项目 2 个，总投资 7.3 亿元，农村居民人均可支配收入达到 1.2 万元。

【社会治理】建立完善"人盯人+"基层社会治理体系，划分片区 193 个，落实片长 193 名，构建"横向到边、纵向到底"的科学化基层社会治理体系。落实安全生产"党政同责、一岗双责、齐抓共管"要求，排查安全隐患 10 余项。加强校园及周边治安综合治理，完善校园"三防"建设，实现学校及周边公共安全高清视频和人面识别系统全覆盖。开展"大宣传、大排查、大走访、大回访"行动，"平安村居"创建工作达标率 100%。

【基层党建】学习贯彻党的二十大精神，开展党建主题活动，为民办实事 200 余件，走访慰问困难党员 26 名，完成党群服务中心提档升级 5 个，打造红色驿站 1 个、妇女儿童之家 1 个。摸排整顿软弱涣散党组织 1 个，创新"党建赋能、产业富民"党建载体 4 个，建成产业发展基地 9 个。培养后备干部 36 名、纳新党员 9 名。建成乡土人才工作室 2 个。开展干部作风建设，查改作风问题 12 个。

【其他工作】在各级党报、党刊和"红色红岩"党建微信公众号刊发各类宣传报道 150 余篇，按时完成党报党刊征订任务，无重大舆情发生。做好党务政务信息公开，依法公开各类信息 13 期 52 项，按照要求依法清理不合理证明事项 8 项，"12345"便民热线群众诉求全部办结，组织开展"干净人家""好婆婆""好媳妇"等各类创评活动 40 次。

（卢婷撰稿　张青丽编辑）

瓦房口镇

中共瓦房口镇委员会
瓦房口镇人民政府

党委书记
徐　欣（2022年1月—12月）

党委副书记、镇长
吴锦坤（2022年1月—12月）

人大主席
汪正权（2022年1月—12月）

党委副书记
田光明（2022年1月—12月）

副镇长
王熙宁（2022年1月—12月）
刘杨堃（2022年1月—12月）

纪委书记
霍　杰（2022年1月—12月）

武装部长
张　珑（2022年1月—12月）

组织委员
王　涛（2022年1月—12月）

政法委员
益家丹（2022年1月—12月）

【概况】全镇辖7个村、1个社区、60个村民小组和居民小区，总人口4994户14857人，总面积199.7平方千米。森林覆盖率达76.8%，耕地面积16998亩。现有领导干部职工76人，行政人员32人，便民服务中心工作人员3人，公共事业服务站工作人员4人，农业综合服务站工作人员15人，社会保障服务站工作人员10人；领导职数10个，非领导职数66个。工农业总产值完成37507万元，其中农业总产值15787万元，完成工业总产值21720万元，粮食总产量5846吨；完成招商引资5.5亿元，完成劳务输出4367人，创经济收入4500万元；农民人均纯收入达到9600元，同比增长5.4%，人口自增率1.36‰。

【乡村振兴】对全镇七村一社区4595户农户进行分类管理，重点监测户41户已落实帮扶人；全镇6至15周岁学龄儿童无一例辍学；实现村卫生室全覆盖，贫困人口慢病患者签约服务率达100%；对存在安全隐患的4户农户（C级2户，D级2户）纳入危房改造；对镇81个饮水点排查出问题28个已完成修缮；完成粮食播种面积25900亩、粮食总产5600吨，玉米大豆带状复合种植1800亩；精准发放各项涉农惠农资金：发放耕地地力保护补贴共计3667户19910.23亩1194613.9元；发放三个批次实际种粮农民一次性补贴共计475955.89元；发放中药材产业奖补共计8户37.5亩11250元；发放特色产业奖补共计28户85.2亩27060元；发放农机购置补贴共计3户2400元；各村申报落实产业奖补749户，奖补资金227.5万元，其中养殖补贴622户207万元，种植补贴127户20.5万元；落实脱贫人口外出务工人员交通补助12余万元，求职补贴40余万元，设置公益岗位256个，完善就业台账；城乡居民医疗保险参保12862人，缴纳金额3884960元，参保率97%；落实防返贫动态监测周研判机制，建立网格化排查机制，设立网格员158

人；全镇移民搬迁409户1709人，集中搬迁387户1609人，分散搬迁22户100人，严格落实后续帮扶，落实兜底保障120户，落实公益岗6人。

【项目建设】完成重点项目建设任务2个，完成固定资产投资纳统项目2个，完成招商引资项目2个，完成"五上"企业纳归入统固定资产任务2个，完成销售类纳统任务1个。配合实施金井河小流域治理工程已竣工、集镇污水集中处理项目管网埋设已完成、瓦丰"四改三"公路改扩建项目路面已到位；4条通组公路7.5千米硬化完工、乡村振兴示范村产业路1千米已建成。

【农旅产业】金台村的百亩瓜蒌香瓜子种植项目试种成功，成为瓦房口镇的新兴产业；街垣社区的蜂蜜加工厂，已经成为全县规模最大的蜂蜜加工厂，持有商标2件；大河村科沃农业有机肥加工厂，建成2000吨有机肥的绿色循环经济项目。市水利局驻金台村工作队为村上争取河道综合治理、水毁河堤修复、小流域治理、抗旱应急项目各1个，总投资约500万元；县发改局驻马家台村工作队先后为村上解决资金30余万元，将原有的13个药材育苗大棚改造为木耳种植大棚，经济效益增加10%，扶持马家台村发展羊肚菌种植。建成宋海东蜂蜜产学研人才工作室，引进西北大学食品科学与工程学院的曹炜教授团队为瓦房口镇的蜂蜜产业把脉指导，通过为本土人才搭建创新创业平台，激发本土人才的创业热情。老庄村乡土人才党万斌被考察担任县第十届工商联（商会）会员。

【社会事业】五保户198户199人，低保户421户943人。新增低保33户63人，提高标准3户13人。审批发放临时救助267户875人553438元，其中县批105户400人463150元，镇批162户475人90288元。发放高龄补贴1575人1173400元；城乡居民养老保险上缴基金998100元，参保人数5203人，参保率100%；全年输出劳动力4367人次，创经济收入4500万元。开展就业、创业技能培训5次，培训630人，农村劳动力转移就业3853人。进城落户工作有序推进，新进城居住者达21人。全面落实"两免一补"政策，适龄儿童入学率达到100%。

【环境整治】拆除广告牌和违法建筑203处，清理"五堆"61处，农业废弃物43吨，完成310户改厕。落实"河长制"责任，修缮水毁垃圾填埋场道路，聘请保洁员19名，村镇脏、乱、差问题得到有效改善。镇村面貌焕然一新，荣获"市级卫生镇"荣誉称号，磨沟村荣获"市级卫生村"荣誉称号。

【基层党建】坚持党建领航，召集镇党委理论学习中心组学习和其他专题研讨交流6次，开办瓦房口镇作风建设大学习夜校22期，组织机关干部进行知识测试4次。审批接收预备党员8名，备案发展对象9名，新备案积极分子19名。协助有关高校党组织做好瓦房口籍大学生入党政审外调工作，出具入党外调政审证明材料21份。全年向8个村（社区）党支部发放《习近平谈治国理政》（第四卷）64套、发放《党的二十大精神学习辅导百问》等资料8套、发放《党章》470份，党建指导员累计为农村党员讲党课16场次，向腿脚不便农村党员送学上门33人次。办理机关干部党员党组织关系转移26人次，办理农村党员、高校毕业生党员党组织关系转移17次。开办党务干部培训班2期，各村（社区）党支部书记、副书记轮训一遍。

（韩航撰稿　张青丽编辑）

曹坪镇

中共曹坪镇委员会
曹坪镇人民政府

书　记

周子淋（2022年1月—12月）

副书记、镇长

吴　婷（2022年1月—12月）

人大主席

朱　勇（2022年1月—12月）

副书记

张　越（2022年1月—12月）

副镇长

熊小平（2022年1月—12月）
徐　彬（2022年1月—12月）

纪委书记

田　波（2022年1月—12月）

武装部长

周长武（2022年1月—12月）

组织委员

白明鹏（2022年1月—12月）

政法委员

蔡克成（2022年1月—12月）

【概况】位于柞水县东北部，北与蓝田县葛牌镇接壤，南与本县小岭镇金米村毗邻，东临瓦房口镇金台村，西接下梁镇四新村，总面积304.82平方千米，耕地面积12243亩，林地面积41.68万亩。全镇辖2个农村社区7个行政村，共55个村民小组，总人口4981户15763人，其中脱贫户1836户5807人。全年全镇人均可支配收入13078.56元，实现农业生产总值2.06亿元，同比增长5.3%。农村居民人均可支配收入实现13078.56元，同比增长9.97%，完成预计收入的105.4%。镇党委政府荣获全市信访工作先进单位、全县项目前期建设先进单位等市、县7项集体荣誉和10多项个人荣誉。

【乡村振兴】纳入重点监测户68户221人，消除风险23户80人，做到应纳尽纳，未发生体外循环。强化问题排查整改，召开各类研判会、推进会30余场次，整改销号各类问题80余个。实施衔接资金项目11个587万元，中坪社区创建乡村振兴示范村，7个木耳产业村发展木耳840万袋，扩种椴木木耳900架，曹坪木耳西安专卖店对外运营，木耳年产值超过2100余万元，实现联农带农。

【党的建设】做好党的二十大精神宣讲，开展党委理论学习中心组学习15次，向9个村（社区）党支部进行理论宣讲1轮次，党员干部受教育400余人次，吸纳积极分子20名，发展党员8名，转正12人，打造"三联三聚三+"非公党建示范点和党建促乡村振兴示范点2个，改造提升党群服务中心2个，完成非公党支部标准化建设1个，镇村党代表工作室建设全覆盖。严格执行"三会一课"制度，组织开展主题党日活动120余次，动员党员参加志愿服务700人次。

【社会经济】实现农业生产总值2.06亿元，同比增长5.3%，完成预计产值109.1%。农村居民人均可支配收入实现13078.56元，同比增长9.97%，完成预计收入的105.4%；1836户脱贫户人均收入

12498.89元，同比增长15.19%，增速位居全县第一。全年通过"迎老乡回故乡建家乡"和"第六届丝博会"等招商引资节会完成签约项目2个9.16亿元，完成固定资产投资3个重点项目3.38亿元，占预计任务额度的120.9%，完成纳规入统零售企业1户。

【项目建设】建成窑镇社区至银碗村通村公路改扩建工程9.97千米并投入使用，硬化银碗村庙沟、药厂沟、刘家沟3条通组路5.71千米，蔡李路、曹小路镇内县道改建项目基础工程按期完工，曹坪集镇污水管网3.3千米主体工程稳步推进。曹坪抽水蓄能电站紧盯"五个一"目标，已获得省级核准并举行项目开工活动，创造同类项目的"柞水速度"。海纳斯石业综合开发利用项目前期准备充分并获省政府用地批复，马耳峡水库实物调查、县政府已发布封库通告，相关手续快速推进。一批总投资百亿、十亿级的省市重点项目相继落户曹坪。

【社会治理】建立由9名指挥长，249名片长组成的"人盯人+八抓八防"网格化、网络化基层社会治理平台。全年排查矛盾纠纷85件化解到位83件，化解成功率为95%，协议履行率达100%，网上信访26件全部化解到位并及时评价，重点人群管控到位，"两会"期间和党的二十大等重要时期，实现"零"进京、"零"赴省目标。

【人居环境】开展秦岭"五乱"专项整治，秦岭山水乡村建设，"两拆一提升"专项工作，发放宣传书5142份，签订村庄清洁三包责任书4900份，实施人居环境提升228户，改造无害化卫生厕所200座，清理村组道路240千米、垃圾734吨、断壁残垣32处、乱搭乱建46处；落实林长、河长等责任制，发动村组干部、网格员、各类公益岗等有效资源推行"周一全民环境整治日"活动，通过"周推进，月评比，年奖惩"机制，窑镇社区人居环境接受全市项目观摩并受到好评。

【民生保障】通过拓展就业信息，地方项目带动、村内增设公益性岗位、参加职业技能培训等多种措施，有能劳动力实现就业4462人，公益性岗位400人，务工总人数较上年增加5%。落实低保救助555户1076人，五保救助263户265人，重度残疾人护理补贴救助361人，困难残疾人生活补贴救助552人，开展县级临时急难救助763人、镇级救助372人，成立4个村级慈善幸福家园，募捐资金10余万元，解决农村贫困人口"两不愁"问题。

【疫情防控】疫情防控投入资金20余万元，完成疫苗接种2.6万剂次，排查出柞水籍市外务工人员1487人，落实"六方责任"精准管控重点地区返乡人员1863人，实施25轮次全员核酸检测和12次重点区域核酸检测，累计完成检测人群21万人次。

（史高旸撰稿　张青丽编辑）

附 录

2022年国家媒体刊发柞水报道题录

作者	网址
高丹 程刚	http://paper.people.com.cn/rmrb/html/2022-02/08/nw.D110000renmrb_20220208_3-19.htm
靳昊	https://epaper.gmw.cn/gmrb/html/2022-02/12/nw.D110000gmrb_20220212_1-12.htm
郑海鸥	http://paper.people.com.cn/rmrb/html/2022-02/25/nw.D110000renmrb_20220225_3-07.htm
顾仲阳 常钦	http://paper.people.com.cn/rmrb/html/2022-02/28/nw.D110000renmrb_20220228_1-02.htm
王轩宇	https://news.cctv.com/2022/04/18/ARTIla1EcBohRC9WQvrFL1ys220418.shtml
李楠楠 黄玉琦	http://cpc.people.com.cn/n1/2022/0418/c164113-32401600.html
光明日报调研组	https://news.gmw.cn/2022-07/29/content_35917108.htm
常钦 王浩	http://paper.people.com.cn/rmrb/html/2022-04/29/nw.D110000renmrb_20220429_1-18.htm
李舫 任成琦 史鹏飞 高炳	https://news.cctv.com/2022/04/30/ARTIO8SbfDluFOg0JLTN9ZbJ220430.shtml
王若歆	http://world.people.com.cn/n1/2022/0804/c447390-32494500.html
靳昊	https://epaper.gmw.cn/gmrb/html/2022-07/27/nw.D110000gmrb_20220727_3-02.htm
李洁 张哲浩	https://epaper.gmw.cn/gmrb/html/2022-07/11/nw.D110000gmrb_20220711_3-04.htm
姚雪青 秦瑞杰 翟钦奇	http://paper.people.com.cn/rmrb/html/2022-06/06/nw.D110000renmrb_20220606_1-12.htm

续表

作者	网址
李　玉	http://paper.people.com.cn/rmrb/html/2022-06/09/nw.D110000renmrb_20220609_2-09.htm
孙　波　陈　晨　张　斌	http://www.news.cn/politics/leaders/2022-06/22/c_1128765521.htm
王乐文　龚仕建 张丹华　高　炳 原韬雄	http://paper.people.com.cn/rmrb/html/2022-06/23/nw.D110000renmrb_20220623_3-01.htm
原韬雄　常碧罗 李　纵	http://paper.people.com.cn/rmrb/html/2022-05/29/nw.D110000renmrb_20220529_2-05.htm
高　炳　王永战	http://paper.people.com.cn/rmrb/html/2022-05/27/nw.D110000renmrb_20220527_1-06.htm
李雪钦	http://paper.people.com.cn/rmrbhwb/html/2022-05/04/content_25915956.htm
尹　婕	http://paper.people.com.cn/rmrbhwb/html/2022-04/06/content_25911022.htm
李亚鸽	http://paper.people.com.cn/rmrb/html/2022-03/28/nw.D110000renmrb_20220328_5-05.htm
张忠良	http://paper.people.com.cn/rmrb/html/2022-03/14/nw.D110000renmrb_20220314_1-07.htm http://www.news.cn/politics/leaders/2022-03/07/c_1128444258.htm
李　洁　张哲浩	https://epaper.gmw.cn/gmrb/html/2022-08/22/nw.D110000gmrb_20220822_5-03.htm
李　舫　任成琦 史鹏飞　高　炳	http://paper.people.com.cn/rmrb/html/2022-08/05/nw.D110000renmrb_20220805_1-12.htm
吴　超	http://sn.people.com.cn/n2/2022/0805/c226647-40068306.html
杨英琦	http://www.shx.chinanews.com.cn/news/2022/0804/88071.html http://www.news.cn/politics/leaders/2022-08/11/c_1128908260.htm

续表

作者	网址
顾仲阳　常　钦	http://paper.people.com.cn/rmrb/html/2022-08/22/nw.D110000renmrb_20220822_2-01.htm
冯　华　李心萍　邱超奕	http://paper.people.com.cn/rmrb/html/2022-09/08/nw.D110000renmrb_20220908_1-04.htm
高海霞　刘学梅	http://sn.news.cn/2022-09/13/c_1128999435.htm
吕佳珊	https://cn.chinadaily.com.cn/a/202209/24/WS632fa3ada310817f312efaa6.html
钱景童　刘　亮	https://news.cctv.com/2022/09/24/ARTIBcncPQib5pVNUCIIhXNe220924.shtml
邹多为　孟含琪	http://www.news.cn/politics/leaders/2022-10/01/c_1129046609.htm
光明日报记者 李　晓　陆　健 高建进　胡晓军 李玉兰　耿建扩 陈元秋　王斯敏 光明日报通讯员 徐梦玲　赵元君 王豆豆　朱焕荣	https://news.gmw.cn/2022-11/04/content_36136571.htm
储国强　贺占军　姜辰蓉	http://sn.news.cn/2022-12/23/c_1129227847.htm
张　斌	http://m.news.cn/sn/2022-12/25/c_1129231617.htm
李　婕	https://le.cnki.net/Kreader/CatalogViewPage.aspx?dbCode=CCND&filename=rmrh202212290040&tablename=CCNDTEMP&compose=&first=1&uid=&ecode=CCND

2022年《陕西日报》刊发柞水报道题录

序号	日期	版面	报刊	题目	作者
1	1.26	3版	陕西日报	乘势而上砥砺前行 拼搏实干再谱新篇	秦骥 郑斐 甘甜 李羽佳
2	4.5	1版	陕西日报	陕西全力以赴做好森林草原防灭火工作	甘甜
3	4.6	9版	陕西日报	打造农村产业链供应链提升的示范样本	苏怡
4	4.7	7版	陕西日报	商洛：严厉打击疫情防控期间违法违规行为	王晨曦
5	4.13	2版	陕西日报	王晓到商洛市检查秦岭生态环境保护等工作	郑斐
6	4.21	9版	陕西日报	柞水创新税宣方式助力优惠政策落实落细	徐颖 孟建华 丁玲
7	4.23	1版	陕西日报	牛背梁：看得见山 望得见水 端得上"金饭碗"	王婕妤 王晨曦
8	4.24	1版	陕西日报	金米村：小木耳种出大幸福	陶玉琼
9	4.25	2版	陕西日报	绿水青山入画来	师念
10	5.9	9版	陕西日报	智慧变电站成电力行业发展"风向标"	苏怡
11	5.9	11版	陕西日报	下梁镇村村农业有特色	张斌
12	5.10	10版	陕西日报	今年首次"院士商洛行"活动开展	郭诗梦
13	5.12	3版	陕西日报	用青春热血谱写奋斗乐章	刘芊羽
14	5.24	10版	陕西日报	看见	陶玉琼
15	5.27	4版	陕西日报	兴产业 把小木耳做成推动乡村振兴的大产业	秦骥
16	6.2	8版	陕西日报	柞水常态化培养选拔优秀年轻干部	刘居星 李娜
17	6.4	1版	陕西日报	再访秦岭	储国强 贺占军 姜辰蓉

续表

序号	日期	版面	报刊	题目	作者
18	6.8	3版	陕西日报	陕西省"乡村振兴·科技赋能"科技教育乡村行活动启动	霍强
19	6.9	7版	陕西日报	春风化雨入秦岭	申东昕 许奥博
20	6.10	3版	陕西日报	做青少年朋友的知心人	王晨曦
21	6.16	3版	陕西日报	柞水县老庵寺村：山路风来草木香	王晨曦
22	6.21	8版	陕西日报	红色热土展新颜	王姿颐 王婕妤 陈嘉
23	7.5	1版	陕西日报	"赛场"练干部 一线解难题——商洛市聚力推进"三百四千"工程	李小龙 刘媛
24	7.8	1版	陕西日报	深刻汲取教训 牢记"国之大者" 持之以恒地保护好秦岭生态环境	
25	7.11	1版	陕西日报	商洛："一都四区"描绘高质量发展新画卷	王婕妤 党率航
26	7.12	3版	陕西日报	把"小木耳"做成乡村振兴"大产业"	刘芊羽 王晨曦
27	7.13	3版	陕西日报	"群众需要，片长就到"	郑斐
28	7.21	2版	陕西日报	为困难群众托起稳稳的幸福	杨小玲
29	7.26	9版	陕西日报	致富产业背后的"财神"	杨光文
30	8.3	5版	陕西日报	陕西金融机构多措并举助企纾困解难	杨光
31	8.31	4版	陕西日报	第一书记：尽心尽责守护一方平安	李羽佳
32	9.8	7版	陕西日报	秦岭"识菌"人	张梅
33	9.14	2版	陕西日报	陕西发布28条秋季休闲农业和乡村游精品线路	艾永华
34	9.20	5版	陕西日报	柞水县通过首批国家创新型县验收	王晨曦
35	10.11	1版	陕西日报	安吉白茶"安家"陕西柞水	王婕妤 王晨曦
36	10.16	11版	陕西日报	三秦百姓福祉持续增进	

续表

序号	日期	版面	报刊	题目	作者
37	10.17	9版	陕西日报	踔厉奋发新时代 勇毅前行新征程	周明 李旭佳 张乐佳 杨鹏 赵杨博 陈嘉 陈志涛 赵晨 陈宏江 王姿颐 王晨曦 董剑南 郭军 师念 霍强 吕扬
38	10.18	7版	陕西日报	备受鼓舞 踔厉奋发向未来	陶玉琼
39	10.29	6版	陕西日报	依靠顽强斗争打开事业发展新天地	陶玉琼 吕扬 柏桦 张梅 秦骥 刘墨琼 刘居星 侯燕妮 孟珂 杨小玲 霍海澎 刘芊羽
40	11.7	1版	陕西日报	改文风中见作风	王佳伟 刘枫
41	11.10	8版	陕西日报	秦岭消防有"智慧"	王婕妤 王晨曦
42	11.11	3版	陕西日报	改会风中树新风	王佳伟 王帅
43	12.7	13版	陕西日报	强村带弱村，联手同富裕	李雷 李羽佳 杨峰
44	12.12	7版	陕西日报	传播党的好声音 服务群众零距离——我省文明实践宣讲团宣讲党的二十大精神综述	王帅
45	12.16	4版	陕西日报	滴滴甘露润心田——我省全力做好农村供水安全保障	吴莎莎
46	12.26	1版	陕西日报	当好秦岭生态卫士 全力推进乡村振兴 推动陕南绿色循环发展迈出更大步伐	孙鹏
47	12.26	1版	陕西日报	苏陕协作助力陕西农特产热销长三角	王帅
48	12.26	3版	陕西日报	守住绿水青山 换来金山银山	申东昕
49	12.27	10版	陕西日报	"组团"走出科技帮扶新路子	张梅

柞水荣誉墙

2022年1月6日，柞水县上榜中国气象服务协会发布的《2021中国天然氧吧绿皮书》。

2022年1月26日，县委依法治县办被中宣部、司法部、全国普法办表彰为全国普法工作先进单位。

2022年3月，柞水县成功通过商务部国家电子商务进农村综合示范县评估。

2022年4月，柞水县被授予全省"平安铜鼎"。

2022年5月，柞水县被省政府评为全省高质量发展"生态强县"。

2022年5月4日，金米村、秦岭洞天福地、朱家湾、牛背梁、终南山寨5个景区入选文化和旅游部、中国关工委联合发布的全国乡村旅游精品线路。

2022年5月23日，"陕西盘龙"和"柞水木耳"商标荣获"陕西好商标"荣誉称号。

2022年8月30日，柞水县顺利通过国家创新型验收，成为全省唯一的国家创新型县。

2022年9月2日，柞水县司法局被人社部、司法部表彰为全国司法行政系统先进集体。

2022年9月27日，柞水县木耳作为陕西唯一案例，入选为2022年全国农业生产"三品一标"典型案例。

2022年10月18日，牛背梁国家级自然保护区被全国森林活动组委会认定为2022年国家青少年自然教育绿色营地。

2022年10月27日，营盘镇被文旅部、国家发改委确定为第二批全国乡村旅游重点镇。

2022年11月，终南山寨森林康养基地和牛背梁森林康养基地被中国林业产业联合会认定为国家级森林康养试点建设基地。

2022年11月5日，杏坪镇被农业农村部评为第十二批"全国一村一品示范村镇"。

2022年11月7日，牛背梁旅游度假区被文化和旅游部命名为国家级旅游度假区。

2022年11月19日，柞水县被生态环境部命名为第六批国家生态文明建设示范区。

2022年11月19日，在2022第七届"美丽中国·深呼吸小城"旅游文化节发布会上，柞水县入选"2022健康中国·康养旅游百强县"。

2022年11月21日，柞水县被中国林业产业联合会认定为2022年国家全域森林康养试点建设县。

2022年11月21日，柞水县秦岭行——森林康养人家被中国林业产业联合会认定为中国森林康养人家。

2022年11月27日，"柞水木耳"获得国家知识产权局地理标志产品保护。

2022年12月1日，营盘终南山寨被国家体育总局体育文化发展中心推介为2022中国体育旅游精品项目。

2022年12月28日，柞水县被水利部认定为国家水土保持示范县。

2022年，中国气象局公共气象服务中心联合中国气象服务协会等权威机构发布《2021中国天然氧吧绿皮书》，陕西11个县上榜，其中柞水县位于氧吧地均释氧量排行榜前20位。

2022年，商洛市柞水县食用菌产业链上榜省级现代农业全产业链典型县名单。

2022年，柞水县梨园村荣获"省乡村旅游示范村"称号。

2022年，柞水县通过全国首批创新型县认定。

2022年，"柞水木耳"入选全国农业生产"三品一标"典型案例。

2022年，柞水县入选"2022健康中国·康养旅游百强县"。

2022年，柞水县获第六批国家生态文明建设示范区。

2022年，柞水木耳获得地理标志产品保护。

2022年，柞水县营盘镇秦丰村、凤凰镇金凤村、下梁镇新合村拟被命名省级美丽宜居示范村。

2022年，金米村被确定为陕西省"美丽乡村文明家园"建设示范点。

2022年，商洛市重点项目观摩测评结果出炉，柞水荣获第三名。

2022年，杏坪镇现代农业产业园和窑镇中药材现代农业产业园被认定为市级现代农业园区。

2022年，营盘镇秦丰村、凤凰镇金凤村、下梁镇新合村3个村入选陕西省美丽宜居示范村。

2022年3月18日，柞水县税务局荣获"陕西省五四红旗团支部"荣誉称号。

2022年3月2日，柞水县荣获2021年全省信访工作先进县称号。

2021年3月11日，柞水县人民检察院干警刘银环同志荣获2021年度陕西省岗位学雷锋标兵。

2022年2月18日，柞水县成功入选"陕西省森林旅游示范县"名单。

2022年6月24日，柞水公路段黄土砭道班被陕西省公路局劳动竞赛委员会授予"先进班组"荣誉称号。

2022年柞水经济社会发展十大亮点

亮点一：牛背梁旅游度假区晋升为国家级旅游度假区

巩固国家全域旅游示范区创建成果，全面推动景区提档升级，着力丰富游客体验，国家文化和旅游部批准柞水牛背梁省级旅游度假区晋升为国家级旅游度假区。

亮点二：创成全省唯一的国家创新型县

坚持以科技创新驱动县域经济高质量发展为引擎，围绕主导产业，强化科技人才引进，加大高新技术企业培育、加强关键技术攻关，先后引进院士3名、科技人才72名，申报国家和省市科技计划项目48个，三八妇乐被授予"全省工业品牌培育示范企业"，2022年8月30日获得国家创新型县命名，成为全省唯一的国家创新型县。

亮点三："柞水木耳"入选全国农业生产"三品一标"典型案例

大力实施木耳发展"六大行动"，集中力量推进木耳产业高质量发展。2022年9月，"柞水木耳"作为陕西唯一案例，入选2022年全国农业生产"三品一标"典型案例。

亮点四：入选"2022健康中国·康养旅游百强县"

持续唱响"秦岭闺秀·康养柞水"品牌，盘谷山庄康养产业园、龙王沟康养产业园、云山湖康养产业园、盘龙医药康养产业园、梨园康养产业园五大园区扎实推进，终南山寨和牛背梁被认定为国家级森林康养试点建设基地，柞水入选"2022健康中国·康养旅游百强县"。

亮点五：国家电子商务进农村示范县通过评估

不断完善农村电商服务体系，培育壮大电商经营主体，农村电商物流配送实现全覆盖，线上交易额突破3亿元，荣获国家电子商务进农村示范县。

亮点六：命名为第六批国家生态文明建设示范区

重拳整治秦岭"五乱"，铁腕推进污染防治，坚决守护好青山绿水，上榜中国天然氧吧绿皮书，柞水县入选全国第六批国家生态文明建设示范区。

亮点七：荣获国家水土保持示范县

坚持山水林田湖草沙系统治理，采取"预防与治理结合、工程与林草并重、保土与蓄水结合"综合防治措施，水土保持率稳居全省前列，实现了"河畅、水清、岸绿、景美"的目标。2022年12月被水利部认定为国家水土保持示范县，是全市唯一获此殊荣的县区。

亮点八：荣获全省"平安铜鼎"

创新社会治理体系，深入开展安全生产"1598"行动，扎实开展"信访矛盾源头治理多元化解创新年"活动，扎实推进"八五"普法，连续两年蝉联"全省平安建设工作先进集体"，2022年4月被授予全省"平安铜鼎"。

亮点九：医疗设施条件大幅改善

人民医院住院楼，县中医医院整体迁建开诊，七彩山水营地建成投用，公有制产权村卫生室实现全覆盖，与省内外5家三甲级医院建立对口帮扶协议，县二级医疗机构对口帮扶镇卫生院实现全覆盖，医疗服务质量显著提高。

亮点十：县城颜值显著提升

纵深开展"两拆一提升"和自建房、阳光房整治专项行动，强力推进乾佑街环境提升、城区线缆落地等"九大工程"，新建城市游园14个、城市绿地5.05万平方米、环形健身步道6.7千米、新增停车位1554个，县城面貌焕然一新。

柞水县2022年建成"十大"工程民生持续改善

完成了群众期盼的"十大民生"工程，民生基础设施显著提升。

建成穆家庄九年制学校。拆危新建了高标准教学及辅助用房5层10间1600平方米，占地面积330平方米。

建成5座城区大桥。新建了城区一中、悬月路、交通路、城区二小跨河大桥等5座。

建成下梁新城千米防洪堤。新建了堤防1.093千米、固床潜坝5座、防汛交通桥1座、混凝土排水涵管2处、下河踏步6座。

建成下梁镇石瓮小学。拆除了石瓮小学临街楼板楼，在原址新建了教学及辅助用房4层9间1332平方米，占地面积333平方米。

建成社川河流域供水工程。在小岭镇金米村扩建了水处理厂1座，日供水新增2400吨，满足了小岭、凤凰、杏坪3镇2.2万人用水需求。

建成金井河流域通组硬化道路。硬化了金井河流域3镇11村29条29.87千米通组路。

建成桃园停车场及休闲广场。在乾佑街道迎春社区桃园区域新建了2288平方米地下停车场及地上休闲广场、停车位70个。

建成红岩寺镇3座便民桥。新建了张坪村石船沟预应力钢筋混凝土桥、桥梁全长23.5米，掌上村2座钢筋混凝土现浇实心桥。

建成3个基因扩增实验室。新建了县中医医院、县妇计中心2个PCR实验室；改建了县妇计中心PCR实验室1个，满足了疫情防控需求。

建成下梁镇沙坪社区板栗研究所区域道路硬化等基础设施提升项目。建成了板栗研究所至沙坪社区全长605米道路硬化、给水、排水排污、绿化（200米排洪渠、亮化）等基础设施。

柞水县农村宅基地资格权认定管理办法（试行）

第一章 总 则

第一条 为规范柞水县农村宅基地管理，保障农村集体经济组织及其成员的合法权益，根据《中华人民共和国民法典》《中华人民共和国土地管理法》《中华人民共和国村民委员会组织法》《中共中央国务院关于实施乡村振兴战略的意见》《中央农村工作领导小组办公室、农业农村部关于进一步加强农村宅基地管理的通知》等有关法律法规和文件精神，结合我县实际，特制定本办法。

第二条 本办法规定的宅基地资格权是指保障农村集体经济组织成员实现其基本居住需求的权利。宅基地资格权的实现应以"分户建房"的"户"为单位提出，宅基地资格权人可以申请宅基地使用权建房，也可以放弃宅基地使用权后申请纳入城镇住房保障体系。

第二章 宅基地资格权的认定

第三条 本县有下列情形之一的人员享有宅基地资格权：

（一）由集体经济组织成员繁衍，并在该集体经济组织共有的土地上生产、生活的后代；

（二）与集体经济组织成员形成法定婚姻关系的（国家行政事业单位及国有企业录用的在编人员除外）；

（三）父母或一方具有集体经济成员资格的子女，符合承包经营条件，但未承包到集体土地的；

（四）合法程序收养的子女；

（五）因国家政策性迁入或经法定程序加入的。

第四条 下列人员可保留宅基地资格权：

（一）原户籍在本集体经济组织的大中专院校学生及毕业生（国家行政事业单位及国有企业录用的在编人员除外）；

（二）原户籍在本集体经济组织的现役军人（不含现役军官）、复员、退伍军人（国家行政事业单位及国有企业录用的在编人员除外）；

（三）原户籍在本村的监狱服刑人员、社区矫正人员、刑释解戒人员；

（四）因外出经商、务工等原因，脱离集体经济组织所在地生产、生活，未曾弃荒土地、未曾自愿放弃其成员权利义务的；

（五）法律、法规、政策规定的其他情形人员。

第五条 农村宅基地资格权因下列情形而丧失：

（一）死亡或被依法宣告死亡的；

（二）取得其他集体经济组织成员资格的；

（三）书面形式自愿放弃农村宅基地资格权的；

（四）未在集体经济组织所在地生产、生活，未与农村集体经济组织形成权利义务关系，不以该集体经济组织所有的土地为基本生活保障的（包括全家迁出集体经济组织所在地的）；

（五）因政府行为、国防建设导致农村集体经济组织解散的。

（六）其他法律、法规或政策规定丧失宅基地资格权的。

第六条 非本集体经济组织成员在农村合法拥有住房而享有宅基地使用权的，其不因此享有宅基地资格权。

第三章 宅基地资格权审查备案登记

第七条 宅基地资格权实行审查备案登记制度。宅基地资格权人可根据自身需求，以"户"为单位向本集体经济组织提出宅基地资格权备案登记申请；本集体组织通过资格审查，经公示无异议后，报镇办人民政府备案。

第八条 宅基地资格权实行动态管理，集体经济组织按照村民依法自治的原则，与集体经济组织成员认定的调整保持一致。

第九条 宅基地资格权人应严格遵守"一户一宅"规定，在征地拆迁中已享受城镇住房保障待遇的不得再重新申请农村宅基地，集体经济组织应在宅基地资格权登记簿中予以登记，并纳入信息管理系统。

第四章 附 则

第十条 本办法由县农村宅基地制度改革工作领导小组办公室负责解释。本办法自2022年1月7日起施行，有效期至2024年1月6日。

柞水县农村宅基地建房管理办法（试行）

第一章 总 则

第一条 为进一步完善我县农村宅基地建房管理，落实乡村振兴战略，根据《中华人民共和国土地管理法》《中华人民共和国城乡规划法》及《中央农村工作领导小组办公室、农业农村部关于进一步加强农村宅基地管理的通知》等有关规定，结合我县实际，特制定本办法。

第二条 本办法适用于本县行政区域内农村宅基地建房审批管理。

第三条 本办法所称农村宅基地建房，是指农村集体经济组织成员或农村房屋的合法持有人按本办法批准，在宅基地上进行新建、扩建和改建农村家庭住宅（包括住房、附属用房和庭院）等行为。

第四条 农村宅基地实行所有权、资格权、使用权"三权分置"管理。农村宅基地所有权属于农村集体经济组织，资格权和使用权属于农村集体经济组织成员，使用权根据有关规定可以适度流转。

第五条 农村宅基地建房应符合国土空间规划、村庄规划、产业规划和相关保护性规划等，应符合安全、适用、经济和美观的要求，体现当地历史文化、地域特色和乡村风貌。

第六条 农村宅基地建房应坚持节约集约用地制度，坚持"一户一宅"原则。优先使用村庄内的存量建设用地和周边低丘缓坡等非耕地，严格控制使用耕地建房，严格禁止占用永久基本农田建房。占用非建设用地用于农村建房的，应按规定办理农用地转用审批手续。

第七条 农村宅基地建房实行村级民主管理。各村（社区）应建立农村宅基地建房管理事项民主决策制度，经镇政府、街道办事处审核备案后实施。

第八条 严格农村宅基地用途管制。严禁利用农村宅基地开发商品住宅，严禁下乡利用农村宅基地建设别墅大院和私人会馆，严禁买卖农村宅基地。

第二章 审批管理

第九条 农村村民住宅用地，由镇（办）人民政府审核批准。镇（办）农业农村机构负责审查申请人是否符合申请条件、拟用地是否符合宅基地合理布局要求和面积标准、宅基地和建房（规划许可）申请是否经过村组审核公示等。镇（办）自然资源机构负责审查用地建房是否符合国土空间规划、用途管制的要求，涉及占用农用地的，应审查是否已办理农用地转用审批手续。涉及住建、林业、水利、交通、电力等职能机构的要及时征求意见。完成审查后镇（办）各机构在农村宅基地和建房（规划许可）审批表中签署意见。

第十条 农村宅基地建房实行"带方案审批"制度。方案需提供建房总平面图，明确建房位置、四至、用地面积、建筑面积、层数、高度以及原有宅基地处置方式等内容。

第十一条 经批准建房后，原有一处或多处旧宅应予拆除或将产权移交村集体经济组织。经文物及有关部门认定具有保护价值的古建筑或拆除将危及毗邻户房屋建筑安全等不能拆除的旧宅予以保留，不动产权证转移登记给村集体经济组织。

第十二条 农村宅基地面积标准每户不超过133平方米，建房建筑层数不超过3层，建筑高度不大于10.5米。

第十三条 加强村民建设风貌引导，鼓励采用徽派建筑风格或柞水原有乡村建筑风格。

第三章 审批条件

第十四条 农村集体组织成员符合下列条件之一的，可以以"户"为单位申请宅基地用地建房：

（一）同户居住家庭，有多个子女的，因家庭成员已达到法定结婚年龄，需要建房分户居住的；

（二）因国家、集体建设，需要异地新建的；

（三）因实施农房改善、土地综合整治（高标准农田建设）等项目，且未有偿退出宅基地，需要异地新建的；

（四）原有住房因自然灾害或者其他原因损毁、倒塌，需要原址翻建或异地新建的；

（五）原有住房属C级、D级危房，需要拆除重建（原址翻建）或异地新建的；

（六）因夫妻离婚，一方系非独生子女、未享受过宅基地，且回原居住地生产生活的；

（七）法律、法规、政策规定的或村集体经济组织认定的其他情形。

第十五条 有下列情形之一的，农村宅基地建房申请不予批准：

（一）申请人已拥有一处宅基地或一户多宅的；

（二）申请人系具有赡养义务的独生子女且父母有住宅的；

（三）申请人有多个子女，但没有一个子女与父母共住的；

（四）申请人已将原宅基地使用权和住房进行转让、赠与、出租、入股的；

（五）申请人已享受宅基地腾退、住房补偿、移民搬迁等财政补助保障居住待遇的；

（六）申请人已享受农村五保集中供养待遇的；

（七）申请人属国家公务员（含参照公务员管理）、事业单位编制人员、国有企业或国有控股企业正式员工的；

（八）申请人系整户成员的户籍关系迁入到其他县域的"走空户"；

（九）申请人户籍关系由外地转入的"空挂户""挂靠户"；

（十）在其他村集体经济组织已经享受宅基地保障的；

（十一）非本村集体经济组织成员因转让、继承、赠与等合法方式获得房屋，从而享有宅基地使用权的；

（十二）存在违法占地或者违法建房行为尚未处理结案的；

（十三）法律、法规、政策规定或村集体经济组织认定的其他情形。

第四章 审批程序

第十六条 农户申请。符合农村宅基地申请条件的农户，以户为单位向所在村民小组提出宅基地用地和建房（规划许可）书面申请。申请应当载明申请理由、拟用地位置和面积、拟建房层高和面积、外观风貌等内容，并填报《农村宅基地和建房

（规划许可）申请表》，签署《农村宅基地使用承诺书》，提交身份证明、农房设计图等相关申请要件。农村宅基地实施"三权分置"流转后，按流转合同约定要求合作建房的，由资格权人和使用权人共同书面申请。

第十七条 村级审查。村民小组收到农户申请后，应当于5个工作日内提交村民小组会议讨论，并将以上申请材料在本小组公示栏或人口集聚区进行公示，公示时间不少于7个工作日。公示无异议或异议不成立的，村民小组将农户申请、村民小组会议记录、公示情况等材料提交村级组织审查。村级组织重点审查提交的材料是否真实有效、是否征求用地建房相邻权利人意见、外观风貌是否符合相关要求、是否符合村庄规划，审查时间不超过5个工作日。审查通过的，由村级组织签署意见，报送镇（办）。村组公示和审查时间合计不超过30个工作日。

第十八条 调查审核。镇（办）受理后及时转交农业综合服务站，农业综合服务站要审查申请人是否符合申请条件、拟用地是否符合宅基地合理布局要求和面积标准、宅基地和建房（规划许可）申请及外观风貌等是否经过村组审查公示等内容，并及时将申请材料和《农村宅基地和建房（规划许可）审批表》送自然资源部门进行审查和签署意见。镇（办）自然资源所负责审查用地建房是否符合国土空间规划、用途管制要求，其中涉及占用农用地的，应在办理农用地转用审批手续后，核发乡村建设规划许可证。涉及交通、公安、林业、水利、电力等部门的，要及时征求有关部门意见。调查审核期限不超过10个工作日，确需延期的，经镇（办）主要领导同意可延长5个工作日。

第十九条 镇办审批。镇（办）政府根据镇属各部门审查结果，组织召开会议对农民宅基地申请进行审批，并制发审批文件。符合要求的，核发《农村宅基地批准书》，原则上一并发放乡村建设规划许可证，并将审批结果在申请人所在集体经济组织范围内进行公布。镇（办）政府分别于每季度末20日前审批到位。

镇（办）政府要建立宅基地用地建房审批管理台账，有关资料归档留存，每季度末将审批情况报县级农业农村、自然资源、住建等部门备案。

第二十条 开工申报。经批准用地建房的农户，应当在开工前向镇（办）政府申请划定宅基地用地范围，镇（办）政府在收到申请5个工作日内组织农业综合服务站、自然资源所等部门到现场进行开工查验和实地丈量批放宅基地。

第二十一条 竣工验收。农户建房完工后，要及时向镇（办）政府申请验收，镇（办）政府在收到申请10个工作日内组织相关部门进行验收，实地检查农户是否按照批准面积、四至等要求使用宅基地，是否按照批准面积和规划要求建设住房，是否符合我省农村住房竣工验收管理指导意见要求，并出具《农村宅基地和建房（规划许可）竣工验收意见表》。

第二十二条 批文撤销。农村宅基地建房批准后，存在超过批准之日起满2年未开工建造、经调查确定弄虚作假和未按规定处置旧宅等违规情况的，由镇政府、街道办事处依法撤销审批，纸质资料每季度报县农业农村部门归档。

对现有住房进行扩建和改建（包括住房、附属用房和庭院等）的，参照上述审批程序执行。

第五章 监督检查

第二十三条 加强动态巡查监管。各镇（办）要依法组织开展农村用地建房动态巡查，加强日常监管，及时发现和处置涉及宅基地使用和建房规划的各类违法违规行为。

第二十四条 县农业农村局要会同县级有关部门和镇（办）建立动态巡查机制，依法组织开展农村宅基地建房动态巡查，切实做到对涉及宅基地使用、建房规划、建设施工等违法违规行为早发现、早制止、早报告、早查处。村级组织负责开展日常监管，及时收集掌握农村宅基地使用、农房建设施工等状况，及时督促提醒农户申请验收，对违法违规行为做到早发现、早报告。

第二十五条 探索将存在未批先建、骗取批准、违建超占、建新后应拆旧不拆旧等违法违规行为纳入社会征信系统，将失信行为记入其个人信用记录，并依法依规予以惩戒和查处。

第六章 责任追究

第二十六条 各镇（办）经办人员对宅基地和农房建设申请资料的真实性负责；审批人员对宅基地和农房建设审批资料完整性、合法性负责。县级机关职能部门、镇（办）、村（社区）工作人员，在农村村民宅基地申请审查和审批管理过程中玩忽职守、滥用职权、徇私舞弊，造成严重后果的，依法依纪承担责任。

第二十七条 本办法由县农村宅基地制度改革试点工作领导小组办公室负责解释。本办法自2022年1月7日起施行，有效期至2024年1月6日。

柞水县农村宅基地有偿使用管理办法（试行）

为进一步加强农村宅基地管理，认真落实节约集约使用农村宅基地管理制度，根据《中共陕西省委陕西省人民政府关于柞水县农村宅基地制度改革试点实施方案的批复》等文件精神，结合我县实际，制定本管理办法（试行）。

第一章 宅基地使用面积标准

第一条 农村宅基地是指农民依法取得的用于建造住宅及生活附属设施的集体建设用地，包括住房、庭院、厕所和畜禽圈舍的用地。

第二条 农村宅基地实际使用面积原则上以土地确权登记面积为准，未进行确权登记的，以村集体和土地使用权人确认且无争议的面积为准。

第三条 根据省市相关法律法规规定，结合我县农村宅基地具体使用情况，我县农村宅基地占地面积每处不得超过133平方米。

（一）本着"节约有奖、超出有偿"的原则，在农村集体经济组织主导下进行有偿使用。通过有偿使用促进宅基地有序退出，解决超占、一户多宅等问题，推进土地节约集约利用。

（二）超占宅基地（包括厨房、道场、猪圈、厕所等附属用房）230平方米以上的，应当缴纳有偿使用费，具体情况由村集体经济组织决定。

第二章 宅基地有偿使用范围

第四条 农村村民一户只能拥有一处宅基地，村民"户"认定，原则上以公安部门户籍登记为准且年满20周岁的本村村民；已婚且已分家单独居住生活的或依法继承宅基地上房屋所有权的未成年人可独立作为特殊村民"户"认定；因婚嫁关系居住在外村，但户籍仍在本村的，夫妻双方只能选择在其中一方拥有一处宅基地。有下列情况之一的应收取宅基地有偿使用费：

（一）一户一宅，超出规定面积的部分。

（二）一户多宅，超出规定面积的部分。

（三）非本村集体经济组织成员通过继承、受赠房屋或其他方式合法使用的宅基地。

（四）两代或两代以上共同拥有一处宅基地的，符合分户条件但未分户的，对分户后超出法定应分配宅基地面积的部分，收取宅基地有偿使用费。

（五）原为集体经济组织成员，因升学、入伍、工作等已退出集体经济组织，且在原籍拥有宅基地的，参照村民会议或村民代表大会意见确定是否收取宅基地有偿使用费。

第三章 宅基地有偿使用标准

第五条 宅基地有偿使用标准为：

（一）一户一宅的，有偿使用根据其超起征面积实行阶梯式计费。

1.超出面积不足200平方米部分按每年2元/平方米计费。

2.超出面积大于等于200平方米部分按每年5元/平方米计费。

（二）一户多宅的，其中一宅超法定面积的，超过部分与多宅部分累计按照阶梯式计费。

（三）经营性用地，占有、使用宅基地的，根据实际占地面积按每年2元/平方米收费。

第六条　严格执行宅基地面积控制标准。对初次分配的宅基地，实行规定面积内无偿取得。超标准占用的宅基地，超出部分如不足一宗宅基地面积标准再次申请使用宅基地时，原宅基地超出部分在缴纳有偿使用费后，方可批准新的宅基地。超出面积已超过一宗宅基地规定面积的，村民再次申请使用宅基地的，不予批准。

第七条　五保户、低保户和一般脱贫户的"一户一宅"超占宅基地应缴纳的有偿使用费，可经过村民会议或村民代表会议集体表决，给予减免；缺乏劳动能力、无生活来源、无法定赡养抚养义务人的"三无"老人，鳏寡孤独困难户等，确无能力缴纳宅基地有偿使用费的，由本人申请，经本集体经济组织成员代表讨论通过，可以实行缓交、减交或免交。

第四章　宅基地有偿使用费的收取、使用和监管

第八条　自本办法实施之日起，凡有偿使用宅基地的，应将该年度宅基地使用费主动交至宅基地所在村委会或集体经济组织。

第九条　宅基地使用权人退出宅基地的，村集体经济组织应退回当年的有偿使用费。

第十条　国家工作人员、党员干部、工商业主、产业协会负责人、在外知名人士应带头缴纳宅基地有偿使用费，并积极动员其亲属缴纳。

第十一条　宅基地使用人不按时缴纳有偿使用费的，可采取以下措施：

（一）从应分配给宅基地使用人的村集体经济收益资金中扣除有偿使用费。

（二）不予纳入村"两委"干部和村集体经济组织成员候选人，不得参与各类表彰奖励。

（三）对党员视其情节给予党纪处分；对干部按照干部管理有关规定给予相应政纪处分。

第十二条　宅基地有偿使用费收取，由镇政府（街道办事处）负总责，村民委员会具体实施。

第十三条　收取宅基地有偿使用费应使用统一的收据。具体收取范围，由本集体经济组织根据本村实际情况确定，经村民会议或村民代表会议研究通过，报镇政府（街道办事处）审批。

第十四条　宅基地有偿使用费归村民委员会集体所有，镇政府（街道办事处）按照"村财镇管"原则和农村财务管理有关规定做好管理工作。

第十五条　宅基地有偿使用费按照"取之于民、用之于民"的原则，主要用于节约用地户奖励、宅基地退出补偿、村庄基础设施建设、公共设施、公益事业及工作人员的误工补贴等。

第十六条　宅基地有偿使用费的收取、管理和使用应当按照相关规定实行民主决策、按期公示、接受监督。县监委、财政、农业农村、审计、自然资源等部门依据各自职能进行监督检查，对超标准、超面积收取或私自减免、截留、侵占、挪用宅基地有偿使用费的，严肃追究相关责任人的责任。

第十七条　本办法自2022年1月7日起施行，有效期至2024年1月6日。

柞水县农村闲置农房（宅基地）使用权流转管理办法（试行）

第一条 为深入贯彻落实乡村振兴战略要求，立足我县农村宅基地"三权分置"改革，培育发展农房（宅基地）流转市场，规范农村农房（宅基地）使用权流转行为，更好激活农村存量资本，促进农村集体经济组织和农民增加财产性收入，特制定本办法。

第二条 在坚持农村宅基地集体所有和充分保障农村村民对农村产权的占有、使用、收益等合法权益的前提下，适度放活农村宅基地使用权，允许农村农房（宅基地）使用权通过租赁、入股、抵押或其他合法方式进行流转。

第三条 本办法适用于柞水县行政区划范围内集体土地的农村闲置住宅使用权流转（以下简称农房流转），法律法规另有规定的，从其规定。

第四条 镇办人民政府对农房流转负监管主体责任，应当加强农房流转的监督和管理。各镇（办）农业综合服务站负责本辖区内农村闲置农房（宅基地）使用权流转具体工作，对利用方式、经营产业、租赁期限、流转对象等进行规范，实行动态巡查。县级农业农村、自然资源和住建等部门，在各自宅基地职责范围内，共同指导镇办做好农房流转的监督管理，农业农村部门负责统筹协调、指导和监督等日常工作。

第五条 农房流转后只能修缮，不得改建、扩建；不得侵占耕地、大拆大建、违规开发；不得违法违规买卖或变相买卖宅基地；不得利用农村宅基地建设别墅大院和私人会馆。

第六条 农房（宅基地）使用权流转遵守"自愿、公开、有偿"的原则，经所在村、镇（办）审核备案后，农村村民可以自主协商流转。

第七条 进入流转的农房（宅基地）应产权清晰无争议、合法合规、符合土地利用总体规划和城乡建设规划，流转后转出方必须有合法的住处，能保证其基本生存生活需要。

第八条 农村农房（宅基地）使用权流转期限不超过20年。闲置农房（宅基地）使用权流转范围不局限于本集体经济组织内部，可面向本集体经济组织外致力于农村发展的自然人和法人。

第九条 农房（宅基地）使用权自行协商流转程序：

（一）提交申请：经农房（宅基地）所在村集体经济组织审核备案后，流转双方持相关资料向所在镇（办）人民政府提出书面申请。

（二）条件审查：镇（办）人民政府对流转条件进行审查，并将流转审查情况在所在村的村务公开栏公示5个工作日。

（三）签订合同：流转双方签订农房（宅基地）使用权流转合同。

（四）合同鉴证：流转双方签订流转合同，应在各镇（办）农业综合服务站办理流转鉴证。

（五）证书登记：流转合同年限在 15 年及以上的，流转双方可持申请书、流转合同、鉴证书、不动产权证等相关资料在签订转让合同之日起 30 日内到不动产登记部门办理农房（宅基地）使用权流转证书。

第十条 在流转期内，转入方依法享有农房（宅基地）使用权及地上建（构）筑物的使用、收益、改造权利。同时，转入方有义务在政府土地征收、集体项目建设等方面配合农房（宅基地）所在村集体经济组织工作。

第十一条 鼓励通过农村产权交易中心进行农房（宅基地）使用权流转，交易规则另行制定。

第十二条 本办法由县农村宅基地制度改革试点工作领导小组办公室负责解释。本办法自 2022 年 1 月 7 日起施行，有效期至 2024 年 1 月 6 日。

柞水县深化医疗保障制度改革具体措施

根据《中共陕西省委、陕西省人民政府印发关于〈关于深化医疗保障制度改革的若干措施〉的通知》（陕发〔2022〕16号）和《中共商洛市委商洛市人民政府关于印发〈深化医疗保障制度改革责任清单〉的通知》（商发〔2022〕4号）文件精神，结合我县实际，特制定本具体措施。

一、指导思想

以习近平新时代中国特色社会主义思想为指导，全面贯彻落实党的十九大和十九届历次全会精神，深入学习贯彻习近平总书记来陕考察重要讲话重要指示精神，坚持以人民健康为中心，加快建成覆盖全民、城乡统筹、权责清晰、保障适度、可持续发展的多层次医疗保障体系。

二、工作目标

到2022年底，医疗保障应保尽保，基本建立重大疫情医疗救治费用保障机制。

到2025年，全县医疗保障制度更加成熟定型，基本完成待遇保障、筹资运行、医保支付、基金监管等重要机制和医药服务供给、医保管理服务等关键领域的改革任务。

到2030年，全面建成以基本医疗保险为主体，医疗救助为托底，补充医疗保险、商业健康保险、慈善捐赠、医疗互助协同发展的医疗保障制度体系，实现更好保障"病有所医"的目标。

三、主要工作措施

（一）完善公平适度的待遇保障机制

1.完善基本医疗保险制度。落实国家医疗保障待遇清单制度，防范过度保障，防止保障不足，确保待遇平稳衔接；职工和城乡居民分类保障，严格执行基本支付范围和标准，待遇与缴费挂钩；将门诊医疗费用纳入基本医疗保险统筹基金支付范围，稳步推进职工基本医疗保险个人账户改革，建立门诊共济保障机制，增强门诊保障能力，2023年1月起全面执行《商洛市职工基本医疗保险门诊共济保障实施办法》；建立重大决策、问题、事项请示报告制度。

牵头单位：县医保局

配合单位：县财政局、县税务局

2.发挥医疗救助托底保障功能。完善医疗救助对象及时精准识别机制，构建信息共享平台；全面落实重点救助对象参保缴费资助和医疗费用救助政策，做好分类管理和保障；建立因病致贫返贫预警监测机制，按规定发放因病防贫保险金，形成预警信息发现、及时反馈、上下联动等工作闭环；加强与基本医疗保险、补充医疗保险、慈善救助等制度衔接，提高医疗救助水平。

牵头单位：县医保局

配合单位：县民政局、县财政局、县乡村振兴局，各镇办

3.建立重大疫情医疗保障机制。建立应对突发重大疫情医保应急预案和医保基金预拨制度，健全重大疫情医保支付政策，完善异地就医直接结算制度，在突发疫情等紧急情况时，确保患者不因费用问题影响就医、医疗机构不因支付政策影响救治；落实特殊群体、特定疾病医药费豁免制度，有针对

性免除医保目录、支付限额、用药量等限制性条款，减轻困难群众就医就诊后顾之忧。

牵头单位：县医保局

配合单位：县财政局、县卫健局

4. 促进多层次医疗保障体系发展。强化基本医疗保险、大病保险、医疗救助三重制度综合保障、梯次减负功能，促使互补衔接；逐步完善居民大病保险、职工大病医疗补助、公务员医疗补助及企业补充医疗保险；鼓励购买"商洛惠民保"，加快发展商业健康保险，丰富健康保险产品供给，着力发展形式多样的险种，提高健康保障服务能力；建立政府救助与慈善救助有序衔接机制，统筹调动慈善医疗救助力量，支持医疗互助有序发展；制定完善门诊慢特病、罕见病政策，将罕见病纳入门诊慢特病管理，调整特殊药品分类，落实"三定"管理要求（定医疗机构、定零售药店、定责任医师），实行"双通道"供药模式。

牵头单位：县医保局

配合单位：县发改局、县民政局、县财政局、县市场监管局、县金融办、县总工会、县慈善协会，各镇办

（二）健全稳健可持续筹资运行机制

5. 实施全民参保计划。组织动员用人单位及其职工依法依规参加职工医疗保险；建立在县委、县政府领导下的部门协调机制，落实镇（办）党委和政府统筹组织动员城乡居民医疗保险参保缴费的主体责任，负责在集中征缴期组织村（社区）集中开展参保缴费宣传动员及缴费组织工作，按时完成参保缴费。县税务局全面履行参保费用征收职责，负责联合县公安局核定全县参保费用征缴人口基数，配合县医保局建立全民参保数据库。县财政局负责将城乡居民医保财政补助资金列入同级财政预算。县民政局负责特困人员、孤儿、事实无人抚养儿童、低保对象等参保资助对象的认定识别和信息推送，协助县医保局动员资助对象参保。县乡村振兴局负责认定识别纳入监测范围的农村易返贫致贫人口（脱贫不稳定户、边易致贫户和突发严重困难户）。县教育局负责指导各类学校开展参保动员工作，原则上中小学生通过所在村（社区）参保，大中专学生由学籍地学校负责组织参保。县卫健局负责督促原计划生育家庭（户）人员参保，落实参保资助政策。县退役军人事务局负责军人退出现役后、由部队保障的随军未就业军人配偶实现就业后，按规定参加基本医保。县人社局负责毕业后未就业大学生在当地参保。县残联负责全县残疾人及时参保。有条件的村（社区）集体可对城乡居民参保给予资助。

牵头单位：县医保局

配合单位：县科教局、县公安局、县民政局、县财政局、县人社局、县卫健局、县退役军人事务局、县乡村振兴局、县残联、县税务局，各镇办

6. 完善筹资分担和调整机制。职工基本医疗保险由用人单位和个人共同缴费，实行基准费率制度，实行动态调整；城乡居民基本医疗保险实行个人缴费和政府补助相结合的筹资机制，严格执行省、市筹资标准，稳步提升筹资水平，逐步优化筹资结构，推动实现筹资稳定可持续；保障灵活就业人员基本医保权益，灵活就业人员可结合自身实际，自主选择参加职工基本医疗保险或者城乡居民基本医疗保险；加强财政对医疗救助投入，鼓励社会对医疗救助基金投入，拓宽医疗救助筹资渠道。

牵头单位：县医保局

配合单位：县民政局、县财政局、县乡村振兴局、县税务局

7. 加强基金风险管控。全面落实基本医疗保险市级统筹，严格按照以收定支、收支平衡、略有结

余的原则,加强预算执行监督,实施预算绩效管理;严格落实财政投入政策,鼓励引导社会力量参与健全基金运行风险评估、预警机制;按照省、市要求探索县级医疗保障部门垂直管理。

牵头单位:县医保局

配合单位:县委编办、县财政局、县税务局

(三)健全协同高效的医保支付机制

8.完善医保目录动态管理机制。严格执行国家医保药品目录,落实医用耗材和诊疗项目目录管理政策,制定医保药品管理措施,优化诊疗项目目录,规范医疗服务设施支付范围,支持医疗技术创新发展,严格控制政策范围外费用占比。

牵头单位:县医保局

配合单位:县卫健局

9.持续推进医保支付方式改革。完善医保基金总额预算办法,实行总额控制、按月申请、逐月兑付、季度考核、年终决算制度,实现总额管理提质增效;推行以总额控制为基础、按病种付费为主的多元复合支付方式改革,2022年县人民医院和县中医医院落实区域点数法总额预算按病种分值(DIP)支付方式改革,2023年1月1日起实行实际付费;2023年以后,根据要求再扩大到其他定点医疗机构,分批推行DIP实际付费。实施分级诊疗支付政策,强化风险分担和激励约束,结余留用,合理超支分担。按协议向医疗机构预付部分医保资金。

牵头单位:县医保局

配合单位:县财政局、县卫健局

(四)建立严密健全的基金监管机制

10.完善医保基金监管体制。建立日常巡查、专项检查、重点检查、飞行检查等相结合的检查制度,落实医保基金行政执法责任制;强化医保经办机构内控制度建设,规范统一医保费用审核规则和基金财务管理制度;严格落实向社会力量购买医保基金监管服务办法,根据合同约定的服务数量、质量及绩效考评结果,向第三方支付服务费用,县财政局将购买医保基金监管服务费用所需资金,纳入财政预算;推进医保基金监管行政执法的法治化、规范化建设,全面推行基金监管行政执法公示制度、执法全过程记录制度和重大执法决定法制审核制度;落实行政执法事项清单,严格落实"双随机一公开"监管制度,聘请社会监督员,设立举报奖励,县财政局将举报奖励资金纳入财政预算;建立《参保人员意外伤害医疗费用报销联合审核机制》。

牵头单位:县医保局

配合单位:县财政局、县卫健局

11.强化审计监督责任。县审计局要将医保基金、医保经办单位、医保监管单位纳入审计计划。县医保局要建立医保基金内部审计制度,建立协作机制,实现医保各类管理经办、稽核统计、智能监控的信息共享,加强审计查出问题整改落实的机制建设。

牵头单位:县医保局

配合单位:县审计局、县卫健局

12.依法追究欺诈骗保行为责任。健全医保基金追回机制,实行行政检查与经办协议支付联动,及时追回违法违规使用的医保基金;加强查处骗保案件行刑衔接工作,加强部门联合执法和联动惩处,严肃追究欺诈骗保单位和个人责任,对涉嫌犯罪的依法追究刑事责任;建立医疗保障信用体系,实施对失信行为的记录、公示和预警机制,落实守法诚信褒奖和违法失信惩戒的联动机制,通过函询约谈、提醒告诫、通报批评等手段,促进医药行业自警自律。

牵头单位:县医保局

配合单位:县发改局、县公安局、县司法局、县卫健局、县市场监管局

(五)健全规范专业的医药供给机制

13. 实行药品耗材集采制度。全面实行药品、医用耗材集中带量采购中选结果及医保资金结余留用政策，常态化开展药品省际价格联动、挂网议价、备案采购工作，提高药品耗材网采率，杜绝应采不采、线下采购、标外采购，2022年5月起医疗机构药械招采子系统上线运行；落实医保经办机构与医药企业直接结算制度；2022年8月起公立医疗机构全面执行2021版医疗服务价格，实施医保支付标准与集中采购价格协同机制，严格执行新增医疗服务价格，综合运用监测预警、函询约谈、提醒告诫、联合惩戒等方式规范价格行为；贯彻执行医疗保障信息业务编码标准。

牵头单位：县医保局

配合单位：县发改局、县财政局、县人社局、县卫健局、县市场监管局

14. 增强医药服务公平可及性。推动优质医疗资源扩容和均衡布局，健全短缺药品监测预警和分级应对体系；加强临床重点专科建设，推进胸痛、卒中、创伤、危重孕产妇和新生儿救治"五大中心"县级全覆盖，补齐康复、护理、老年科、精神科、公共卫生等紧缺医疗服务短板；加大公立医疗卫生机构建设力度，支持有条件的县级医疗机构创建三级综合医院，加强县级妇幼保健机构标准化建设，支持有条件的镇（办）中心卫生院打造县域医疗副中心；鼓励社会力量举办医疗机构。

牵头单位：县卫健局

配合单位：县发改局、县经贸局、县市场监管局、县医保局，各镇办

15. 有效提升医疗服务能力。推进多种形式的医联体建设，加快推进社区医院建设；推动"互联网+家庭医生签约服务"；积极探索实施县聘镇用、镇管村用，加大乡村医生待遇政策落实力度。推进全国基层名老中医药专家传承工作室、示范中医馆建设，鼓励有条件的中医医院牵头组建医疗联合体；加强医疗机构内部专业化、精细化管理，分类完善考核评价体系，将考核结果与医保基金支付挂钩，着力体现技术劳务价值。

牵头单位：县卫健局

配合单位：县财政局、县人社局、县医保局，各镇办

（六）优化医疗保障公共服务

16. 加强医疗保障服务管理。推进医疗保障公共服务标准化规范化，落实医疗保障政务服务事项清单和办事指南，实现一站式服务、一窗口办理、一单制结算，积极开展"掌上办""网上办"等便民服务；做好各类人群参保和医保关系跨地区转移接续，落实异地就医直接结算服务；将符合条件的医药机构纳入医保协议管理范围，制定定点医药机构履行协议考核办法，突出行为规范、服务质量和费用控制考核评价，完善定点医药机构退出机制；持续扩大异地就医定点医疗机构覆盖范围，规范定点医药机构门诊和住院费用直接结算。2022年底前，完成至少有1家定点医疗机构实现包括5个主要门诊慢特病的医疗费用跨省直接结算服务；公布医疗保障服务热线，服务大厅实施综合柜员制，坚持传统服务与智能化服务并行，实施行风建设专项评价和"好差评"制度。

牵头单位：县医保局

配合单位：县卫健局、政务服务中心，各镇办

17. 加快标准化信息化建设。大力推进15项医疗保障信息业务编码标准赋码贯标维护、定点医药机构信息接口规范化管理工作，实现医保各类管理经办、稽核统计、智能监控的信息共享；加大医保电子凭证推广应用力度，积极引导参保对象激活医保电子凭证，依法保护参保人员基本信息和数据安全；加强部门协作和数据共享，实现医保与税务、

公安、民政、乡村振兴等部门信息系统的互联互通。

牵头单位：县医保局

配合单位：县发改局、县公安局、县民政局、县司法局、县财政局、县人社局、县卫健局、县乡村振兴局、县税务局、县市场监管局

18. 完善经办服务能力建设。2022年建立以县医保管理经办机构为中心、9个镇（办）医保服务站为枢纽、82个村（社区）医保服务室为网底的县镇村三级医保服务网络机构，下沉经办服务事项，优先考虑在不增加编制的情况下调剂人员，积极探索编制内调剂、公益岗位、协理员、网格员等用人模式，采取专人专干、兼职监管等措施，配齐镇（办）、村（社区）医保经办人员，打造与新时代医疗保障公共服务要求相适应的专业队伍，实现县镇村三级医保经办服务网络全覆盖。合理安排财政预算，保证镇村医保经办服务机构正常运行。

牵头单位：县医保局

配合单位：县委编办、县民政局、县财政局、县人社局、县乡村振兴局，各镇办

19. 持续推进医保治理创新。推进医疗保障经办机构法人治理，通过购买第三方服务、服务外包等形式，引入商业保险公司、社会力量参与全县门诊慢特病、医疗救助及大病保险经办服务。加强与学校、医疗机构、专业服务机构等交流合作，更好发挥专业机构积极作用。

牵头单位：县医保局

责任单位：县金融办、县财政局

20. 深化人事薪酬制度改革。完善激励相容、灵活高效、符合医疗行业特点的人事薪酬制度，加快推进"两个允许"（允许医疗卫生机构突破现行事业单位工资调控水平，允许医疗服务收入扣除成本并按规定提取各项基金后主要用于人员奖励）政策落地，合理确定并动态调整公立医院绩效工资水平，原则上控制在同级事业单位绩效工资平均水平的3倍以内。落实公立医院内部分配自主权，优化公立医院内部薪酬结构，拓宽公立医院薪酬制度改革经费渠道。建立公立医院负责人薪酬激励约束机制。允许医院自主设立薪酬项目，主要负责人薪酬水平应与其他负责人、本单位职工薪酬水平保持合理关系，薪酬水平原则上不得超过本院职工平均薪酬水平的5倍；其他领导班子成员实行年薪制的，薪酬水平由县卫健局会同县人社局、县财政局共同确定。健全以公益性为导向的考核评价机制。完善医务人员职称评价标准，突出实践能力业绩导向，鼓励卫生专业技术人员扎根基层医疗一线。

牵头单位：县医改领导小组

配合单位：县财政局、县人社局、县卫健局

四、组织保障

（一）加强组织领导

各部门、各镇（办）要把深化医疗保障制度改革作为重要工作任务推进落实，自觉把党的领导贯彻到全县医疗保障改革发展全过程，严格按照统一部署，建立健全工作机制，加强医疗保障队伍建设，强化财政保障支撑，确保改革目标如期实现。

（二）夯实工作责任

各部门、各镇（办）要完善综合配套政策，确保政策衔接规范，保障水平适度。要切实将落实医疗保障制度改革纳入保障和改善民生的重点任务，落实责任，强化问责，遇有重大情况，及时向县委、县政府请示报告。

（三）强化协作配合

建立相关部门协作机制，加强医保、医疗、医药制度政策之间的统筹协调和综合配套。县医保局负责统筹推进医疗保障制度改革工作，定期会同有关部门研究解决改革中的重大问题，推动各项改革目标任务落实。

2022年柞水县加强疫情防控十项规定

一、**严守政策规定**。必须严格遵守中央和省市疫情防控政策规定，坚决落实全县疫情防控工作要求和防控措施。严禁在落实疫情防控政策规定和决策部署上做选择、搞变通、打折扣，有令不行、有禁不止，我行我素、自行其是。

二、**如实报告情况**。必须如实申报个人及家庭疫情防控信息，有高风险地区旅居史、风险人员接触史等情况，要及时向村、社区报告并配合落实防控措施。严禁迟报、瞒报个人及家属旅居史、接触史，严禁通过更换手机、关机等手段隐瞒行程、逃避检查。

三、**自觉服从管理**。必须积极配合场所管理人员主动扫码、测温、戴口罩，出示健康码、行程卡、核酸阴性证明，及时参加核酸检测，坚决服从隔离管理。隔离期间严禁私自外出、进入公共场所、乘坐公共交通工具。

四、**严禁聚集活动**。疫情期间严禁举办和参加生日宴、搬家宴、满月宴等宴请活动，严禁组织或参加各类走亲访友聚会聚餐等活动。不在小区内扎堆聊天，不参与广场舞、健身操等聚集性活动。

五、**严控红白喜事**。必须坚持红事停办、白事简办要求，即日起喜事一律停办，白事必须向镇（办）报备，从简从快办理，人员严格控制在20人以内，镇（办）必须派员现场驻点督导落实疫情防控措施，最大限度减少人员聚集。

六、**规范场所管理**。所有重点场所、公共场所不按要求落实防控措施的，第一次停业整顿一天，第二次停业整顿三天，第三次停业整顿一周，严管重罚、媒体曝光。疫情期间酒店、餐饮一律取消堂食，影院、洗浴、KTV等休闲娱乐场所一律暂停营业。

七、**增强防护意识**。做自己健康的"第一责任人"，养成"戴口罩、常通风、勤洗手、一米线"的良好生活习惯。自觉履行防疫义务，出现发热、干咳、咽痛、嗅（味）觉减退、腹泻等症状后要及时向村、社区报备。

八、**党员干部带头**。必须充分发挥模范带头作用，积极投身疫情防控一线，主动履职担当，严格履行单位管理和家属管理责任，带头遵守疫情防控各项纪律规定。严禁在疫情防控中擅离职守、推诿扯皮，擅自离岗、擅自外出。

九、**营造良好氛围**。必须坚决抵制和散布谣言，做到不信谣、不造谣、不传谣，不转发非官方公开发布的信息，自觉遵守、积极参与疫情防控，积极宣传疫情防控知识，带头履行疫情防控义务，营造"柞水是我家、抗疫靠大家"的全民抗疫氛围。

十、**从严查处问责**。从快依法处理不履行疫情防控义务、违反疫情防控规定、不服从统一管理的人员，从重打击违规载客行为，从严查处工作落实不力、违反纪律规定、工作存在形式主义和官僚主义的党员干部。